Linda HOWARD

MISTER PERFECT

Traduit de l'anglais (États-Unis)
par Jean-Pascal Bernard

Titre original :
Mr Perfect
paru chez Pocket Books aux États-Unis.

7-13, boulevard Paul-Émile-Victor - Île de la Jatte
92521 Neuilly-sur-Seine Cedex

Un grand merci au sergent Henry Piechowski de la police de Warren, Michigan, pour ses lumières, sa patience et son enthousiasme. Il a répondu à mes appels, m'a consacré du temps, et s'est assuré que j'avais tout compris. Je suis donc la seule responsable des éventuelles erreurs qui figureraient dans ce livre. Merci, sergent.

Prologue

Denver, 1975

– C'est parfaitement grotesque !

Ses doigts exsangues cramponnés à son sac à main, la dame dévisageait le principal par-dessus le bureau.

– Il dit qu'il n'a pas touché au hamster, et mon fils ne ment jamais. Comment osez-vous en douter ?

J. Clarence Cosgrove dirigeait le collège d'Ellington depuis six ans, après vingt années d'enseignement. Il recevait souvent des parents courroucés, mais cette femme longiligne assise en face de lui et cet enfant prostré à côté d'elle le déroutaient. Toute familiarité à part, il les trouvait vraiment... bizarres. Puisqu'il n'est pas besoin d'espérer pour entreprendre, il entreprit une dernière fois de la raisonner.

– Il y a un témoin...

– C'est Mme Whitcomb qui l'a forcé à dire ça. Corin n'aurait jamais, jamais fait de mal à ce hamster, n'est-ce pas mon chéri ?

– Non, mère.

Cette voix semblait d'une douceur céleste, mais l'enfant le regardait froidement, sans ciller, comme pour tester la portée de ses dénégations.

– Alors ! Qu'est-ce que je vous disais ? s'écria la dame d'un air triomphal.

M. Cosgrove fit une dernière tentative :

– Mme Whitcomb...

– ... déteste Corin depuis le premier jour. C'est elle que vous devriez soumettre à cet interrogatoire, pas mon fils. Je me suis entretenue avec elle, il y a deux semaines, au sujet de toutes ces saletés qu'elle enfonce dans le crâne de nos petits. Et je lui ai dit que je ne pouvais certes pas contrôler ce qu'elle racontait aux autres gamins, mais que je refusais catégoriquement qu'elle parle de... S-E-X-E au mien. Et c'est pour cette raison qu'elle a agi ainsi.

– Mme Whitcomb possède un dossier professionnel irréprochable. Jamais elle ne ferait...

– Mais elle l'a fait ! Ne me dites pas que cette femme est incapable de commettre une chose dont elle vient manifestement de se rendre coupable ! À vrai dire, je la crois parfaitement capable d'avoir elle-même tué ce hamster !

– Le hamster était son animal de compagnie, qu'elle a amené à l'école pour enseigner aux enfants la...

– Ça ne veut pas dire qu'elle ne l'a pas tué. Enfin quoi, ce n'était qu'un gros rat ! Je ne vois pas pourquoi on en ferait tout un foin, quand bien même ce serait Corin le coupable, ce qui d'ailleurs n'est pas le cas. Il est persécuté, vous m'entendez ? Per-sé-cu-té ! Et je ne puis le tolérer plus longtemps. Alors soit vous vous occupez de cette bonne femme, soit je m'en charge à votre place.

M. Cosgrove ôta ses lunettes pour astiquer les verres, afin de se donner quelque contenance tandis qu'il cherchait un moyen de neutraliser cette vipère avant qu'elle ne ruine la carrière d'une collègue exemplaire. Il regarda Corin ; l'enfant continuait de le dévisager, deux yeux de glace sur une frimousse d'ange.

– Puis-je vous parler en privé ? demanda-t-il à la dame.

Elle parut stupéfaite.

– Pourquoi ? Si vous pensez me convaincre que mon Corin chéri...

– Rien qu'un instant, l'interrompit le principal, en s'efforçant de dissimuler le subit accès de plaisir qu'il éprouva à l'interrompre à son tour.

– Eh bien, d'accord, dit-elle à contrecœur. Corin, mon amour, va m'attendre dans le couloir. Reste près de la porte, afin que maman puisse te voir.

– Oui, mère.

L'enfant sorti, M. Cosgrove se leva pour refermer la porte d'un coup sec. Comme paniquée de ne plus voir son bambin, la dame se redressa sur son siège, prête à bondir.

– S'il vous plaît, dit le principal. Asseyez-vous.

– Mais Corin...

– ... ira très bien.

Un point de plus pour moi, songea-t-il. Il reprit son siège et se mit à tapoter la pointe d'un stylo contre le plateau du bureau. Puisque la voie diplomatique avait échoué, autant y aller franco.

– Vous n'avez jamais songé à faire aider Corin ? Un bon psychologue...

– Vous êtes dingue ? rugit-elle en se levant d'un bond, le visage tordu par la colère. Corin n'a besoin d'aucun psychologue ! Il se porte à merveille. C'est cette garce qui a un sérieux problème. J'aurais dû me douter que cet entretien serait vain, et que vous alliez la défendre.

– Je cherche seulement ce qui est le mieux pour votre fils, répondit-il en s'efforçant de garder son calme. Le hamster n'est que le dernier incident en date. Nous sommes face à un comportement qui dépasse de loin la simple malice...

– Les autres enfants sont jaloux de lui, déclara-t-elle. Je sais comment ces petits morveux se moquent de lui, et cette sorcière ne fait rien pour y mettre bon ordre. Il me dit tout, vous savez. Et si vous croyez que je vais le laisser se faire martyriser dans cette école...

– Vous avez raison, dit-il doucement.

Il avait plusieurs interruptions de retard sur elle, mais celle-ci était sans conteste la plus décisive.

– Un changement d'école serait sûrement la meilleure solution, poursuivit-il. Corin n'est pas dans son élément ici. Je peux vous indiquer de bons établissements privés...

– Ne vous fatiguez pas, rétorqua-t-elle en se ruant vers la porte. Je me fiche de vos conseils.

Sur ces paroles d'adieu, elle ouvrit la porte et empoigna le bras de Corin.

– Viens, mon chéri. Tu n'auras plus jamais à revenir ici.

– Oui, mère.

M. Cosgrove avança jusqu'à la fenêtre pour regarder le tandem remonter dans un vieux coupé jaune aux ailes rouillées. Il venait de résoudre le problème le plus urgent : protéger Mme Whitcomb. Mais il savait que le gros du morceau sortait tout juste de son bureau. Que Dieu protège l'équipe enseignante qui héritera de Corin, se dit-il. Peut-être, un jour, quelqu'un parviendra-t-il à le confier à un spécialiste avant qu'il ne soit trop tard... À moins qu'il ne soit déjà trop tard.

La femme ne pipa mot jusqu'à ce que l'école disparaisse de ses rétroviseurs. Puis elle s'arrêta à un stop et, sans prévenir, gifla Corin si fort qu'il se cogna la tête contre la vitre.

– Sale petit morveux, grogna-t-elle sans desserrer les dents. Comment oses-tu m'humilier de la sorte ? Me faire convoquer dans le bureau du principal pour qu'il me parle comme à une demeurée ! Tu sais ce que tu vas prendre quand on sera rentrés, n'est-ce pas ? N'est-ce pas ?

Elle hurla ces trois dernières syllabes.

– Oui, mère.

Le visage de l'enfant était inexpressif, mais ses yeux trahissaient de l'appréhension.

Elle crispa ses doigts sur le volant, comme pour l'étrangler.

– Tu seras parfait, même si je dois te donner raclée sur raclée. Tu m'entends ? Mon enfant sera parfait !

– Oui, mère, répondit Corin.

1

Warren, Michigan, 2000

Jaine Bright se réveilla de mauvais poil.

Son voisin, la plaie du voisinage, venait de rentrer en pétaradant. Il était 3 heures du matin. Malheureusement, la fenêtre de la chambre donnait sur l'allée de garage de Monsieur. Même la tête enfouie sous l'oreiller, on ne pouvait échapper au vrombissement de la Pontiac huit cylindres. Son propriétaire claqua la portière, alluma le lampadaire du porche – qui, en vertu de quelque plan diabolique, était disposé de sorte à éblouir Jaine –, fit rebondir le cadre de la moustiquaire trois fois dans son chambranle en s'introduisant dans la maison, en ressortit quelques minutes plus tard, puis rentra en oubliant, bien entendu, d'éteindre le lampadaire.

Si seulement on lui avait parlé de ce voisin avant qu'elle n'achète la maison, elle n'aurait jamais signé. En l'espace de deux semaines, ce type avait réussi à anéantir toute la joie qu'elle avait éprouvée à devenir propriétaire.

C'était un alcoolique. Bon sang, pourquoi n'avait-il pas l'alcool gai ? songeait-elle avec amertume. Non, il fallait que ce soit un ivrogne bourru, mauvais, le genre avec lequel on n'ose laisser traîner son chat. BooBoo n'était pas vraiment un chat – ce n'était même pas le sien – mais sa maman en était folle, et Jaine ne voulait pas qu'il lui arrive malheur pendant qu'il séjournait chez elle. Jamais elle n'oserait regarder sa mère en face si, au retour de leur voyage de rêve en Europe, elle devait annoncer à ses parents la mort ou la disparition de BooBoo.

De toute façon, le voisin avait déjà BooBoo dans le collimateur, depuis qu'il avait retrouvé des traces de pattes sur le pare-brise et le capot de sa voiture. À la façon dont il avait réagi, on eût dit qu'il prenait son épave crottée pour une Rolls.

Ce jour-là, hélas, elle était partie travailler en même temps que lui ; du moins avait-elle supposé qu'il se rendait à son bureau. En fait, il allait sûrement racheter de la bière. Si ce gars avait un boulot, alors il avait des horaires drôlement bizarres, parce qu'elle ne réussissait pas à saisir la logique de ses arrivées et départs.

Elle avait fait son possible pour rester aimable, allant même jusqu'à lui sourire, ce qui, vu la façon dont il s'était déjà plaint d'avoir été réveillé par le boucan de sa pendaison de crémaillère – à 2 heures de l'après-midi, s'il vous plaît –, était en soi une gageure. Mais ses sourires conciliateurs furent sans effet. À peine le voisin posait-il son derrière sur le siège de sa voiture qu'il bondissait hors de l'habitacle en hurlant :

– Et elle pourrait pas garder son putain de chat loin de ma voiture, la p'tite dame ?

Son sourire se figea. Jaine détestait gâcher un sourire, a fortiori auprès d'un pauvre type mal rasé, aux yeux injectés de sang, et qui s'était levé du pied gauche. Plusieurs remarques virulentes lui vinrent à l'esprit, mais elle s'efforça de les taire. À peine arrivée dans le quartier, elle s'accrochait déjà avec ce type. Et la dernière chose qu'elle souhaitait, c'était bien une guerre de voisinage. Aussi avait-elle décidé de laisser une dernière chance à la courtoisie, sans y croire tout à fait.

– Je suis désolée, dit-elle d'une voix douce. Cela ne se reproduira plus. Mes parents m'ont provisoirement confié leur chat, mais il ne va pas rester longtemps.

Juste cinq semaines de plus.

Il avait grommelé quelque réponse incompréhensible, replongé dans sa voiture, et démarré en trombe. La carrosserie de la Pontiac était infâme, mais son moteur tournait au poil. Il y en avait des chevaux, sous ce capot.

À l'évidence, la courtoisie ne servait à rien avec ce type.

Et le revoilà qui réveillait tout le voisinage à 3 heures du matin avec sa bagnole déglinguée. Quelle injustice. Dire qu'il avait osé lui reprocher de le réveiller à 2 heures de l'après-midi... Rien que d'y penser, elle avait envie de se planter devant sa porte et de bloquer son doigt sur la sonnette jusqu'à ce qu'il soit aussi réveillé que toutes ses victimes.

Il y avait juste un petit problème : il lui faisait un tout petit peu peur.

Elle n'aimait pas ça. Jaine n'avait pas l'habitude de courber l'échine. Elle ne connaissait même pas son nom. Elle ne connaissait de lui que ses manières frustes et son probable statut de marginal. Au mieux, c'était un ivrogne, et les ivrognes peuvent êtres cruels et violents. Au pire, il baignait dans des combines louches, ce qui le rendait également dangereux.

Il était grand et musclé, avec des cheveux de jais coupés ras, limite skinhead, et une éternelle barbe de trois jours. Ajoutez à cela des yeux rougis et un caractère de chien, et vous obteniez un poivrot invétéré. Dire que ce quartier lui avait paru sûr...

Fulminant, elle se leva pour baisser le store, qu'elle laissait d'ordinaire levé ; les premiers rayons du soleil étaient autrement fiables que la sonnerie du réveille-matin pour la tirer du sommeil.

Son système se composait désormais d'une simple paire de voilages et d'un store. Les voilages la protégeaient du vis-à-vis la nuit, et elle ne remontait le store qu'après avoir éteint dans sa chambre. Si elle arrivait en retard au bureau, ce serait la faute de son voisin, qui l'aurait obligée à se priver de la clarté du jour.

En regagnant son lit elle trébucha sur BooBoo, qui bondit et poussa un miaulement effarouché. Jaine se crut bonne pour l'infarctus.

– Bon sang, BooBoo ! J'ai eu la frousse de ma vie !

Elle n'avait pas l'habitude des animaux domestiques, et elle ne regardait jamais où elle posait le pied. Pourquoi diable sa mère n'avait-elle pas confié son chat à Shelley ou à Dave ? Cela dépassait son entendement. Ses neveux et nièces se seraient pourtant fait une joie de distraire BooBoo, d'autant que c'était les vacances d'été.

En tout cas, si elle devait un jour adopter une bestiole, ce ne serait sûrement pas un monstre comme ce BooBoo. Depuis qu'on l'avait châtré, il passait sans cesse ses nerfs sur le mobilier. En une semaine, il avait déjà effrangé la moitié du canapé.

En fait, BooBoo, si charmant d'ordinaire, ne supportait pas de se retrouver dans le rôle de l'invité. Désormais, chaque fois que Jaine essayait de le caresser, il faisait le gros dos et se mettait à cracher.

Pour couronner le tout, Shelley lui en voulait d'avoir été choisie par maman pour garder son BooBoo adoré. Après tout, c'était elle la sœur aînée, et elle menait une existence plus stable que Jaine, alors pourquoi lui volait-on la vedette ? Jaine ne pensait pas autrement, mais cela n'atténuait en rien la jalousie de sa grande sœur.

Le pompon, c'était que David, d'un an plus jeune que Shelley, lui en voulait lui aussi ! Pas à cause de BooBoo ; David était allergique aux chats. Non, ce qui le mettait hors de lui, c'était que papa avait rangé sa luxueuse voiture dans le garage de Jaine – ce qui, soit dit en passant, signifiait qu'elle-même ne pouvait plus y rentrer la sienne. Elle aurait tant aimé que David hérite de cette satanée bagnole, ou simplement que papa la garde dans son propre garage. Mais le vieux n'osait pas laisser son joujou six semaines sans surveillance. Cela, elle pouvait encore le concevoir, mais elle ne comprenait pas pourquoi on l'avait désignée pour s'occuper *à la fois* du chat et de la voiture. Résultat : Shelley était furax à cause du chat, David à cause de la voiture, et Jaine à cause de tout.

Pour résumer, son frère et sa sœur lui en voulaient à mort, BooBoo s'était juré de venir à bout du divan, Jaine craignait sans cesse pour la voiture de papa, et son pochetron de voisin lui rendait la vie dingue.

Seigneur, pourquoi avait-il fallu qu'elle achète une maison ? Rien ne serait arrivé si elle avait gardé son appartement, où il n'y avait pas de garage et où les animaux étaient interdits.

Mais elle était tombée amoureuse de ce lotissement, avec ces fières demeures des années quarante vendues pour une bouchée de pain, où résidaient aussi bien de jeunes couples avec enfants que des retraités visités par leur progéniture le dimanche à midi. Assis sur le perron dans la fraîcheur du soir, les seniors saluaient les passants, et les enfants jouaient dans les jardins sans risquer de passer sous les roues d'un chauffard. Elle aurait dû se méfier, se renseigner sur tous ses voisins avant de signer, mais cet endroit paraissait tellement agréable et sûr pour une femme seule, sans parler du prix imbattable pour une maison en si bon état, qu'elle n'avait pas pris ces précautions élémentaires.

Devinant qu'elle ne pourrait retrouver le sommeil tant qu'elle penserait à son voisin, Jaine ramena ses mains derrière sa tête, fixa le plafond et songea aux aménagements qu'elle comptait réaliser. La cuisine et la salle de bains avaient besoin de travaux, mais plus tard, quand ses finances le permettraient. En revanche, un bon coup de peinture et de nouveaux volets suffiraient d'ores et déjà à redorer la façade, et elle pouvait abattre la cloison séparant le séjour de la salle à manger pour faire de cette dernière une sorte d'alcôve, délimitée par une arcade qu'elle enduirait d'un revêtement imitation pierre...

La sonnerie stridente du réveil lui fit ouvrir les yeux. Au moins ce fichu machin avait-il fait son office cette fois-ci, se dit-elle en se retournant pour le réduire au silence. Les chiffres rouges qui se détachaient dans la pénombre l'incitèrent cependant à ajuster son regard. Merde ! pesta-t-elle en sautant du lit. 6 h 58. Il sonnait depuis presque une heure, ce qui signifiait qu'elle était en retard. Très en retard.

– Merde, merde, merde ! scanda-t-elle en bondissant sous la douche, qu'elle quitta au bout d'une minute.

La brosse à dents en bouche, elle fila dans la cuisine et ouvrit une boîte pour BooBoo, qui l'attendait devant son écuelle.

Elle cracha dans l'évier et fit couler l'eau pour éliminer les résidus de dentifrice.

– Pourquoi n'as-tu pas grimpé sur le lit pour me dire que tu avais faim ? demanda-t-elle au chat. Non, c'est aujourd'hui que môssieur a choisi d'apprendre les bonnes manières. Et du coup, c'est moi qui vais sauter le p'tit déj !

BooBoo lui fit comprendre qu'il s'en moquait éperdument, du moment que lui avait son dû.

Elle regagna la salle de bains, appliqua un maquillage sommaire sur son visage, attacha ses boucles d'oreilles et sa montre, puis enfila la tenue consacrée à ce type d'urgences : pantalon noir, chemisier blanc et veste rouge. Elle enfonça ses pieds dans ses chaussures, empoigna son sac à main et se retrouva dehors.

La première chose qu'elle vit fut la petite dame grisonnante qui habitait de l'autre côté de la rue. Elle sortait ses poubelles. C'était le jour du ramassage.

– Merde, merde, merde, merde, merde... marmonna-t-elle à l'infini en rebroussant chemin à toute vitesse.

– J'essaie de réduire mon débit de jurons, assena-t-elle à BooBoo tout en ficelant le sac poubelle de la cuisine, mais toi et M. Savoir-Vivre ne faites rien pour m'aider.

BooBoo lui tourna le dos.

Elle ressortit comme une furie, revint sur ses pas pour verrouiller la porte, puis traîna la grosse poubelle métallique jusqu'au trottoir et déposa enfin son butin au-dessus des deux sacs qui s'y trouvaient déjà. Elle n'essaya même pas d'être discrète. Elle comptait bien réveiller le gros porc d'à côté.

Elle courut jusqu'à sa voiture, une Dodge Viper cerise dont elle était folle. Histoire d'enfoncer le clou, elle fit vrombir son moteur plusieurs fois de suite, au point mort, puis enclencha la marche arrière. Un poil trop tôt. La voiture se propulsa comme un missile et percuta la poubelle dans un vacarme apocalyptique. Il y eut un deuxième fracas quand la poubelle de Jaine s'écrasa sur celle du voisin, dont le couvercle dévala la rue comme une roue folle.

Jaine ferma les yeux et projeta son front contre le volant – mais pas trop fort tout de même, le but recherché n'étant pas l'hématome. Quoique... Au moins, avec une bonne commotion cérébrale, elle n'aurait plus à se soucier d'arriver à l'heure au bureau, ce qui était désormais chose impossible. Pour autant, elle s'abstint de pousser des jurons. Car les mots qui lui venaient à l'esprit la révulsaient.

Elle tira le frein à main et sortit de la voiture. Il s'agissait de se maîtriser, de ne pas céder à l'hystérie. Elle ramassa sa poubelle cabossée, y rangea les sacs, et plaqua le couvercle dessus. Puis elle releva celle du voisin, rassembla les ordures dispersées – il était beaucoup moins soigneux qu'elle en termes d'immondices, mais que pouvait-on espérer d'un soûlard ? – et descendit la rue pour récupérer le couvercle en cavale.

Elle retrouva l'objet dans le caniveau, deux maisons plus bas. Comme elle se penchait pour le ramasser, elle entendit claquer une moustiquaire.

Son vœu était exaucé : le gros porc était réveillé.

– C'est quoi ce bordel ? aboya-t-il.

Il faisait peur, dans son pantalon de survêtement et son tee-shirt sale et troué, avec son regard noir et ses joues mal rasées.

Elle se retourna, remonta jusqu'à la désolante paire de poubelles, et aplatit le couvercle sur celle du voisin.

– Je ramasse vos ordures, répondit-elle.

Les yeux du type lançaient des éclairs. À vrai dire, ils étaient simplement rouges, comme d'habitude, mais c'était l'effet qu'ils produisaient.

– Vous tenez vraiment à me priver de sommeil, hein ? J'ai jamais vu une bonne femme aussi bruyante !

Devant tant d'injustice, Jaine oublia que son voisin lui faisait un tout petit peu peur. Elle se redressa et s'avança vers lui, enhardie par les talons de cinq centimètres qui la hissaient au niveau de son... menton. Presque.

C'était une armoire à glace ? Et alors ? Elle était furieuse et, c'est bien connu, la colère décuple les forces.

– Je suis bruyante ? demanda-t-elle en montrant les crocs.

Difficile d'avoir du coffre quand on serre les dents. Mais elle fit de son mieux.

– *Je* suis bruyante ?

Elle pointa son index sur le torse du type. Elle n'osait pas le toucher, parce que son tee-shirt était troué et taché de... quelque chose.

– Ce n'est pas moi qui ameute le quartier en pleine nuit avec ce tas de ferraille que vous appelez une voiture ! Achetez un silencieux, bon sang ! Et ce n'est pas moi qui claque une fois ma portière, trois fois la moustiquaire – vous aviez oublié votre bouteille, sûrement –, et laisse le lampadaire allumé exprès pour éclairer ma chambre et m'empêcher, moi, de dormir !

Il ouvrit la bouche pour répliquer, mais elle n'avait pas terminé.

– Par ailleurs, j'estime qu'il est moins débile de penser que les voisins dorment à 3 heures du matin qu'à 2 heures de l'après-midi, ou encore (elle consulta sa montre) à 7 h 23 du matin !

Bon sang, elle était vraiment à la bourre.

– Alors dégage, mon pote ! Noie-toi dans ta bouteille, et tu feras de beaux rêves.

Emportée par sa fougue, Jaine finit par toucher le tee-shirt. Beurk. Elle n'avait plus qu'à se plonger le doigt dans l'eau bouillante.

– Je vous rachèterai une poubelle demain, alors lâchez-moi la grappe. Et ne vous avisez pas de toucher au chat de ma mère, ou je vous étripe cellule par cellule. Je bousillerai votre ADN au point que vous ne pourrez jamais vous reproduire, ce qui sera un grand bienfait pour l'humanité.

Elle le détailla de haut en bas, d'un regard qui englobait ses haillons crasseux et sa mâchoire râpeuse.

– Pigé ?

Il hocha la tête.

Elle expira un bon coup pour reprendre ses esprits.

– Très bien. Affaire classée. Bon sang, vous avez réussi à me faire jurer, alors que j'essaie d'arrêter.

Il lui jeta un regard étrange.

– Ouais, vous devriez surveiller votre putain de langage, marmonna-t-il.

Elle dégagea les cheveux qui lui couvraient le visage, se demandant si elle s'était coiffée avant de sortir de chez elle.

– Je suis en retard, dit-elle. J'ai très mal dormi et je n'ai rien avalé, pas même un café. Il vaut mieux que je parte avant de vous blesser.

– Sage décision. Ça m'embêterait de devoir vous arrêter.

Elle ouvrit de grands yeux.
– Quoi ?
– Je suis flic, dit-il avant de tourner les talons.
Interloquée, elle le regarda rentrer chez lui. Un flic ?
– Et merde !

2

Chaque vendredi après le travail, Jaine et ses trois amies de Hammerstead Technology se retrouvaient chez Ernie, un bar-restaurant du coin, pour s'offrir un verre de vin, un dîner qu'elles n'auraient pas à préparer elles-mêmes, et des discussions entre filles. Après une semaine dans un environnement dominé par les mâles, elles avaient grand besoin de papoter à l'abri d'oreilles masculines.

Hammerstead équipait en systèmes informatiques les sites de General Motors dans la région de Detroit, et le domaine des ordinateurs demeurait l'apanage des hommes. D'autre part, l'entreprise était relativement grande, ce qui générait une ambiance un peu spéciale, avec une faune insaisissable de fêlés de la bécane complètement inadaptés à la vie de bureau. Si seulement Jaine travaillait dans le département de recherche-développement au milieu de ces allumés, personne n'aurait remarqué sa panne d'oreiller. Mais elle officiait au service de la paye, et son supérieur direct était une pointeuse ambulante.

Ayant dû compenser sa défaillance du matin, elle arriva chez Ernie avec un petit quart d'heure de retard. Par bonheur, ses trois copines avaient déjà trouvé une table. Le restaurant affichait presque complet, comme chaque veille de week-end, et Jaine détestait patienter au bar même quand elle était de bonne humeur, ce qui n'était pas le cas en l'occurrence.

– Seigneur, quelle journée... souffla-t-elle en se laissant tomber sur une chaise.

Tant qu'elle en était à invoquer Dieu, elle lui sut gré d'avoir fait de ce jour un vendredi. Un jour épouvantable, certes, mais le tout dernier – du moins jusqu'à lundi.

– À qui le dis-tu ! embraya Marci, écrasant sa cigarette avant d'en allumer une nouvelle. Brick a la larme facile ces temps-ci. Vous croyez que ça existe, le syndrome prémenstruel chez un homme ?

– Ils n'ont pas besoin de ça, répondit Jaine en pensant à son crétin de voisin – son crétin de flic. Ils sont contaminés par la testostérone dès la naissance.

– Ah, c'est donc ça ? dit Marci en roulant des yeux. Moi qui croyais que c'était la pleine lune ou quelque chose du genre. Vous connaissez la meilleure ? Aujourd'hui Kellman m'a mis la main aux fesses.

– Kellman ? s'écrièrent les trois autres, s'attirant ainsi les regards de toute la salle.

Elle éclatèrent de rire, parce que de tous leurs agresseurs potentiels, Kellman était bien le plus improbable. Derek Kellman, vingt-trois ans, était l'archétype du fêlé falot. Cette grande asperge se mouvait avec la grâce d'une cigogne avinée. Il avait une pomme d'Adam si proéminente qu'on aurait dit un citron coincé dans son œsophage. Aucun peigne ne pouvait venir à bout de sa chevelure carotte, qui alternait zones plaquées et mèches hirsutes – de quoi donner tout son sens à l'expression « tête de lit ». Parce que c'était un vrai génie de la bécane, elles étaient toutes folles de lui, mais à la manière de grandes sœurs. Il était timide, gauche et parfaitement hermétique à tout ce qui sortait du champ de l'informatique. La rumeur prétendait qu'il venait d'apprendre l'existence de deux sexes dans l'espèce humaine, mais qu'il se demandait encore si on ne s'était pas payé sa tête. Kellman était bien la dernière personne dont on penserait à protéger ses arrières.

– Tu plaisantes ! dit Luna.

– Tu déconnes ! renchérit T.J.

Marci éclata de rire et tira une longue bouffée sur son mégot.

– Je jure que c'est la stricte vérité. Je le croise dans le couloir quand soudain il m'agrippe à deux mains, et il reste planté là, à me couver les fesses comme s'il allait dribbler avec un ballon de basket.

L'image les fit pouffer de plus belle.

– Comment as-tu réagi ? demanda Jaine.

– À vrai dire, je n'ai rien fait. Le problème, c'est que cet enfoiré de Bennett contemplait la scène.

Elle poussèrent un grognement. Bennett Trotter adorait s'en prendre à ceux qu'il considérait comme ses subordonnés, et le pauvre Kellman était sa cible préférée.

– Que vouliez-vous que je fasse ? demanda Marci en secouant la tête. Il était hors de question que je donne des munitions à ce connard pour enfoncer le gamin. Alors je lui ai tendrement tapoté la joue en lui susurrant des mots doux, du style : « Je ne savais pas que je te plaisais. » Kellman est devenu rouge comme une tomate et il s'est sauvé dans les toilettes des hommes.

– Et Bennett a réagi comment ? demanda Luna.

– Il m'a dit avec son sourire vicelard que s'il avait su que j'étais désespérée au point de me tourner vers Kellman, il m'aurait proposé ses services par charité chrétienne.

Les propos de Bennett déclenchèrent un ballet de roulements d'yeux.

– Je reconnais bien cet abruti, dit Jaine avec dégoût.

Il y avait d'un côté le politiquement correct, et de l'autre la réalité. Et la réalité, c'était que les gens sont comme ils sont. Certains de ses collègues masculins étaient de sales pervers, qu'aucun stage intensif d'humanisation ne parviendrait jamais à réformer. Cela dit, la plupart des types étaient corrects, et la présence de quelques garces dans la boîte équilibrait la partie. De toute façon, Jaine avait cessé de courir après la perfection, au travail comme ailleurs. Luna trouvait cette attitude un peu cynique, mais c'était la benjamine du groupe, et ses illusions étaient encore intactes – un rien ternies, certes, mais intactes.

À première vue, les quatre amies avaient pour seul point commun leur lieu de travail. À quarante et un ans, Marci Dean, la directrice de la comptabilité, était l'aînée. Ses trois mariages s'étaient soldés par trois divorces et, depuis son dernier passage devant le juge, elle avait opté pour la liberté. Les cheveux teints en blond platine, les stigmates du tabagisme sur la peau, elle affectionnait les tenues un peu trop serrées, aimait la bière, les hommes aux mains calleuses, le sexe brut, et avouait une passion immodérée pour le bowling.

– Je suis ce qu'un homme peut rêver de mieux, aimait-elle à répéter. Je me soûle à la bière sur un budget de champagne.

Son copain du moment était un dénommé Brick, un gros balourd trapu qu'aucune des trois autres n'appréciait. En privé, Jaine trouvait que ce prénom lui allait comme un gant. De dix ans plus jeune que Marci, il ne travaillait que par intermittences, et passait l'essentiel de son temps à boire la bière de Marci devant la télévision de Marci. Mais, à sa décharge, il savait la satisfaire au lit, et c'était une raison suffisante pour le garder sous la main.

Luna Scissum, la plus jeune, allait sur ses vingt-cinq ans. C'était l'enfant prodige du département des ventes. Grande et élancée, elle possédait la grâce et l'élégance d'une chatte. Sa peau parfaite avait l'aspect du caramel blond, sa voix était tendre et mélodieuse, et les hommes tombaient à ses pieds comme des mouches. Tout le contraire de Marci, en somme. Marci était brutale ; Luna était posée et féminine.

Personne ne l'avait jamais vue en colère, hormis la fois où l'on avait osé la qualifier d'« Afro-Américaine ».

– Je suis une Américaine, rectifiait-elle en tombant sur son agresseur. Je n'ai jamais mis les pieds en Afrique. Je suis née en Californie, mon père était major dans la marine, et je n'ai rien d'un mot composé. J'ai des racines noires, mais j'en ai autant de blanches.

Puis, soulevant un bras gracile pour l'examiner :

– À première vue, j'ai la peau brune. Mais nous avons tous la peau plus ou moins brune, alors ne vous avisez pas de me classer à part.

Le type avait balbutié quelques mots d'excuse et Luna, cette incorrigible Luna, lui avait offert son plus beau sourire. Elle sortait actuellement avec Shamal King, un joueur de football américain des Lions de Detroit, qui était réputé pour avoir une femme dans chaque ville affiliée à la National Football League. La tristesse voilait souvent les yeux noisette de Luna, mais elle refusait de laisser tomber son homme.

T.J. Yother travaillait aux ressources humaines, et c'était la plus classique des quatre. Elle avait trente ans, comme Jaine, et elle avait épousé son flirt de lycée neuf ans plus tôt. Ils habitaient un coquet pavillon de banlieue avec deux chats, une perruche, et un cocker. La seule ombre au tableau était son désir d'enfant, que son mari Galan ne partageait pas. Jaine estimait que T.J. gagnerait à prendre un peu d'indépendance ; alors que Galan supervisait chaque soir la tranche 15 heures-23 heures à l'usine de montage Chevrolet, T.J. surveillait sans cesse sa montre, comme si elle devait être rentrée à une heure précise. Jaine croyait savoir que Galan ne goûtait guère leur rituel du vendredi soir. Ce dernier se limitait pourtant à un simple dîner chez Ernie, qui ne se prolongeait jamais au-delà de 21 heures ; ce n'était pas comme si elles éclusaient les bars jusqu'au bout de la nuit.

Comme quoi personne ne menait une existence parfaite, pensait Jaine. Elle-même, côté cœur, méritait à peine la mention passable. Elle avait été fiancée trois fois, mais sans jamais atteindre l'autel. À sa troisième rupture, elle avait décidé de mettre sa vie sentimentale entre parenthèses pour se concentrer sur sa carrière. Sept ans plus tard, elle se concentrait encore. Mais on appréciait son travail, son compte bancaire n'était jamais dans le rouge et elle venait d'acheter sa toute première maison – bien qu'elle s'y plaise moins que prévu à cause du crétin mal dégrossi d'à côté. Flic ou pas, ce type était assez inquiétant, le genre à incendier votre maison pour peu qu'il vous ait dans le nez. Et il l'avait dans le nez depuis le premier jour.

– Je viens d'avoir une nouvelle altercation avec mon voisin, annonça-t-elle en posant son menton sur ses phalanges croisées.

– Qu'est-ce qu'il a encore fait ? demanda T.J. d'un air compatissant.

– J'étais à la bourre et j'ai défoncé ma poubelle en sortant de l'allée. Vous savez bien comment certaines bêtises n'arrivent que lorsqu'on est en retard. Tout est allé de travers ce matin. Donc, ma poubelle s'est écrasée contre la sienne, et son couvercle a fichu le camp. Je vous laisse imaginer le boucan. Mon voisin a surgi de chez lui comme un fauve évadé d'un zoo, en criant que j'étais la bonne femme la plus bruyante qu'il ait jamais rencontrée.

– Tu aurais dû shooter dans sa poubelle, déclara Marci, qui ne croyait pas aux bienfaits de tendre l'autre joue.

– Il m'aurait arrêtée pour tapage, se lamenta Jaine. Il est flic, figurez-vous.

– Sans blague !

Elles n'en croyaient pas leurs oreilles. Jaine leur avait décrit le bonhomme, et les yeux rouges, la barbe de trois jours, et les vêtements sales ne faisaient pas très représentant de l'ordre.

– Après tout, j'imagine qu'un flic a les mêmes chances de sombrer dans l'alcool que n'importe qui, dit T.J. avec un soupçon d'hésitation. En fait, je dirais même qu'il en a davantage.

Jaine fronça les sourcils en repassant la scène dans sa tête.

– Cela dit, il ne dégageait aucune odeur particulière. Il semblait revenu de trois jours de coma éthylique, mais il n'empestait pas. Bon sang, ça me fout les boules de me dire qu'il peut être aussi exécrable *à jeun*.

– Passe à la caisse ! dit Marci.

– Et merde ! s'exclama Jaine, furieuse contre elle-même.

Par mesure d'autodiscipline, elle s'était engagée à leur verser 25 cents dès qu'elle prononcerait un gros mot.

– Ça fera le double, gloussa T.J. en tendant la main.

Serrant les dents pour ne pas aggraver son cas, Jaine sortit trois fois 50 cents. Elle veillait toujours à se munir de liquide ces temps-ci.

– Ce n'est jamais qu'un voisin, dit Luna pour la rassurer. Arrange-toi pour l'éviter.

– Ouais, il n'y a plus que ça à faire, reconnut Jaine en fixant un point sur la table.

Puis elle se redressa, décidée à empêcher cet abruti de dominer sa vie et ses pensées comme il le faisait depuis deux semaines.

– Assez parlé de lui. Rien d'intéressant à signaler de votre côté, les filles ?

Luna se mordit la lèvre et la détresse assombrit son visage.

– Hier soir j'ai appelé Shamal, et c'est une femme qui a décroché.

– Ah ! merde... dit Marci en posant sa main sur celle de Luna.

L'espace d'un instant, Jaine envia la liberté de parole de sa copine.

Le serveur choisit ce moment-là pour leur présenter la carte, ce qui était parfaitement inutile puisqu'elles la connaissaient par cœur. Elles passèrent la commande, lui rendirent les menus et se rapprochèrent de la table dès qu'il fut reparti.

– Qu'est-ce que tu comptes faire ? demanda Jaine.

Elle était experte en ruptures, tant comme largueuse que comme larguée. Son deuxième fiancé, ce petit salopard, avait attendu la veille du mariage pour lui annoncer qu'il n'était plus partant.

Luna haussa les épaules. Bien qu'au bord des larmes, elle s'efforçait de paraître détachée.

– On n'est pas fiancés, et on ne s'est jamais juré fidélité. Alors je n'ai pas le droit de me plaindre.

– Non, mais tu peux te protéger en cessant de le voir, lui conseilla T.J. Mérite-t-il que tu souffres autant ?

– Aucun homme ne mérite qu'on souffre pour lui, trancha Marci avec dédain.

– Amen, dit Jaine, qui pensait toujours à ses fiançailles rompues.

Luna chiffonna sa serviette.

– Mais quand nous sommes tous les deux, il a l'air de tenir vraiment à moi. Il se montre doux, affectueux et si attentionné...

– Les mecs le sont tous jusqu'à ce qu'ils obtiennent ce qu'ils veulent, dit Marci en écrasant sa troisième cigarette. J'en sais quelque chose, crois-moi. Amuse-toi tant que tu peux avec lui, mais n'espère pas le faire évoluer.

– C'est bien vrai, dit T.J. avec regret. Ils ne changent jamais. Ils peuvent jouer la comédie pendant un certain temps, mais sitôt qu'ils pensent t'avoir à la bonne, ils se relâchent et Mr. Hyde reprend le dessus.

– J'ai l'impression de m'entendre ! s'écria Jaine.

– Les grossièretés en moins, précisa Marci.

T.J. leur fit signe de se taire. Luna semblait dans le trente-sixième dessous.

– Alors, d'après vous, soit j'accepte de me fondre dans le harem, soit j'arrête de le voir ?

– Eh bien... ouais.

– Mais ça ne devrait pas se passer comme ça ! S'il tient vraiment à moi, comment peut-il s'intéresser à toutes ces femmes ?

– C'est évident, répondit Jaine. Le serpent cyclope ne reconnaît pas son terrier.

– Écoute, mon cœur, poursuivit Marci en s'efforçant d'adoucir sa voix de fumeuse, si c'est l'homme parfait que tu cherches, tu seras malheureuse toute ta vie, parce qu'il n'existe pas. Essaie de trouver la meilleure affaire possible, mais dis-toi qu'il y aura toujours un os quelque part.

– Je sais qu'il n'est pas parfait, mais...

– Mais tu voudrais qu'il le soit, compléta T.J.

– C'est perdu d'avance, dit Jaine en secouant la tête. L'homme idéal relève de la pure science-fiction. Attention, nous autres ne sommes pas parfaites non plus, mais la plupart des femmes tentent au moins de s'en approcher. Pas les hommes. C'est pour ça que j'ai tiré un trait dessus. L'amour et moi, ça fait deux.

Elle marqua une pause, puis ajouta d'un air grave :

– Cela dit, un esclave sexuel ne me déplairait pas.

Elles éclatèrent de rire, Luna aussi.

– Je pense que ça me plairait aussi, dit Marci. Où est-ce qu'on peut s'en procurer ?

– Au « Paradis du Jouet » ? suggéra T.J.

Elles se tordirent sur leurs chaises.

– On doit bien trouver ça sur Internet, dit Luna après avoir repris son souffle.

– Bien sûr, répondit Jaine. C'est sur ma liste de sites favoris : www.sexclaves.com.

– Tu entres tes préférences et tu peux louer le prince charmant à l'heure ou à la journée ! renchérit T.J. en levant sa choppe.

– À la journée ? demanda Jaine. Tu rêves ou quoi ? Une heure tient déjà du miracle.

– Mais n'oubliez pas que l'homme parfait n'existe pas, rappela Marci.

– Pas en vrai, bien sûr, mais un esclave sexuel serait tenu de jouer le rôle qu'on lui assigne, n'est-ce pas ?

Marci ne se séparait jamais de sa sacoche en cuir. Elle l'ouvrit pour en extraire un bloc et un stylo qu'elle posa sur la table en disant :

– Puisque vous y tenez, voyons un peu à quoi ressemblerait cet homme parfait.

– Il ferait la vaisselle un soir sur deux sans qu'on le lui demande ! déclara T.J. en tapant du poing sur la table.

Des regards convergèrent sur leur tablée. Surmontant un fou rire, Marci nota sur son bloc :

– Numéro un : fait la vaisselle.

– Attendez, les filles, on ne peut pas mettre la vaisselle en première position, protesta Jaine. Il y a plus important que ça, tout de même.

– C'est sûr, approuva Luna. Sérieusement, comment voyez-vous l'homme parfait ? Je ne me suis jamais posé la question dans ces termes. Mais ça m'aiderait à savoir ce que j'aime chez un mec.

Elles réfléchirent en silence.

– L'homme parfait ? Sérieusement ? demanda Jaine en fronçant le nez.

– Sérieusement.

– Ça demande réflexion, dit Marci.

– Pas pour moi, affirma T.J., soudain redevenue sérieuse. Ce qui compte le plus à mes yeux, c'est qu'il attende de la vie les mêmes choses que moi.

Cette pensée les plongea dans le silence. Les regards qu'elles avaient attirés partirent en quête de nouvelles cibles.

– Il attend de la vie les mêmes choses que nous, répéta lentement Marci à mesure qu'elle prenait note. C'est le numéro un ? Tout le monde est d'accord ?

– C'est important, admit Jaine, mais je ne suis pas convaincue que ce soit la première des priorités.

– Alors ce serait quoi pour toi ?

– La loyauté.

Elle songea à son deuxième fiancé, le salopard.

– La vie est trop courte pour être gâchée auprès d'un mec indigne de confiance, expliqua-t-elle. On ne devrait pas avoir à redouter que notre homme nous mente ou nous trompe. C'est, à mon avis, ce qui conditionne tout le reste.

– C'est aussi ce que je placerais en première position, dit doucement Luna.

T.J. médita cette idée.

– Vous avez raison, dit-elle enfin. Si Galan ne m'était pas loyal, jamais je ne voudrais un enfant de lui.

– Ça me va, dit Marci. Je ne supporte pas les mecs volages. Alors allons-y. Numéro un : la loyauté. Ne triche pas, ne ment pas. Ensuite ?

– Il doit être gentil, proposa T.J.

– Gentil ?

Ce mot laissa Marci pantoise.

– Oui, gentil. Qui voudrait vivre avec un sale type ?

– Ou l'avoir pour voisin ? ajouta Jaine. Va pour gentil. Ce n'est pas très glamour, mais pensez-y sérieusement. L'homme parfait doit être gentil avec les enfants et les animaux. Il aide les vielles dames à traverser et il ne vous insulte pas quand il ne partage pas vos opinions. C'est si important, la gentillesse, que ça mériterait presque la première place.

Luna hocha la tête.

– D'accord, dit Marci. Bon sang, tu as même réussi à me convaincre. En fait, je n'ai jamais rencontré de type gentil. Alors allons-y, numéro deux : gentil. Et en troisième position ? Je crois avoir une idée : je veux un mec fiable, un mec qui tienne ses engagements. Quand il promet de faire quelque chose, il doit le faire. Si on a rendez-vous à 19 heures, ce n'est pas pour se pointer à 21 h 30 ou à la saint-glinglin. Qu'en dites-vous ? On passe au vote ?

Quatre mains se levèrent. Adopté. « Fiable » vint prendre la troisième position.

– Numéro quatre ?

– Facile, répondit Jaine. Un emploi stable.

Marci grimaça.

– Tu me fais mal, dit-elle en songeant à Brick vautré sur son canapé.

– Un emploi stable va de pair avec la fiabilité, souligna T.J. Et j'estime que c'est essentiel. Un emploi stable est un gage de maturité et de responsabilité.

– Emploi stable, écrivit donc Marci.

– Il doit avoir de l'humour, poursuivit Luna.

– Tu veux dire autre chose que les sempiternelles histoires de blondes ? demanda Jaine.

Elles firent une moue dédaigneuse.

– C'est vrai, qu'est-ce qu'ils ont tous avec leurs blagues vaseuses ? s'indigna T.J. Sans parler de leurs blagues de cabinet ! Voilà ce qu'il faut mettre en numéro un, Marci : pas de blagues scatos !

– Numéro cinq : Sens de l'humour, écrivit Marci en se gondolant. Mais par souci d'équité, je ne pense pas qu'on puisse imposer un type d'humour précis.

– Bien sûr que si, protesta Jaine. C'est notre esclave, oui ou non ?

– Numéro six ? demanda Marci en faisant tinter son verre pour ramener un peu d'attention. Allez, les filles, on a encore du pain sur la planche. Qu'est-ce qu'on met en sixième position ?

Elles s'interrogèrent en silence.

– Le fric, c'est pas mal, proposa T.J. Ce n'est pas une condition *sine qua non* dans la vraie vie, mais puisqu'il s'agit d'imaginer l'homme parfait, allons-y !

– Plein aux as, ou juste aisé ?

C'était une bonne question.

– Plein aux as me convient assez, avoua Marci.

– Mais les mecs pleins aux as veulent toujours faire la loi. C'est comme ça qu'ils fonctionnent.

– Tu as raison. Le pognon c'est bien, mais à dose raisonnable. Disons qu'il sera friqué juste ce qu'il faut.

Quatre mains se levèrent, et « Friqué » se retrouva en sixième position.

– Quitte à rêver, dit Jaine, autant qu'il soit mignon. Mais pas trop quand même. Car seule Luna pourrait prétendre à un apollon.

– Tu as pourtant vu ce que ça donne, dit cette dernière. Mais tu as raison, l'homme parfait ne sera parfait que si l'on prend plaisir à le regarder.

– Vous voyez qu'on y arrive ! se félicita Marci en inscrivant : « Beau gosse. »

Puis elle releva la tête, un large sourire aux lèvres.

– Je me dévoue pour dire à voix haute ce à quoi nous pensons toutes : ce doit être un bon coup. Que dis-je ? un *excellent* coup. Qui fasse frétiller mes orteils et me révulse les yeux ! Qui allie l'endurance d'un pur-sang et la fougue d'un adolescent !

Elles riaient encore quand le serveur apporta les plats.

– Qu'y a-t-il de si drôle ? demanda-t-il.

– Tu ne comprendrais pas, articula T.J. entre deux gloussements.

– Je vois, vous parlez mecs.

– Non, on parle science-fiction, rétorqua Jaine, ce qui souleva une nouvelle vague d'hilarité.

Les clients alentour les dévisageaient à nouveau, l'oreille tendue.

Le serveur parti, Marci se pencha en avant pour ajouter :

– Et pour finir, j'exige que l'homme parfait ait un organe de 25 centimètres !

– Seigneur ! s'exclama T.J. en s'éventant avec la main comme si elle allait tourner de l'œil. Qu'est-ce que je ne ferais pas avec 25 centimètres... ou plutôt : qu'est-ce que je ferais !

Jaine se tenait les côtes tellement elle riait. Elle parvint tout de même à aligner quelques mots, en luttant pour ne pas hurler :

– Attends ! Tout ce qui excède 20 centimètres ne sert qu'à tourner dans des films. C'est là, sous tes yeux, mais tu ne peux rien en faire. Ça en jette dans les vestiaires, mais soyons objectives : ces cinq centimètres de rab finissent toujours en restes dans l'assiette.

– Des restes dans l'assiette ! glapit Luna, au bord de l'apoplexie. Par ici, le rab !

– Mon Dieu, voilà qu'on parle cuisine, dit Marci qui écrivait d'une main tout en séchant ses larmes de l'autre. Qu'a-t-il d'autre, notre homme parfait ?

– Moi ! répondit T.J. Il peut m'avoir moi.

– Si on ne t'élimine pas avant, répondit Jaine en levant son verre, aussitôt imitée par les trois autres. À la santé de l'homme parfait, où qu'il se trouve !

3

L'aube du samedi apparut, lumineuse et précoce – excessivement lumineuse, et vachement précoce. BooBoo réveilla Jaine à 6 heures en miaulant dans son oreille.

– Dégage, grogna-t-elle en rabattant le coussin sur son visage.

BooBoo miaula de plus belle, et se mit à boxer l'oreiller. Elle comprit le message : soit elle se levait, soit il sortait les griffes. Alors elle rejeta ses draps et s'adossa contre le mur, en le fusillant du regard.

– Tu es un sacré vicelard, tu sais. Tu n'aurais pas pu faire ça hier matin, bien sûr. Non, il fallait que tu choisisses mon jour de repos.

Le sermon ne sembla guère l'impressionner. Ainsi étaient les chats : même la plus ignoble boule de poils était convaincue de sa supériorité sur l'être humain. Jaine gratta BooBoo derrière les oreilles et le petit corps de l'animal se mit à vibrer d'un ronron sourd. Ses yeux fendus jaunes succombèrent au plaisir.

– Tu vas voir. Je vais te rendre accro à ces caresses, puis j'arrêterai brusquement, sans prévenir. Tu vas apprendre ce que c'est que le manque, mon pote.

Il sauta du lit et gagna l'embrasure de la porte, où il s'arrêta pour vérifier si elle daignait le suivre. Jaine poussa un long bâillement. Au moins elle n'avait pas été réveillée en pleine nuit par le tacot de l'abruti, et le store baissé lui avait permis de dormir comme une masse jusqu'à l'irruption du matou. Elle releva le store et scruta l'allée du voisin à travers les voilages. La Pontiac cabossée était là. Ce qui permettait deux hypothèses : soit elle avait dormi d'un sommeil à toute épreuve, soit il avait équipé son bolide d'un silencieux. Réaliste, elle opta pour la première solution.

BooBoo devait considérer ces méditations comme superflues, puisqu'il la rappela à l'ordre en miaulant. Résignée, elle dégagea les cheveux qui lui recouvraient le visage et clopina vers la cuisine – « clopina » étant le terme approprié puisque BooBoo prit soin de guider ses pas en s'enroulant dans ses chevilles. Il lui fallait du café de toute urgence, mais elle savait d'expérience que BooBoo ne la laisserait tranquille qu'une fois servi. Elle ouvrit une boîte et la vida dans une soucoupe qu'elle posa sur le carrelage. Puis elle mit la cafetière en route et fila vers la salle de bains.

Elle ôta son pyjama d'été composé d'un tee-shirt et d'une culotte – le modèle hiver était simplement augmenté d'une paire de chaussettes –, et se glissa sous le jet d'eau chaude qui acheva de la réveiller. Certaines personnes étaient du matin, d'autres du soir, d'autres enfin étaient comme Jaine. Elle n'était bonne à rien tant qu'elle n'avait pas pris sa douche et son café, et elle aimait se coucher avant 22 heures. Mais BooBoo perturbait son rythme chronobiologique en exigeant d'être nourri à la première heure. Bon sang, comment sa mère avait-elle pu lui faire un coup pareil ?

– Plus que quatre semaines et six jours à tirer, marmonna-t-elle pour elle-même.

Qui eût cru qu'un adorable minou se transformerait en tyran sitôt arraché à son environnement familier ?

Après une longue douche et deux tasses de café, ses connections synaptiques commencèrent de se rétablir, et lui revinrent alors à l'esprit toutes les tâches qui l'attendaient.

Acheter une nouvelle poubelle pour l'abruti. Faire les courses. Faire une lessive. Tondre la pelouse.

Cette dernière mission la mit en joie. Elle avait un gazon à tondre, son gazon à elle ! Depuis son départ du cocon familial, elle avait toujours vécu en appartement, sans une once de verdure hormis quelques touffes entre le trottoir et l'immeuble, que des agents d'entretien rasaient régulièrement. Peuh ! Vous parlez d'une corvée : elles étaient tellement minuscules qu'une paire de ciseaux aurait suffi.

Mais sa nouvelle maison était livrée avec sa propre pelouse. En prévision de ce grand jour, elle avait investi dans une tondeuse flambant neuve, autotractée, dernier cri, et vouée à rendre son frère David vert de jalousie. Car seul un tracteur de jardin permettrait de riposter à ce coup-là, ce qui mettait la fierté hors de prix. Et Jaine pouvait compter sur Valerie, l'épouse de David, pour lui interdire un tel caprice.

Aujourd'hui se tiendrait donc la tonte inaugurale. Jaine brûlait de sentir frémir dans ses paumes la puissance du monstre rouge tandis qu'il décapiterait tous ces brins d'herbe. Elle en avait toujours pincé pour les grosses machines rouges.

Mais chaque chose en son temps. Il fallait d'abord passer chez Wal-Mart pour remplacer la poubelle de l'abruti. Une promesse est une promesse, et Jaine n'avait qu'une parole.

Un bol de céréales plus tard, elle enfila un jean, un tee-shirt, une paire d'espadrilles, et se mit en route.

Qui eût cru qu'une poubelle métallique fût aussi difficile à dénicher ?

Wal-Mart ne proposait que des modèles en plastique. Elle en prit un pour chez elle, mais ne s'estimait pas en droit de modifier le type de poubelle de son voisin. De là, elle se rendit dans un magasin de bricolage et de jardinage, mais fit encore chou blanc. Si seulement elle s'était elle-même procuré sa poubelle métallique, elle aurait facilement retrouvé l'adresse, mais l'objet lui avait été offert par maman, la reine du cadeau utile, pour sa pendaison de crémaillère.

Lorsqu'elle trouva son bonheur, chez un droguiste, il était déjà 9 heures et la température passait progressivement d'élevée à suffocante. Si Jaine ne s'attaquait pas rapidement au jardin, il lui faudrait attendre le coucher du soleil pour tondre dans un air respirable. Décidant que les provisions de la semaine pouvaient attendre, elle cala la poubelle sur la minuscule banquette arrière de son véhicule et mit le cap sur Van Dyke avant de bifurquer à droite sur Ten Mile Road. Quelques minutes plus tard, elle s'engageait dans sa rue, tout sourires devant les bâtisses tapies à l'ombre d'arbres centenaires.

Comme Jaine sortait de la voiture, sa voisine s'avança jusqu'à la petite barrière blanche qui séparait les deux terrains et lui fit signe de la main.

– Bonjour ! dit Mme Kulavich.

– Bonjour, répondit Jaine.

Elle avait rencontré le charmant couple de retraités le jour même de son arrivée, et le lendemain Mme Kulavich lui avait offert de succulents petits pains maison. Si seulement l'autre zozo ressemblait aux Kulavich, Jaine serait au septième ciel. Mais elle l'imaginait mal confectionner des petits pains de ses blanches mains.

Elle gagna la barrière pour se livrer à une petite discussion de bon voisinage.

– Il fait un temps magnifique, n'est-ce pas ?

– Et comment ! On est bon pour la canicule, répondit Mme Kulavich d'un sourire radieux.

Puis, brandissant le déplantoir qu'elle tenait de sa main gantée :

– Je dois commencer mon jardinage rapidement, avant que le soleil ne tape trop fort.

– Vous avez raison. C'est bien pour ça que je vais tondre ma pelouse sans tarder.

À l'oreille, elle devina que d'autres avaient eu la même idée qu'elle.

– Comme c'est avisé, mon enfant. Mais méfiez-vous de la chaleur. Mon Georges porte toujours une serviette mouillée derrière la nuque lorsqu'il passe la tondeuse, quoique désormais ses petits-fils mettent la main à la pâte, si bien qu'il tond moins qu'autrefois.

Elle lui fit un clin d'œil.

– Il ne sort la vieille tondeuse mécanique que lorsqu'il est pris d'un sursaut de virilité.

Jaine sourit et commença à prendre congé, quand une question lui vint à l'esprit :

– Dites-moi, Mme Kulavich, connaissez-vous l'homme qui habite à côté de chez moi ?

– Sam ? Bien sûr que je le connais : je l'ai vu naître ! Ses grands-parents vivaient déjà ici. Des gens charmants, au demeurant. Je fus ravie lorsque Sam décida de s'installer ici après la disparition de sa grand-mère. Je me sens bien plus en sécurité avec un policier dans les parages, pas vous ?

– Et comment donc, répondit-elle avec un sourire forcé.

Elle amorça une remarque sur les drôles d'horaires du type, puis se ravisa en voyant les grands yeux bleus de Mme Kulavich se mettre à scintiller. Ne surtout pas laisser croire à son adorable voisine qu'elle éprouvait un quelconque intérêt pour ce malappris. Imaginez seulement que celle-ci vende la mèche au hasard d'un rencontre... Pour parer à cette éventualité, elle ajouta :

– Je me disais que c'était peut-être une sorte de trafiquant de drogue.

Mme Kulavich parut outrée.

– Un trafiquant de drogue ? Doux Jésus ! Pas Sam !

– Vous m'en voyez soulagée, dit Jaine. Vous savez, je crois que je vais me mettre au travail avant qu'il ne fasse encore plus chaud.

– Pensez à boire beaucoup d'eau ! lui recommanda Mme Kulavich tandis qu'elle s'éloignait.

– Promis !

Et... flûte ! se dit Jaine tout en luttant pour extraire la poubelle de l'habitacle. Ce sagouin était bien flic ; il n'avait pas menti. Et dire qu'elle avait rêvé de le voir quitter le quartier les menottes aux poignets.

Elle déposa la poubelle métallique sur le porche du voisin, puis sortit celle en plastique du coffre. Elle n'aurait jamais tenu là-dedans si elle n'était pas en plastique, c'est-à-dire compressible. L'objet lui bondit au visage comme une chose vivante. Elle la rangea derrière la petite véranda attenante à la cuisine, de sorte qu'elle soit invisible depuis la rue, puis rentra pour passer un short et un débardeur à ras du nombril. N'était-ce pas tout à fait seyant pour tondre la pelouse ? Puis elle songea à ses voisins du troisième âge, et troqua le débardeur contre un tee-shirt ; elle s'en voudrait de causer une crise cardiaque à un vieux monsieur.

Un frisson d'appréhension la traversa quand elle détacha le cadenas et se glissa à l'intérieur du garage en cherchant l'interrupteur à tâtons. La raison de vivre de son père se trouvait dans cet espace, entièrement recouverte d'une bâche de toile taillée sur mesure et doublée de feutre. Bon sang, pourquoi ne l'avait-il pas laissée à David ? La voiture lui valait moins d'embêtements que BooBoo, mais bien plus de soucis.

Le facteur décisif qui avait motivé ce choix était, d'après elle, le fait que son garage était muni d'une porte à battant traditionnelle, et non d'un panneau ou d'un rideau à ouverture verticale comme c'était la norme aujourd'hui. Son père devait craindre qu'on aperçoive son joujou depuis la rue, or Jaine pouvait pénétrer dans son garage en entrouvrant la porte de quelque 30 centimètres à peine, alors que David dévoilait tous ses biens chaque fois qu'il actionnait sa télécommande. Conclusion : à la première occasion Jaine se ferait installer une porte automatique.

Elle avait jeté un drap sur sa tondeuse pour la préserver de la poussière. Elle l'ôta et passa la main sur le métal froid. Tout compte fait, ce n'était peut-être pas à cause du garage qu'elle avait hérité de la voiture, mais plutôt parce qu'elle était la seule des trois enfants à se passionner pour la mécanique. Autrefois, c'était elle qui se penchait par-dessus l'aile de la berline familiale pour étudier ses entrailles tandis que papa refaisait les niveaux et remplaçait les bougies. À dix ans, elle lui donnait déjà un coup de main et, deux ans plus tard, s'occupait de tout comme une grande. Elle avait envisagé un temps de devenir ingénieur automobile, mais cela demandait des années et des années d'études, et elle n'était pas assez mordue pour ça. Tout ce qu'elle demandait, c'était un boulot correctement payé et pas trop pénible, et elle se révéla aussi douée avec les chiffres qu'avec les moteurs. Les bagnoles demeuraient un simple hobby, et ce n'était pas plus mal.

Elle fit rouler la tondeuse le long de la voiture en évitant qu'elles ne se frôlent. Bâche ou pas, on n'était jamais trop prudent avec le bijou de papa. Elle entrouvrit l'un des battants de porte, juste assez pour que la machine puisse passer, et offrit son bébé à l'éclat du jour. La peinture rouge étincelait ; le manche chromé rutilait. C'était magnifique.

Comme elle s'apprêtait à démarrer l'engin, elle se rappela une précaution élémentaire qui l'amena à reculer sa voiture jusqu'au trottoir : éviter qu'une projection de gravier ne brise une vitre ou n'endommage la carrosserie. Puis elle regarda le tacot de l'abruti et haussa les épaules ; il savait peut-être détecter les traces de pattes de BooBoo, mais jamais il ne remarquerait un nouveau gnon sur ses ailes burinées.

Le sourire aux lèvres, elle lança le petit moteur.

Ce qui faisait le charme de la tondeuse, songea-t-elle, c'était la satisfaction du résultat immédiat. On voyait précisément où l'on était passé et ce que l'on avait accompli. Son père et David s'étaient toujours chargés de cette corvée lorsqu'elle vivait avec eux, et elle ne s'en était jamais plainte tant cela lui paraissait ennuyeux. Mais en prenant de l'âge elle avait compris le bonheur de posséder son propre gazon, et c'est ainsi qu'elle se sentait aujourd'hui, à trente ans révolus, devenir enfin adulte. Elle était propriétaire d'un pavillon. Elle tondait sa pelouse. Trop cool.

Soudain, elle sentit quelque chose tapoter sur son épaule.

Elle poussa un cri, lâcha le guidon, et virevolta pour affronter son agresseur. La tondeuse s'arrêta dans sa course. L'abruti se dressait devant elle, les yeux injectés de sang, la mine patibulaire, les fringues crasseuses. Égal à lui-même. Il tendit le bras vers la tondeuse et coupa le contact. Le petit moteur s'éteignit en soupirant.

Un silence.

D'une demi-seconde environ.

– Mais qu'est-ce qui vous prend, bordel de merde ? rugit-elle, rouge de colère, en contractant inconsciemment son poing droit.

– Je croyais que vous vouliez arrêter de jurer, persifla-t-il.

– Même un saint deviendrait grossier avec un voisin pareil !

– Vous ne dites pas ça pour vous, n'est-ce pas ?

– Tu l'as dit, ducon !

Il désigna le poing de Jaine.

– Vous comptez vous en servir, ou vous préférez être raisonnable ?

– Pardon ?

Baissant les yeux, elle avisa son propre bras armé et son poing serré. Au prix d'un grand effort, elle déroula les doigts, mais ils reprirent aussitôt leur position d'attaque. Elle avait vraiment, vraiment envie de lui en coller une, et elle était encore plus contrariée de ne pas pouvoir le faire.

– Raisonnable ? cria-t-elle en se rapprochant de l'abruti. C'est à moi d'être raisonnable ? C'est vous qui m'avez foutu une peur bleue et éteint ma tondeuse !

– J'essaie de dormir, dit-il en détachant chaque syllabe. Un minimum de considération, c'est trop vous demander ?

Elle le regarda bouche bée.

– Vous réagissez comme si je passais la tondeuse au chant du coq. Il est pratiquement 10 heures ! Et je ne suis pas la seule à commettre ce crime inqualifiable. Écoutez donc autour de vous. Vous entendez ?

– Eux ne le font pas juste sous mes fenêtres !

– Eh bien, couchez-vous à une heure décente. C'est pas ma faute si vous veillez toute la nuit !

Il devint aussi rouge qu'elle.

– Je bosse dans une unité spéciale, figurez-vous ! Les horaires irréguliers font partie intégrante de mon travail. Je dors quand je peux, c'est-à-dire rarement depuis que vous êtes là !

Elle leva les bras au ciel.

– D'accord ! Très bien ! Je finirai ce soir, quand il fera plus doux. Allez, rentrez vite vous coucher. Quant à moi, je vais me contenter de rester assise pendant onze heures. À moins que cela aussi ne perturbe votre sommeil d'angelot ?

– Sauf si vous avez des pétards dans le cul, répondit-il avant de s'éclipser.

Y a-t-il une loi qui punisse les jets de pierre sur une maison ? se demanda Jaine. Furieuse, elle rentra la tondeuse dans le garage, remit les cadenas sur la porte, puis ramena sa voiture dans l'allée. Elle serait ravie de lui montrer ce qu'elle pouvait faire avec des pétards, et autrement qu'en s'asseyant dessus.

D'un pas lourd, elle réintégra ses quartiers, où elle retrouva BooBoo.

– Je t'en ferais, des unités spéciales, maugréa-t-elle. Je suis tout à fait raisonnable, d'abord. Il lui suffisait de m'expliquer les choses gentiment et je me serais fait un plaisir de remettre mon travail à plus tard. Mais non, ça lui écorcherait la gueule !

BooBoo leva la tête.

– « Gueule » n'est pas un gros mot, se défendit-elle. Et puis c'est pas ma faute. Laisse-moi te confier un secret au sujet de notre voisin, BooBoo : M. Parfait, cet homme n'est point !

4

Le week-end s'acheva sans autre anicroche avec le voisin. Le lundi venu, Jaine se rendit au bureau en avance pour faire oublier l'incident de vendredi. Quand elle se présenta à la barrière du parking, le gardien se pencha par la fenêtre de sa loge pour examiner la Viper d'un œil sceptique.

– Quand vous déciderez-vous à bazarder ce tas de ferraille pour une Chevrolet ?

Elle y avait régulièrement droit. Voilà ce que c'était de travailler pour une entreprise liée à l'industrie automobile de Detroit. Vous aviez un devoir d'allégeance envers celui des Trois Grands [1] qui vous employait.

– Quand j'en aurai les moyens, répondit-elle comme à l'accoutumée.

Peu importe que la Viper lui ait coûté les yeux de la tête, même d'occasion et avec 80 000 kilomètres au compteur...

– Je viens d'acheter une maison, vous savez. Et je conduis ce truc uniquement parce que mon père me l'a offert.

C'était un mensonge éhonté, mais il permettait d'avoir la paix. Dieu merci, personne ne savait que son père ne jurait que par Ford, et qu'il avait pris l'achat de la Viper pour un affront personnel.

---

1. General Motors (propriétaire de Chevrolet), Ford et Chrysler. *(N.d.T.)*

– Dans ce cas, votre père devrait réviser ses classiques, répliqua le gardien.

– Il ne connaît rien aux voitures, le pauvre.

« Je mériterais d'être foudroyée sur place pour un tel bobard », se dit-elle en rentrant la tête dans ses épaules.

Elle gara la Viper dans un coin reculé du parking, là où elle était sûre de la retrouver intacte. Cette habitude faisait bien rire les gens de Hammerstead, qui disaient que la voiture était punie. Jaine reconnaissait elle-même que c'était peu pratique, surtout par mauvais temps, mais elle préférait encore recevoir la saucée que retrouver sa Viper chérie amochée. Elle se faisait assez de cheveux blancs comme ça avec les chauffards de la Nationale 696.

Hammerstead occupait les trois étages d'un immeuble de brique rouge. Six marches en demi-lunes menaient à de gigantesques portes battantes surplombées par une grande arche en pierre. Mais cette entrée était réservée aux visiteurs. Le personnel passait par une porte latérale blindée munie d'une serrure électronique, puis traversait un couloir d'un vert immonde desservant les bureaux de la maintenance et du réseau électrique, ainsi qu'une pièce sombre et humide appelée « Magasin ». Jaine ne préférait pas savoir ce qu'on emmagasinait là-dedans.

Au bout du couloir vert immonde se trouvait une seconde porte blindée précédée de trois marches. Celle-ci débouchait sur un deuxième couloir à moquette grise qui traversait l'immeuble dans sa longueur, sorte de voie centrale où se ramifiaient bureaux et artères secondaires. Le rez-de-chaussée et le premier étage étaient réservés aux fêlés de la bécane, ces créatures étranges et rustres qui possédaient une langue différente de la nôtre, faite de « bits », de « gigas » et autres « ports USB ». L'accès aux différents paliers était très surveillé ; il fallait un badge pour pénétrer dans le couloir vert immonde, puis un second pour rejoindre les différents services. Il y avait deux ascenseurs et, pour les plus sportifs, un escalier au bout du hall.

Dans le couloir à moquette grise, une affichette manuscrite retint l'attention de Jaine. Juste au-dessus des boutons de l'ascenseur, tracée aux crayons vert et mauve et soulignée au marqueur noir, figurait la dernière directive de la boîte :

PREND EFFET À COMPTER DE CE JOUR ; TOUS NOS EMPLOYÉS DOIVENT S'ADMINISTRER UN COCKTAIL DE GINKGO ET DE VIAGRA AFIN QU'ILS N'OUBLIENT PAS CE QU'ILS SONT CENSÉS FOUTRE ICI.

Elle se mit à rire. Les fêlés étaient en forme ce matin. Par nature, ils rejetaient toute forme d'autorité et d'organisation. Ces affichettes étaient monnaie courante, du moins jusqu'à ce qu'un ponte de la direction vienne les arracher. Jaine imaginait bien les coupables en train de guetter, depuis leur cachette, la réaction des collègues à leur dernière facétie.

La porte s'ouvrit derrière elle, et Jaine se retourna pour voir qui c'était. Elle eut du mal à cacher sa déception.

Leah Street travaillait aux ressources humaines, et son imperméabilité à toute forme d'humour était de notoriété publique. Cette femme de grande taille ambitionnait d'intégrer l'équipe de direction, bien qu'elle ne semblât disposer d'aucune stratégie probante pour gravir les échelons. Elle persistait à s'attifer comme une fillette, alors que des tenues plus sophistiquées auraient mis en valeur sa silhouette gracile. Elle ne manquait pas de charme, avec sa chevelure blonde et sa peau veloutée, mais elle était tout le contraire d'une *fashion victim*. Ses meilleurs attributs étaient ses mains, belles, fines et impeccablement entretenues.

Fidèle à sa réputation, Leah eut un choc en découvrant l'affiche. Elle vira écarlate.

– Quelle vulgarité ! s'indigna-t-elle en tendant le bras pour la décrocher.

– Tu risques de laisser des empreintes, dit Jaine d'un air grave.

Leah se figea, les doigts à quelques millimètres de la feuille.

– On ignore combien de personnes l'ont déjà lue, poursuivit Jaine tout en appelant l'ascenseur. Cela va forcément revenir aux oreilles de nos supérieurs, et ils diligenteront une enquête même si le panneau a disparu entre-temps. Alors, à moins que tu ne veuilles l'avaler – ce que je te déconseille, vu les milliards de trilliards de germes que ce torchon a dû glaner –, comment comptes-tu t'en débarrasser sans être repérée ?

Leah lui lança un regard noir.

– Tu trouves peut-être ces obscénités amusantes ?

– À vrai dire, oui.

– Ça ne m'étonnerait pas que tu en sois l'instigatrice.

– Tu devrais peut-être me dénoncer, suggéra Jaine en pénétrant dans l'ascenseur. Essaie donc le site « on-s'en-fout.com ».

Les portes se refermèrent au nez de Leah. C'était l'échange le plus acrimonieux qu'elles aient jamais eu. Mais Leah était réputée pour son caractère asocial. Comment elle avait pu atterrir aux ressources humaines demeurait une énigme. En général, cette femme lui inspirait de la pitié. Mais pas aujourd'hui.

Le lundi était le jour le plus chargé au service de la paye, car c'était celui où l'on épluchait les cartes de pointeuse de la semaine précédente. L'activité de Hammerstead consistant à vendre sa technologie à General Motors, et non à informatiser le versement de ses propres salaires, on procédait à l'ancienne, avec une bonne vieille pointeuse mécanique. Cela générait beaucoup de paperasse, mais au moins la paye n'était pas tributaire d'un virus ou d'un plantage de disque dur.

À 10 heures, Jaine s'arrogea une pause bien méritée. Chaque étage possédait une salle de repos pourvue des commodités de base : distributeurs à pièces, tables en formica, chaises métalliques, réfrigérateur, cafetière et four à micro-ondes. Jaine tomba sur un petit cercle composé d'une poignée de femmes hilares et d'un type qui affichait une mine outrée.

– Quoi de neuf ? demanda-t-elle en se versant un café salvateur.

– Un numéro spécial du journal interne, répondit sa collègue Dominica Flores, qui venait visiblement de rire aux larmes. Crois-moi, celle-ci va entrer dans les annales.

– Je ne vois pas ce qui vous fait tant rire, rétorqua le type.

– Ça ne m'étonne pas, gloussa une autre avant de tendre le document à Jaine. Tiens, regarde un peu ça.

Le journal interne émanait des potaches du rez-de-chaussée et du premier étage, toujours les mêmes. Mais comment voulait-on que des esprits aussi fertiles ne mettent pas à profit les dizaines d'imprimantes et de logiciels de PAO à leur disposition ? La lettre paraissait à intervalles fluctuants, et la direction tentait régulièrement d'en bloquer la diffusion à cause de son contenu subversif.

Jaine porta son gobelet à ses lèvres et la lettre à ses yeux. D'une facture toute professionnelle – c'était bien le moins –, elle s'intitulait *The Hammerhead*[1], et avait pour logo un méchant requin. Les articles étaient disposés en colonnes, le graphisme chiadé, et un dessinateur signant sous le pseudonyme de Mako croquait avec une ironie mordante les travers de la vie de bureau.

1. Le requin-marteau *(N.d.T.)*.

La une du jour s'affichait en grandes lettres capitales : « ÊTES-VOUS DE TAILLE ? » suivie du sous-titre : « Ce que veulent les femmes », flanqué d'un mètre à ruban déployé tel un cobra prêt à attaquer.

« Oubliez tout ce qu'on vous appris, les gars, commençait l'article. La plupart d'entre nous sommes hors course. On nous avait répété que l'important n'est pas ce qu'on possède, mais la façon dont on s'en sert. Il semble pourtant qu'on nous ait menti. Un groupe de quatre expertes parmi nos amies de Hammerstead a dressé l'inventaire des critères définissant l'homme parfait. »

Aïe. Jaine parvint de justesse à réprimer un grognement. Bon sang, qu'est-ce que Marci avait fabriqué avec leur liste ? C'était le genre d'histoire à leur valoir des sarcasmes jusqu'à la nuit des temps. Elle voyait déjà les mètres à ruban fleurir sur son bureau chaque matin à son arrivée.

Elle parcourut rapidement l'ensemble de l'article. Dieu merci, aucun nom n'était cité. Les quatre coupables étaient seulement désignées par les lettres A, B, C et D. Jaine demeurait décidée à tordre le cou de Marci, mais au moins n'aurait-elle pas à la découper en rondelles.

Tout était là, à partir du numéro un : « Loyauté ». La liste semblait irréprochable jusqu'à la huitième ligne : « Un bon coup », où ça commençait à dégénérer. En neuvième position figuraient les 25 centimètres exigés par Marci avec les commentaires afférents, dont celui de Jaine au sujet des cinq centimètres de « rab ».

La dixième entrée concernait l'endurance sexuelle de l'homme parfait. « Qu'il franchisse le cap de la coupure pub » était le préalable fixé par T.J., alias Mlle D. Elles avaient établi à une demi-heure la durée optimale du rapport sexuel, préliminaires non compris.

– Pourquoi pas ? faisait-on dire à Mlle C (Jaine). Puisqu'on reste dans le domaine du rêve, autant que ce rêve corresponde précisément à nos attentes. Mon mec parfait à moi doit m'offrir trente minutes de bon temps – à moins qu'il ne s'agisse d'un petit coup vite fait entre deux portes.

Les collègues de la salle de repos riaient comme des baleines, si bien que Jaine craignit d'avoir été trahie par l'expression de son visage. Elle tenta de masquer son effroi en feignant la surprise. Le type – Cary, Craig, ou un nom de ce genre – était rouge comme une tomate.

– Vous ririez moins si une bande de mecs exigeait que la femme idéale ait de gros nichons, dit-il en se levant brusquement.

– Arrête ton char, répondit Dominica. Vous ne saviez pas encore marcher que les gros seins vous faisaient déjà baver. Pour une fois qu'on vous rend la monnaie de votre pièce...

Chouette. Une bataille entre les sexes. Il ne manquait plus que ça. Jaine voyait d'ici les discussions qui s'engageaient en ce moment même dans tout le bâtiment. Elle reposa la feuille de chou en se forçant à sourire.

– J'imagine qu'on n'a pas fini d'en entendre parler, dit-elle.

– Tu plaisantes ? répondit Dominica, toujours hilare. Je vais de ce pas m'en faire une copie que je vais afficher en bonne place, afin que ce soit la première chose que mon mari lise en se levant, et la dernière en se couchant !

Sitôt revenue à son bureau, Jaine empoigna le téléphone et composa le numéro de poste de Marci.

– Devine un peu ce que je viens de lire dans le *Hammerhead*, dit-elle à voix basse.

– Et merde ! s'écria Marci. C'est si mauvais que ça ? Je n'ai pas encore eu le temps de le parcourir.

– C'est quasiment du mot pour mot, si tu veux savoir. Mais qu'est-ce qui t'a pris, putain ?

– Ça fera 25 cents, répondit automatiquement Marci. Écoute, c'était un accident, d'accord ? Je ne tiens pas à en parler entre ces murs, mais on n'a qu'à déjeuner ensemble et je te raconterai tout.

– Entendu. Rendez-vous chez Railroad Pizza à midi pile. Je préviens T.J. et Luna. Je suis sûre qu'elles sont impatientes d'entendre tes explications.

– Ça s'annonce comme une partie de lynchage, soupira Marci.

– Ça se pourrait bien, répondit Jaine avant de raccrocher.

Situé à six cents mètres de Hammerstead, le Railroad Pizza servait souvent de cantine à ses employés. L'enseigne faisait un malheur avec ses plats à emporter, mais elle offrait aussi un service en salle d'une dizaine de tables. Jaine choisit un box reculé qui leur garantirait un minimum d'intimité. Les trois autres vinrent rapidement prendre place autour d'elle, T.J. à sa droite, Marci et Luna en face.

– Je suis vraiment confuse, dit Marci en tirant une tête de trois mètres de long.

– Comment as-tu pu montrer cette liste ? s'indigna T.J. Si jamais Galan découvre...

– Je ne vois pas pourquoi vous en faites un plat, dit Luna. À la rigueur, ce serait gênant si nos noms étaient cités, mais en l'état actuel des choses je trouve ça plutôt rigolo.

– Et tu trouveras ça rigolo, dans six mois, quand les gars continueront de défiler dans ton bureau pour te montrer qu'ils ont ce qu'il faut là où il faut ? rétorqua Jaine.

– Galan ne trouverait pas ça drôle du tout, dit T.J. en secouant la tête. Je crois qu'il me tuerait.

– Vous avez raison, admit Marci d'un air dépité. Brick n'est pas à proprement parler un être sensible, mais il serait sûrement furax d'apprendre que j'exige 25 centimètres.

Et d'ajouter, d'un faible sourire :

– Je présume qu'il se sentirait... à court d'arguments.

– Comment c'est arrivé ? demanda T.J. en enfouissant son visage dans ses mains.

– Samedi, en faisant du shopping, je suis tombée sur Dawna Trucmuche, vous savez, la poupée Barbie du rez-de-chaussée. On a commencé à papoter, puis on a déjeuné ensemble et bu quelques bières. Je lui ai montré la liste, on a ri un bon coup et elle m'en a demandé une copie. Je ne voyais pas pourquoi refuser. Vous me direz, après plusieurs verres, je sais rarement refuser quoi que ce soit. Elle m'a posé quelques questions, et de fil en aiguille je me suis retrouvée à coucher sur papier tout ce qu'on avait dit.

Marci possédait une mémoire visuelle à toute épreuve, y compris, hélas, à celle de la bière.

– Encore heureux que tu n'aies pas donné nos prénoms, dit T.J.

– Elle sait très bien qui nous sommes, rectifia Jaine. À partir du moment où Marci détient la liste, le premier imbécile venu comprendra qu'elle fait partie des quatre. Et partant de là...

T.J. se reprit la tête entre les mains.

– Je suis morte, déclara-t-elle. Morte ou divorcée.

– Je pense que nous n'avons rien à craindre, dit Luna d'un ton apaisant. Si Dawna avait décidé de nous balancer, ses potes du rez-de-chaussée seraient déjà tous au courant. On est tirées d'affaire, les filles. Galan ne saura jamais rien.

5

Jaine fut à cran le reste de la journée, dans la peur du retour de manivelle. Elle comprenait aisément l'état d'affolement de T.J., qui risquait le plus gros dans cette affaire. Car si jamais cette mauvaise blague parvenait aux oreilles de Galan, il lui pourrirait la vie jusqu'à la fin de ses jours. Certes, Marci avait son Brick, mais ils n'étaient pas mariés. Quant à la relation en dents de scie entre Luna et Shamal King, elle ne reposait sur aucune forme d'engagement.

Jaine était encore la moins exposée des quatre. Ayant renoncé aux hommes, elle n'avait de comptes à rendre qu'à elle-même. Elle essuierait quelques sarcasmes, rien de plus.

Cette prise de conscience la ragaillardit. Les clowns de la boîte viendraient faire les marioles devant elle ? Qu'ils viennent donc. Elle saurait leur faire passer l'envie de rire.

Cette sérénité retrouvée dura jusqu'à ce qu'elle rentre chez elle et découvre que BooBoo avait, par mesure de représailles contre ses conditions de détention, achevé de réduire en poussière un coussin du canapé. Des bouts de mousse étaient dispersés aux quatre coins du séjour. Elle ferma les yeux et compta jusqu'à dix. Puis jusqu'à vingt. À quoi bon s'en prendre au chat ? Au pire il ne saisirait pas, au mieux il s'en ficherait éperdument. Lui aussi était seulement victime des circonstances du moment. Il cracha quand elle voulut le toucher. En temps normal, elle n'aurait pas insisté. Mais là, dans un accès de pitié, elle le prit tout de même dans ses bras et enfonça les doigts dans sa fourrure pour lui masser les muscles du dos.

– Mon pauvre minet, susurra-t-elle. Tu ne comprends pas ce qui t'arrive, hein ?

BooBoo se mit à feuler, puis ravala son orgueil en succombant aux caresses de sa maîtresse provisoire.

– Je te demande de tenir encore quatre semaines et cinq jours. Ça fait trente-trois jours. Je sais que tu en es capable, mon minet.

Il se garda bien d'acquiescer. Elle pouvait raconter ce qu'elle voulait, du moment qu'elle continuait de lui caresser le dos. Elle l'emmena dans la cuisine, où elle le posa devant une souris en peluche.

Bon. Le chat massacrait son intérieur. Mais elle survivrait. Sa mère serait épouvantée par l'ampleur des dégâts et lui signerait aussitôt un chèque, c'était certain, alors autant considérer la situation comme une gêne momentanée. Un tel détachement la surprenait elle-même.

Se tournant vers l'évier pour boire un verre d'eau, elle assista au retour du voisin. À la vue de cette satanée Pontiac, elle sentit son détachement fuir par le fond de l'évier. Mais la voiture faisait très peu de bruit, ce qui signifiait que Monsieur avait bel et bien remplacé le silencieux. Et si lui faisait un effort, elle pouvait en faire autant.

Elle le regarda s'extraire du véhicule et ouvrir la porte de sa cuisine, qui faisait face à la sienne. Il portait un pantalon de ville, une chemise blanche avec une cravate dénouée, et tenait une veste par-dessus son épaule. Il semblait épuisé. Quand il pivota pour pénétrer dans sa maison, elle aperçut l'arme accrochée à sa ceinture. C'était la première fois qu'elle voyait l'abruti sans ses vieilles loques crasseuses, et elle se sentit un peu perdue, comme si le monde ne tournait plus sur le même axe. Le savoir flic et le voir en flic étaient deux choses distinctes. Et le fait qu'il soit habillé en civil signifiait qu'il n'était pas simple policier en tenue, mais au moins inspecteur.

C'était toujours un abruti, mais un abruti avec de lourdes responsabilités. Alors elle pouvait peut-être se montrer plus compréhensive. Elle n'avait aucun moyen de savoir quand il dormait, sauf à frapper à sa porte pour le lui demander, ce qui serait pour le moins contre-productif. En revanche, elle éviterait de passer la tondeuse quand il ne serait pas de service, parole d'honneur. Elle se réserverait le droit de lui dire ses quatre vérités lorsqu'il dépasserait les bornes, mais disons qu'elle essaierait de jeter les bases d'une entente cordiale. Car tout indiquait qu'ils en avaient pour plusieurs années à être voisins.

Seigneur, comme cette pensée était déprimante.

Son détachement et son abnégation se maintinrent néanmoins... deux bonnes heures.

À 19 h 30, elle se cala dans un fauteuil pour regarder la télé et lire un peu. Elle faisait souvent les deux choses simultanément, partant du principe qu'un événement intéressant saurait attirer son regard vers l'écran. Une tasse de thé vert, qu'elle lapait de temps à autre pour se détendre, fumait doucement à l'extrémité de l'accoudoir.

Un bruit de collision rompit soudain le silence de la rue.

Elle bondit de son fauteuil, sauta dans ses espadrilles et se précipita à la porte d'entrée. Elle connaissait parfaitement ce bruit, pour l'avoir entendu des centaines, des milliers de fois dans son enfance, lorsque son père l'emmenait assister à des crash tests.

Les porches du voisinage s'allumèrent dans le désordre, et des visages intrigués surgirent telles des tortues hors de leur carapace. Cinq maisons plus bas, dans la lumière tamisée et changeante du feu tricolore, elle distingua un amas de tôle froissée.

Jaine descendit la rue en courant, le cœur battant, l'estomac noué par crainte de ce qu'elle risquait de trouver, et déjà elle tentait de se rappeler les gestes de premier secours.

D'autres voisins sortaient à leur tour, pour la plupart des gens âgés, en pantoufles et robe de chambre ou maillot de corps. Des enfants s'exclamaient de leurs petites voix aiguës, suivies par celles, plus graves, de leurs mères qui les sommaient de rester tranquilles, et des pères invoquant les risques d'explosion.

Même si ces derniers étaient peu probables, Jaine savait que l'embrasement demeurait une possibilité. Comme elle arrivait au niveau de la voiture, la portière du conducteur s'ouvrit d'un coup et un jeune homme belliqueux apparut.

– Putain de merde ! beugla-t-il en découvrant sa calandre enfoncée.

Il avait embouti l'arrière d'un véhicule garé le long du trottoir.

Une jeune femme accourut depuis la maison d'en face.

– Mon Dieu ! Ma voiture ! Ma voiture ! s'écria-t-elle, les yeux exorbités.

Le jeune homme belliqueux se tourna vers elle.

– C'est votre voiture, connasse ? Qu'est-ce qu'elle fout garée dans la rue ?

Il était soûl. Jaine recula d'un pas en sentant son haleine fétide. Les murmures inquiets du voisinage se muèrent en dégoût.

– Allez chercher Sam, chuchota un vieil homme.

– J'y cours, répondit Mme Kulavich en filant aussi vite que ses chaussons en tissu éponge le lui permettaient.

C'est vrai ça, où était-il ? se demanda Jaine. De tout le quartier, il ne manquait que lui.

La propriétaire du véhicule embouti, en larmes, se couvrait la bouche en examinant le gâchis. Derrière elle, deux gamins se tenaient immobiles sur le trottoir.

– Sale connasse ! répéta l'ivrogne.

– Eh ! Surveillez votre langage ! gronda un retraité.

– Ta gueule, pépé ! répondit-il avant de déséquilibrer la jeune femme en lui poussant violemment l'épaule.

Jaine se rua sur lui, la rage au ventre.

– Eh, mec, laisse-la tranquille, commanda-t-elle.

– Ouais, chevrota quelqu'un derrière elle.

– Toi aussi, ferme ta gueule ! répliqua le poivrot. Cette pétasse a bousillé ma caisse !

– C'est vous qui avez bousillé votre voiture. Vous êtes ivre et vous avez embouti un véhicule en stationnement.

Elle savait que c'était peine perdue ; on ne peut raisonner un homme en état d'ébriété. Le problème, c'était qu'il avait bu juste assez pour devenir agressif, mais pas suffisamment pour perdre ses forces. Il bouscula de nouveau la jeune femme qui, projetée en arrière, se prit le talon dans la racine saillante d'un vieil arbre bordant la rue, et s'étala de tout son long sur le trottoir. Elle poussa un cri, imitée par ses enfants qui se mirent aussitôt à pleurer.

Le sang de Jaine ne fit qu'un tour, et elle lui rentra littéralement dans le lard, à la manière d'un bélier. Il perdit l'équilibre, tenta de se stabiliser, mais échoua et tomba les quatre fers en l'air. Puis il parvint à se relever et, vociférant de plus belle, chargea son assaillante.

Elle esquiva et lui fit un croche-patte. Il tituba, mais parvint à rester debout. Quand il se retourna, elle vit son cou rentré dans ses épaules, et ses yeux rouges. Voilà ce qui arrivait quand on jouait les matadors.

Elle se plaça automatiquement en position de garde, un vieux reste des combats de boxe avec son frère. Mais ceux-ci ne dataient pas d'hier, et elle se doutait qu'elle finirait au tapis, mais pas avant de lui avoir décoché quelques patates.

Elle entendait des cris alarmés autour d'elle, mais elle restait concentrée sur l'impératif du moment : survivre.

– Appelez la police !

– Sadie est partie chercher Sam. Il va régler ça.

– J'ai déjà appelé la police, dit une fillette.

Le chauffard lui tomba dessus, et il n'y avait plus moyen de se dérober. Croulant sous son poids, elle le martela de tous ses membres en même temps qu'elle tentait de parer ses coups à lui. Elle reçut un direct dans les côtes qui lui coupa la respiration. Les voisins leur fondirent alors dessus comme une mêlée de rugby, les jeunes mâles tentant d'agripper l'ivrogne tandis que les plus âgés le rossaient du bout de leurs pantoufles. Les deux combattants roulèrent, et la mêlée s'effondra sur eux.

Le crâne de Jaine heurta le bitume, et un poing s'écrasa sur sa pommette. Un bras coincé sous la mêlée, elle parvint de l'autre main à agripper le type par le gras du ventre, et tordit la chair en serrant de toutes ses forces. Il beugla comme un buffle estropié.

Puis soudain il décolla, s'élevant dans les airs comme un ballon d'hélium. Médusée, elle le vit ensuite retomber comme une crêpe à côté d'elle, la face dans la boue, tandis qu'on lui tordait les bras en arrière pour lui passer les menottes.

Parvenant à se redresser sur son séant, elle se retrouva nez à nez avec son voisin, encore lui.

– Putain, j'aurais dû deviner que vous étiez dans le coup, lui dit-il. Je devrais vous arrêter tous les deux pour ivresse et troubles sur la voie publique.

– Je ne suis pas soûle ! protesta-t-elle.

– Non, lui c'est l'ivrogne, et vous la fauteuse de troubles !

Une telle injustice la laissa sans voix, ce qui était d'ailleurs préférable, car les mots coincés dans sa gorge lui auraient à coup sûr valu un séjour au poste.

Autour d'elle, les épouses tremblantes s'affairaient auprès de leurs combattants de maris, pour les aider à se relever et évaluer leurs blessures. Mais aucun ne semblait vraiment amoché, et Jaine se dit que cette décharge d'adrénaline leur rendrait du tonus pour les sept années à venir.

Plusieurs femmes étaient penchées sur la jeune femme agressée. Elle saignait du crâne, et ses enfants continuaient de pleurer. Par solidarité, ou parce qu'ils se sentaient délaissés, deux ou trois autres bambins se mêlèrent au concert de larmes, tandis que les sirènes de la police se rapprochaient.

Accroupi devant sa proie menottée, qu'il maintenait à terre, Sam scrutait les alentours d'un air incrédule.

– Seigneur, murmura-t-il en secouant la tête.

La dame grisonnante d'en face, en bigoudis, vint au chevet de Jaine.

– Vous allez bien, mon enfant ? Quel courage, dites-moi ! Vous auriez dû être là, Sam. Quand ce vaurien a renversé Amy, cette demoiselle l'a flanqué par terre.

Puis, revenant à l'héroïne du moment :

– Comment vous appelez-vous, jeune fille ? Je suis Eleanor Holland, votre voisine d'en face.

– Jaine, répondit-elle avant de revenir à son autre voisin. C'est vrai, Sam, vous auriez dû être là.

– J'étais sous la douche, marmonna-t-il.

Il se tut un instant, puis demanda :

– Ça va aller ?

– Oui, oui.

Elle se remit sur pied. Elle n'était pas médecin, mais tout semblait en place et elle n'avait pas le tournis. Alors elle présumait que ça allait.

Sam reluquait ses jambes dénudées.

– Vous saignez du genou.

Baissant les yeux, elle constata d'abord que la poche gauche de son short était presque arrachée, puis qu'un filet de sang longeait son tibia depuis son genou droit. Elle tira un coup sec sur son reste de poche et pressa le carré de tissu contre la plaie.

– Une simple égratignure, dit-elle.

La cavalerie – deux voitures de patrouille et une ambulance – arriva dans un ballet de gyrophares. Des policiers fendirent la foule tandis que les voisines menaient les ambulanciers aux blessés.

Trente minutes plus tard, tout était rentré dans l'ordre.

On avait enlevé les deux voitures embouties, emmené le chauffard au poste, et évacué la femme blessée vers l'hôpital, en compagnie de ses deux enfants, pour quelques points de suture. Les plaies superficielles étaient nettoyées et pansées, et les guerriers aux cheveux blancs regagnaient tranquillement leurs pénates.

Jaine attendit le départ des ambulanciers pour défaire la gaze et le sparadrap entourant son genou. Maintenant que la tension était retombée, elle se sentait lessivée. Ses projets : une bonne douche chaude, un grand cookie aux pépites de chocolat, et hop ! au lit. Elle bâilla et reprit lentement le chemin de sa maison.

Sam l'abruti la rejoignit. Elle le dévisagea un instant, puis fixa de nouveau la route. Elle n'aimait ni les regards qu'il lui lançait, ni cette façon de la suivre comme un nuage menaçant. Dieu que cet homme était grand et costaud. Il mesurait dans les deux mètres, avec des épaules larges comme un stade.

– Vous foncez toujours tête baissée dans les situations périlleuses ? demanda-t-il sur le ton de la conversation.

Elle réfléchit un instant.

– Oui, répondit-elle.

– Ça ne m'étonne pas.

Elle stoppa net et porta ses mains à sa taille.

– Et qu'est-ce que j'étais censée faire, d'après vous ? La regarder se faire massacrer sans bouger ?

– Vous auriez pu laisser les hommes intervenir.

– Sauf que personne ne remuait le petit doigt, figurez-vous.

Une voiture déboucha du virage. Sam agrippa le bras de Jaine pour la ramener sur le trottoir.

– Vous mesurez combien ? demanda-t-il. Un mètre soixante-dix ?

– Un mètre soixante-quinze ! rectifia-t-elle.

Il roula des yeux, l'air de dire : ça revient au même. Mais ça ne revenait pas au même du tout. Elle mesurait un mètre soixante-quinze. Enfin, à un ou deux centimètres près.

– Amy, la femme qu'il a envoyée au tapis, fait presque dix centimètres et quinze kilos de plus que vous. Et vous avez pensé pouvoir le maîtriser ?

– Non, admit-elle.

– Non quoi ? Vous n'avez pas pensé ? Ça, je veux bien le croire.

« Je ne peux pas démolir un flic, je ne peux pas démolir un flic... » rumina-t-elle pour éviter la bavure.

– Je ne pensais pas pouvoir le maîtriser, répondit-elle avec un calme admirable.

– Et ça ne vous a pas empêchée de lui sauter dessus.

Elle haussa les épaules.

– C'était un geste irréfléchi, admit-elle.

– Je ne vous le fais pas dire.

C'était la phrase de trop.

– Écoutez, j'en ai plus que marre de vos remarques insidieuses ! J'ai empêché ce type de la réduire en bouillie devant ses mômes. Je reconnais que ce n'était pas très malin de me jeter sur lui comme je l'ai fait, et je suis bien consciente que j'aurais pu y laisser des plumes. Mais je ne regrette rien. Maintenant, bougez-vous le cul et disparaissez, parce que je vous ai assez vu comme ça.

– Vous êtes dure, dit-il en lui reprenant le bras.

Puisqu'il ne daignait pas la laisser rentrer seule, elle accéléra le mouvement. Plus vite ils se quitteraient, mieux ça vaudrait.

– Vous êtes pressée ? demanda-t-il en la forçant à réduire la cadence.

– Ouais, je suis en train de louper...

Elle tenta de se remémorer le programme télévisé, mais en vain.

– BooBoo doit recracher une boule de poils, et je tiens à être là.

– Alors vous aimez les boules de poils, hein ?

– Je les trouve plus intéressantes que ma compagnie du moment, dit-elle d'une voix charmante.

– Touché, dit-il en grimaçant.

Ils arrivèrent devant chez elle, et il dut la relâcher.

– Mettez de la glace sur votre genou pour éviter la formation d'un bleu.

Elle hocha la tête, s'éloigna de quelques pas, puis se retourna pour constater qu'il restait planté sur le trottoir.

– Merci d'avoir acheté un silencieux.

Il s'apprêtait à décocher une nouvelle pique, mais pour finir haussa les épaules et se contenta d'un :

– De rien.

Avant d'ajouter :

– Merci pour ma nouvelle poubelle.

– De rien, répondit Jaine.

Ils continuèrent de se dévisager pendant quelques secondes, comme pour voir lequel des deux allait relancer les hostilités, jusqu'à ce que Jaine se retourne et siffle la fin du match en disparaissant derrière sa porte. Elle tourna le verrou et contempla un instant son séjour chaleureux, douillet et déjà si familier. BooBoo avait repris ses basses besognes ; de nouveaux débris de mousse jonchaient la moquette.

Elle soupira.

– Au diable les cookies, déclara-t-elle. La crème glacée s'impose.

6

Jaine fut réveillée de bonne heure le lendemain matin, et sans l'aide du soleil ni du réveil. Il lui avait suffi de se retourner dans son sommeil pour tressaillir de douleur. Ses côtes la tiraillaient, son genou brûlait, ses épaules étaient ankylosées et elle se sentait courbaturée de partout, jusque dans les fesses. Elle n'avait pas autant douillé depuis sa première sortie en rollers.

Avec force gémissements, elle parvint à extraire ses jambes du lit et à se redresser. Elle n'osait imaginer dans quel état se trouvaient les petits vieux du quartier. Ils n'avaient pas reçu de coups, mais leur chute collective risquait de laisser des traces.

Le froid était le plus indiqué contre les muscles douloureux, mais elle ne se sentait pas d'attaque pour le supplice de la douche glacée. Elle préférait encore affronter tous les pochetrons du monde. Elle se lava donc à l'eau tiède, avant de refermer progressivement le robinet d'eau chaude. Mais elle ne tint pas plus de deux secondes à ce régime-là, et quitta la cabine bien plus vite qu'elle n'y était entrée.

Grelottante, elle se sécha rapidement et enfila son long peignoir bleu.

Se lever tôt offrait au moins un avantage : elle pouvait arracher BooBoo à son sommeil. Pour une fois que les rôles étaient inversés...

Celui-ci n'apprécia guère la plaisanterie. Il grogna, cracha, et se mit en quête d'un coin tranquille pour finir sa nuit. Jaine se sentit vengée.

Elle n'avait pas à se presser, ce qui tombait bien puisque ses muscles l'en auraient empêchée. Elle savoura lentement son café – quel luxe ! – et remplaça les céréales au lait froid par une gaufre congelée qu'elle enfourna dans le grille-pain et accommoda de rondelles de fraise. Après tout, une femme qui se faisait boxer méritait bien une petite consolation...

Après un second café, elle souleva son peignoir pour examiner son genou. Elle avait observé les consignes du voisin en y appliquant de la glace, mais cela n'avait pas empêché la formation d'un bleu ni même apaisé la douleur. Alors elle avala deux aspirines et se résigna à souffrir quelque temps.

La première vraie surprise de la journée se produisit lorsqu'elle voulut enfiler un soutien-gorge. À peine l'eut-elle agrafé que sa cage thoracique cria au supplice. Et c'est ainsi qu'elle se retrouva, en culotte devant sa penderie, face à une question inédite : que faut-il porter pour dissimuler une absence de soutien-gorge ?

Même dans un bureau climatisé, il faisait trop chaud pour garder sa veste toute la journée. Jaine possédait de jolies robes, mais trop légères pour ne pas détailler ses seins. N'avait-elle pas souvenir d'un truc avec deux pansements ? Ça ne coûtait rien d'essayer. Elle prit deux pansements dans la salle de bains, les colla sur ses seins, puis enfila une robe et s'examina dans la glace. C'était loupé : on voyait tout.

Il fallait trouver autre chose. Un rouleau entier de sparadrap aurait sûrement fait l'affaire, mais elle n'avait pas ça en rayon. Et puis la robe révélait également son genou égratigné, ce qui n'était guère ragoûtant. Elle arracha les deux pansements et passa en revue sa penderie.

Elle opta finalement pour une longue jupe vert bouteille, un tricot de coton et un chemisier de soie bleue. Elle noua les coins du chemisier au niveau du nombril, et fut drôlement satisfaite par le verdict du miroir.

– Mmm, pas mal, dit-elle en s'examinant sous tous les angles. Pas mal du tout.

Par bonheur, ses cheveux fournis et brillants, bruns avec des reflets roux, ne posaient jamais problème. Elle les portait lâchés, si bien qu'un coup de brosse suffisait à les dompter. Ses douleurs costales réduisirent toutefois le brossage au strict minimum.

Mince ! Elle découvrait à présent un autre bleu sur sa pommette. Elle l'effleura du bout des doigts. C'était indolore, mais résolument bleu. Elle qui était plutôt avare en maquillage – Hammerstead n'en valait pas la chandelle – dut se résoudre à sortir la grosse artillerie.

Lorsqu'elle se retrouva sur le perron, avec son chouette ensemble et ses peintures de guerre, elle se dit qu'elle avait une putain de classe.

L'abruti – Sam – s'apprêtait à monter dans sa Pontiac. Elle verrouilla la porte d'entrée sans se presser, en espérant qu'il allait vite mettre les voiles. Mais elle n'eut pas cette chance.

– Vous allez bien ? demanda-t-il soudain, à quelques centimètres de ses oreilles, ce qui la fit sursauter.

Réprimant un cri, elle pivota. Mauvaise idée. Ses côtes protestèrent, ce qui lui arracha un grognement et fit tomber son trousseau de clés.

– Merde ! cria-t-elle quand elle retrouva son souffle. Vous allez cesser de me sauter dessus comme ça !

– C'est la seule façon que je connaisse, dit-il d'un air impassible. Si j'attendais que vous vous retourniez, je ne pourrais pas vous sauter dessus.

Il marqua un temps d'arrêt.

– Vous avez dit un gros mot.

Comme si elle ne le savait pas. Elle plongea rageusement la main dans son sac et lui plaqua une pièce de 25 cents dans la paume.

Il ouvrit de grands yeux.

– Pourquoi faites-vous cela ?

– Parce que j'ai dit une gros mot. Je dois débourser 25 cents pour chaque grossièreté que je profère. C'est censé m'aider à décrocher.

– Alors je vais me faire des couilles en or ! C'est que vous en avez débité, des saloperies, hier soir.

Elle se renfrogna.

– Ce n'est pas rétroactif. Si c'était le cas, je serais à découvert depuis longtemps. Il faut me prendre sur le fait, vous comprenez.

– Ah oui ? C'était pourtant bien le cas, samedi, quand vous tondiez la pelouse. Et vous ne m'avez pas payé.

Sans dire un mot, les dents serrées, elle sortit une nouvelle pièce.

Il empocha son butin d'un air hautement supérieur.

En temps normal, elle aurait pu rire, mais elle lui en voulait toujours de l'avoir effrayée. Ses côtes lui faisant mal, et ce fut pire encore lorsqu'elle tenta de ramasser ses clés. Car voilà que son genou refusait de se plier. Elle se redressa et lança à Sam un regard si noir qu'il se pinça les lèvres. S'il ricane, se dit-elle, je lui envoie mon pied dans la gueule. Vu qu'il se tenait en contrebas du porche, c'était parfaitement jouable.

Mais il ne ricana pas. On enseignait sûrement la prudence dans les commissariats. Il se courba pour ramasser le trousseau.

– Genou coincé, c'est ça ?

– Et je vous parle pas de mes côtes, confia-t-elle d'un air ronchon en reprenant ses clés avant d'affronter les trois marches.

Il fronça les sourcils.

– Qu'est-ce qu'elles ont, vos côtes ?

– Elle se sont pris un pain.

– Pourquoi ne m'avez-vous rien dit hier soir ? demanda-t-il d'un ton réprobateur.

– Elles ne sont pas cassées, vous savez.

– Et vous, qu'est-ce que vous en savez ? Vous n'avez pas songé qu'elles pouvaient être fêlées ?

– Elles n'ont pas l'air fêlées.

– Parce que votre expérience des côtes fêlées est telle que vous savez de quoi elles ont l'air ?

Jaine se raidit.

– Il s'agit de *mes* côtes, et je vous dis qu'elles ne sont pas fêlées. Point final.

– J'ai une question à vous poser, dit-il d'un air anodin, tout en suivant sa pénible progression vers la Viper. Se passe-t-il une journée sans que vous ne déclenchiez une bagarre ?

– Oui, les jours où je ne vous vois pas, répondit-elle du tac au tac. Mais c'est vous qui l'avez cherché. Je ne demandais qu'à être une gentille voisine, mais vous m'avez agressée chaque fois qu'on s'est croisés, même lorsque je suis venue m'excuser pour les empreintes de BooBoo sur votre pare-brise. Et pour tout vous dire, je vous prenais pour un alcoolique.

Il n'en revenait pas.

– Un alcoolique ?

– Les yeux injectés de sang, les fringues crasseuses, à rentrer au milieu de la nuit, à faire un raffut du diable, toujours en pétard comme si vous aviez la gueule de bois... Qu'auriez-vous pensé à ma place ?

Il se gratta le menton.

– C'est vrai, où avais-je la tête ? J'aurais dû me doucher, me raser, et revêtir un costume avant de vous reprocher de faire un boucan à réveiller les morts.

– Un jean propre aurait largement suffi.

Elle tourna la clé dans la serrure de la Viper et dut affronter un nouveau problème : comment allait-elle s'introduire dans cette fusée rase-bitume ?

– Je retape ma cuisine, expliqua-t-il après un bref silence. Vu mon emploi du temps de ces derniers jours, les travaux avancent lentement, et il m'arrive de m'endormir dans mes vêtements sales.

– Vous n'avez jamais songé à bricoler pendant vos jours de repos afin de mieux dormir en semaine ? Cela ne pourrait qu'adoucir votre caractère.

– Mon caractère va très bien, merci.

– Alors félicitations à son putois de propriétaire !

Elle ouvrit sa portière, jeta son sac sur le siège de droite, et rassembla son énergie en vue de l'effort qui l'attendait.

– Belle bagnole ! dit-il en examinant la Viper.

– Merci.

Elle regarda la Pontiac mais choisit de ne rien répondre. Le silence était parfois moins cruel que les mots.

Il capta son regard et sourit. Elle regrettait qu'il ait fait ça ; ce sourire le rendait presque humain. Elle regrettait de se trouver avec lui dans la lumière du matin, qui soulignait ses longs cils noirs et le dégradé de brun dans ses pupilles foncées. D'accord, d'accord. Admettons que ce n'était pas un laideron quand il n'avait pas les yeux rouges et s'abstenait de râler.

Le beau regard de Sam se refroidit d'un coup. Il passa délicatement son pouce sur la pommette de Jaine.

– Vous avez un bleu.

– Et mer... ci beaucoup ! Bon sang, je croyais l'avoir camouflé.

– C'était plutôt réussi. Je n'ai rien vu avant que le soleil n'éclaire votre visage.

Il croisa les bras et la toisa d'un œil sévère.

– Pas d'autres blessures ?

– Juste quelques courbatures.

Elle contempla la voiture d'un air misérable.

– Je me demande comment je vais entrer là-dedans.

Elle s'agrippa au cadre de la portière, et souleva péniblement sa jambe droite pour l'introduire dans l'habitacle. Sam prit une longue inspiration comme avant un gros effort, forma un accoudoir avec son bras et l'aida à s'installer.

– Merci, dit-elle, soulagée.

– Pas de quoi.

Il s'accroupit dans l'embrasure de la portière.

– Vous voulez porter plainte pour coups et blessures ?

– C'est moi qui l'ai provoqué, dit-elle à regret.

Elle vit qu'il tentait de réprimer un sourire. Mon Dieu, faites qu'il y parvienne. Elle n'avait aucune envie de voir ça, de peur de le trouver vraiment humain.

– Alors c'est une affaire classée, conclut-il.

Il se redressa et commença de rabattre la portière.

– Un bon massage vous ferait le plus grand bien. Ainsi qu'un bain de vapeur.

Elle crut rêver.

– Un bain de vapeur ? Vous voulez dire que j'ai pris une douche glacée pour rien ?

Il se mit à rire, et elle lui en voulut énormément. Son rire était chaleureux et profond, et ses dents d'une blancheur éclatante.

– Le froid aussi est bénéfique. Essayez d'alterner les deux pour assouplir vos muscles. Et faites-vous masser si vous en avez l'occasion.

Elle doutait fort que Hammerstead abrite une station thermale dans ses sous-sols, mais elle pouvait toujours prendre rendez-vous chez un kiné après le travail.

– C'est une bonne idée. Merci.

Il hocha la tête et referma la portière, puis se dirigea vers sa Pontiac en la saluant de la main. Il n'avait pas encore mis la clé dans la serrure que la Viper disparaissait au coin de la rue.

« Tout compte fait, on parviendra peut-être à s'entendre », se dit Jaine en souriant distraitement. Lui et ses menottes avaient fait des merveilles la veille au soir.

Malgré leur bavardage prolongé, elle arriva en avance au bureau, ce qui lui laissa tout le loisir de s'extirper lentement du véhicule.

Le panneau de l'ascenseur affichait aujourd'hui :

POURQUOI NOS EMPLOYÉS SE PLANTERAIENT-ILS, PUISQUE NOS LOGICIELS LE FONT TOUT SEULS ?

Jaine pronostiqua que la direction apprécierait encore moins ce message-ci que le précédent. Mais les clones d'en bas devaient trouver ça hilarant.

Les bureaux se remplirent peu à peu. Ce matin, les collègues n'avaient d'yeux que pour le numéro spécial du *Hammerhead*, qui pour gloser sur le contenu de la liste, qui pour spéculer sur l'identité des quatre femmes. Mais la plupart étaient d'avis qu'elle émanait d'une seule personne, et que les quatre copines étaient une invention de l'auteur. Cette hypothèse convenait parfaitement à Jaine, qui croisa les doigts pour qu'on s'y tienne.

– J'ai scanné l'article et je l'ai envoyé à mon cousin de Chicago, entendit-elle au détour d'un couloir.

La liste se répandait comme la grippe. Formidable.

Parce qu'elle souffrait à la simple idée de devoir s'enfourner dans la voiture pour aller déjeuner, elle se contenta de crackers au beurre de cacahuètes et d'un soda sans sucre. Elle aurait pu demander à T.J. et consorts de lui rapporter un sandwich ou une pizza, mais elle ne souhaitait pas se répandre en explications au sujet de la nuit dernière. Raconter qu'elle s'était battue avec un poivrot risquait de passer pour de la vantardise, alors qu'il s'agissait seulement d'un geste irréfléchi dicté par la colère.

Leah Street entra dans la pièce et sortit du réfrigérateur son repas soigneusement emballé. Il comprenait un sandwich au blanc de dinde, un bol de soupe qu'elle réchauffa au micro-ondes, et une orange. Jaine soupira, partagée entre la haine et l'envie. Comment pouvait-on apprécier un être aussi organisé ? Les gens comme Leah, pensa Jaine, étaient sur terre dans l'unique but de souligner les carences du commun des mortels. Pourquoi Jaine n'avait-elle pas eu l'idée d'apporter son propre casse-croûte, hein ?

– Puis-je me joindre à toi ? demanda Leah.

Jaine ressentit une pointe de culpabilité. Étant les deux seules personnes présentes dans la salle, elle aurait dû le lui proposer d'emblée. La plupart de ses collègues n'auraient même pas songé à demander la permission, mais Leah devait éprouver un certain sentiment de rejet qui l'invitait à la prudence.

– Bien sûr, répondit Jaine en s'efforçant de paraître chaleureuse. J'en serais ravie.

Si elle avait été catholique, elle serait allée se confesser dare-dare ; ce mensonge était plus gros encore que la prétendue ignorance de son père en matière d'automobiles.

Leah disposa son appétissant menu sur la table et prit une chaise. Elle mordit dans son sandwich du bout des dents, mâcha délicatement, s'essuya les lèvres, puis avala une petite cuillerée de soupe et s'essuya de nouveau la bouche. Jaine l'observait, fascinée. Telles devaient être les manières de l'époque victorienne, songea-t-elle. Elle-même savait se tenir à table, mais face à Leah elle se sentait ramenée au stade animal.

– J'imagine que tu as lu les obscénités dans le journal interne, dit Leah au bout d'un moment.

– Je présume que tu parles de l'article sur les hommes, dit-elle, jugeant inutile de tourner autour du pot. Oui, j'y ai jeté un rapide coup d'œil.

– J'ai honte d'être une femme quand je lis de tels propos.

Comme elle y allait ! Jaine savait qu'il valait mieux laisser courir, car Leah était Leah et personne ne la changerait jamais. Mais quelque mauvais génie – oui, ce même mauvais génie qui la poussait à ouvrir la bouche quand il ne fallait pas – lui fit dire :

– Pourquoi donc ? J'ai trouvé ça plutôt sincère.

Leah reposa son sandwich et prit un air outré.

– Sincère ? Putassier, oui ! Ces chiennes ne rêvent que d'argent et de gros... de gros...

– Pénis, compléta Jaine, puisque Leah semblait ignorer ce mot. Mais je doute que ce soit leur seule préoccupation, tu sais. Je crois me souvenir de notions telles que la fidélité, la responsabilité, l'humour...

Leah réfuta ce commentaire d'un revers de la main.

– Tu peux croire ce que tu veux, mais cet article a pour seul objet le sexe et l'argent. C'est flagrant. Et c'est surtout cruel et vicieux, car imagine un instant la réaction des hommes qui ont peu d'argent ou un petit... machin.

– Pénis, rectifia Jaine. Ça s'appelle un pénis.

Leah fit une mine dégoûtée.

– Je reconnais bien là ton langage ordurier.

– Non mais dis donc ! J'admets qu'il m'arrive de jurer, mais primo j'essaie d'arrêter, deuzio « pénis » n'a rien d'un gros mot. Il s'agit du terme exact pour désigner une partie du corps, comme « jambe ». À moins que les jambes ne te répugnent elles aussi ?

Leah planta ses griffes dans le rebord de la table, puis inspira longuement.

– Comme je disais, imagine un peu ce que ces hommes ont dû ressentir. Ils doivent se dire qu'ils ne sont pas à la hauteur, qu'ils sont en quelque sorte... inférieurs.

– Certains le sont, répondit Jaine à mi-voix.

Elle en savait quelque chose. Ses trois ex-fiancés étaient de ceux-là. Indépendamment même de leur appareil génital.

– On n'a pas le droit de faire souffrir les gens ! tonna Leah.

Elle reprit une bouchée de son sandwich, et Jaine fut surprise de constater que les mains de son interlocutrice tremblaient. Elle était vraiment contrariée.

– Tu sais, je crois que la plupart de ceux qui ont lu l'article ont pris ça à la rigolade, dit-elle pour calmer le jeu. Ce n'est rien de plus qu'un gag.

– Ce n'est pas comme ça que je l'ai pris. C'était sale, répugnant. De la méchanceté gratuite.

Pour calmer le jeu, il faudrait repasser.

– Je ne suis pas d'accord, dit Jaine en se levant pour jeter ses détritus à la poubelle. Je crois que les gens voient ce qu'ils ont envie de voir. Les gens méchants s'attendent à ce que les autres soient aussi méchants qu'eux, de même que les esprits pervers voient des cochonneries partout.

Leah blêmit, avant de virer écarlate.

– Oserais-tu dire me traiter d'esprit pervers ?

– Entends ça comme tu veux.

Jaine choisit de partir avant que leur querelle ne tourne au pugilat. Bon sang, mais qu'avaient-ils tous, ces jours-ci ? D'abord son voisin, et à présent Leah. Jaine semblait incapable de s'entendre avec qui que ce soit, pas même avec BooBoo. Cela dit, personne ne s'entendait avec Leah, alors ça comptait pour du beurre. En tout cas, elle allait redoubler d'efforts pour s'entendre avec Sam. Il n'avait cessé de lui chercher des noises, c'était certain. Mais elle-même n'était pas exempte de tout reproche. En fait, le nœud du problème, c'était son manque de pratique ; depuis ses troisièmes fiançailles avortées, elle avait complètement perdu la main avec la gent masculine.

Mais quelle femme s'en serait-elle mieux sortie avec un tel passif ? Trois fiançailles et trois ruptures quand on a tout juste vingt-trois ans, on faisait mieux comme palmarès. Ce n'était pas qu'elle était vilaine ; c'était même une belle et svelte jeune femme, avec de minuscules fossettes au creux des joues et un adorable pli au bout du menton. Elle avait fait des ravages au lycée, au point qu'elle s'était retrouvée fiancée au lanceur vedette de l'équipe de base-ball lors de leur année de terminale. Mais elle aspirait alors à poursuivre ses études, tandis que Brett ne rêvait que de manier la batte, si bien que leurs routes s'étaient séparées. Quant à la carrière de Brett, elle avait connu le même sort que leur éphémère liaison.

Puis il y avait eu Alan. Elle venait de fêter ses vingt et un ans et l'obtention de sa licence. Alan attendit la veille du mariage pour lui avouer qu'il était toujours amoureux de son ex, et qu'il était sorti avec Jaine dans le seul but d'oublier l'autre, mais ça ne marchait pas, désolé, allez, sans rancune.

C'est ça, pauvre plouc. Sans rancune.

Après Alan était apparu Warren. Mais chat échaudé craignant l'eau froide, Jaine n'avait pas dû se sentir prête pour s'engager sérieusement. Il la demanda en mariage, elle répondit oui, puis chacun sembla prendre peur, et leur relation se fana d'une mort lente. Au final, ils furent tous deux soulagés d'y avoir mis un terme.

À bien y réfléchir, elle aurait pu sauter le pas et épouser Warren, malgré leur manque de passion réciproque. Mais elle ne regrettait rien : supposons qu'ils aient divorcé après avoir mis des enfants au monde. Non, Jaine ne voulait devenir mère que dans le cadre d'un mariage solide, comme celui de ses parents.

Elle n'avait jamais imputé ces trois échecs à une erreur de sa part ; deux étaient le fruit d'une décision concertée, et Alan ne lui avait pas vraiment laissé le choix. Mais tout de même... n'y avait-il pas un problème quelque part ? Elle ne semblait éveiller aucun désir, et encore moins d'attachement chez les hommes qu'elle fréquentait.

T.J. la sortit de ces pensées cafardeuses en passant la tête dans le bureau. Elle était livide.

– Dawna est en grande conversation avec une journaliste du *News*, balbutia-t-elle. Seigneur, tu crois que... ?

T.J. dévisagea Jaine. Jaine dévisagea T.J.

– Et merde ! pesta Jaine.

T.J. était si chamboulée qu'elle en oublia de réclamer sa pièce.

Ce soir-là, Corin parcourut une énième fois le journal de Hammerstead. Un torchon, un pur torchon.

Ses mains tremblaient, faisant sautiller les caractères du texte. Ces traînées savaient-elles seulement combien c'était douloureux ? Comment pouvaient-elles en rire ?

Il voulait se débarrasser de cette horreur, mais la force lui manquait. Il était dévoré d'angoisse. Comment pouvait-il travailler au milieu de gens qui tenaient des propos aussi blessants, qui persiflaient, ridiculisaient, insultaient, terrorisaient...

Il reprit son souffle. Il fallait se maîtriser. Les médecins étaient catégoriques sur ce point. Prends tes cachets, et maîtrise-toi. Ce qu'il tentait de faire. Et il y parvenait. Il y parvenait même très bien, depuis un long moment déjà. Parfois il arrivait même à se laisser aller. À se détendre un peu.

Mais plus maintenant. Il ne pouvait plus se laisser aller, se détendre. L'heure était grave.

Qui étaient-elles ?

Il avait besoin de savoir. Il le fallait.

7

Cette mauvaise blague était une bombe à retardement, se dit Jaine le lendemain matin. Le feu d'artifice n'avait pas débuté, mais c'était une simple question de temps ; le temps qu'il faudrait à Dawna pour se mettre à table et révéler qu'elle tenait la liste de Marci. Et une fois Marci démasquée, les autres n'auraient plus qu'à se tatouer « coupable » sur le front.

La pauvre T.J. était transie de peur, et Jaine n'aurait pas fait mieux à la place de Mme Galan Yother. Bon sang, comment un simple fou rire entre amies pouvait-il dégénérer jusqu'à mettre un mariage en péril ?

Elle avait mal dormi, une fois de plus. Après plusieurs aspirines et un bon bain chaud, elle s'était mise au lit, le corps apaisé. Mais ce maudit article l'avait fait gamberger jusqu'à des heures indues, et avait remis ça derechef en la réveillant avant l'aube. Elle était pétrifiée à l'idée d'ouvrir le journal du matin, sans parler de se rendre au travail – elle préférait encore affronter un nouvel alcoolique. Même pieds nus sur des braises.

Elle but son café en contemplant le lever du jour. BooBoo ne lui fit pas grief d'avoir à nouveau écourté son sommeil. Il se toilettait, assis au pied de la chaise, ronronnant dès qu'elle passait distraitement la main derrière ses oreilles.

Survint alors un incident indépendant de sa volonté. Elle rinçait sa tasse, debout devant son évier, quand la cuisine du voisin s'illumina, révélant la silhouette de Sam.

Ses poumons se bloquèrent.

– Jésus Marie Joseph, geignit-elle quand elle retrouva un peu d'air.

Jamais elle n'aurait pensé en découvrir autant sur le Sam. Tout, en l'occurrence. Il se tenait devant son réfrigérateur, nu comme un ver. Elle eut juste le temps d'admirer son derrière avant qu'il ne sorte une bouteille de jus d'orange, la dévisse et la porte à ses lèvres en se retournant.

Elle oublia aussitôt le popotin. La proue du navire en jetait bien plus que la poupe, et ce n'était pas peu dire. Cet homme était sévèrement burné.

– Mon Dieu, BooBoo, s'écria-t-elle. Non, mais tu as vu ça ?

Rarement Dame Nature s'était montrée aussi généreuse. Grand, le ventre plat, musclé comme un étalon...

Elle colla son front contre la vitre et distingua son torse massif et velu. Elle connaissait déjà sa belle gueule. Ses yeux de braise, ses dents blanches et son rire chaud. Et voilà qu'il en avait dans le caleçon.

Elle porta la main à sa poitrine. Son cœur faisait davantage que palpiter ; il essayait carrément de lui défoncer le thorax. D'autres organes se joignaient à lui pour exprimer leur émoi. L'espace d'une seconde, elle voulut auditionner pour le rôle du matelas.

Indifférent au tumulte intérieur de sa maîtresse comme au spectacle saisissant qui se jouait en face, BooBoo continuait de se lécher les pattes. Ce chat ne savait pas reconnaître les bonnes choses.

Jaine se retint à l'évier pour ne pas tomber dans les pommes. Heureusement qu'elle avait renoncé aux hommes, sans quoi elle serait déjà en train de tambouriner à sa porte. Mais renoncement ou pas, elle demeurait sensible à l'art, et Dieu sait si son voisin entrait dans cette catégorie, à mi-chemin entre une statue grecque et une star du X.

Bien que cette idée la révulse, elle se devait de lui demander de tirer les rideaux. C'était l'usage entre voisins, non ? Ne voulant pas perdre une miette de la parade, elle chercha le téléphone à tâtons, puis se ravisa. Elle ignorait aussi bien le numéro de Sam que son nom de famille. Vous parlez d'une voisine ! En deux semaines elle n'avait pas trouvé le moyen de se présenter. Cela dit, lui non plus ne s'était pas donné cette peine. Et sans l'intervention de Mme Kulavich, elle ignorerait jusqu'à son prénom.

Mais il lui restait une dernière carte. Elle avait noté le numéro des Kulavich sur le bloc près du téléphone, et elle parvint à détourner les yeux suffisamment longtemps pour le lire en entier. Elle composa le numéro et songea avec un temps de retard que ses voisins pouvaient être encore couchés.

Mme Kulavich décrocha à la première sonnerie.

– Allô ! dit-elle d'une voix enjouée qui indiquait que Jaine ne l'avait pas tirée pas du lit.

– Bonjour, madame Kulavich. C'est Jaine Bright, votre nouvelle voisine. Comment allez-vous ?

On ne pouvait échapper aux règles de la bienséance, encore moins avec les personnes âgées. Et Jaine espérait bien y passer dix ou quinze minutes. Sam descendit la bouteille de jus d'orange et balança le cadavre.

– Oh ! Jaine ! Quel plaisir de vous entendre ! s'écria Mme Kulavich comme si elle revenait d'un long voyage.

La vieille dame faisait partie de ces gens qui s'expriment au téléphone à coups de points d'exclamation.

– Nous allons très bien ! Et vous donc ?

– Bien, répondit-elle automatiquement, sans lâcher son voisin des yeux.

Il sortait à présent un carton de lait. Beurk ! Il n'allait tout de même pas mélanger ça au jus d'orange ? Il déplia l'ouverture du carton et renifla. Ses biceps se gonflèrent tandis qu'il portait la brique à ses lèvres. Ah la vache ! souffla-t-elle en écartant le combiné. Mais le lait devait mal passer, car il secoua vivement la tête et reposa le carton.

– Que dites-vous ? demanda Mme Kulavich.

– Euh... Bien, je vais bien.

Jaine fit un effort pour rassembler ses pensées.

– Oui, je voulais vous demander le nom de famille de Sam. Je dois l'appeler au sujet d'une bricole.

Bel euphémisme...

– Donovan, mon cœur. Sam Donovan. Mais je peux aussi vous donner son numéro de téléphone. Il a conservé celui de ses grands-parents. J'apprécie drôlement, car cela me permet de m'en souvenir. Il est plus facile de vieillir que de s'assagir, vous savez.

Elle rit de sa propre plaisanterie. Jaine l'imita, sans comprendre ce qu'il y avait de drôle. Elle nota le numéro que Mme Kulavich lui dictait, ce qui n'est pas facile lorsqu'on regarde ailleurs.

Elle remercia et salua sa charmante voisine, puis inspira profondément. Il fallait le faire. Aussi douloureux que ce fût, il fallait prévenir Sam. Alors elle prit son souffle et composa son numéro. Elle le vit traverser la cuisine et s'emparer d'un sans-fil. Elle le découvrait maintenant de profil. Miam. Miam-miam.

La salive affluait sous sa langue. Ce maudit mec la faisait carrément baver.

– Donovan à l'appareil.

Sa voix était rocailleuse et cassante, comme s'il n'était pas bien réveillé.

– Euh... Sam ?

– Ouais ?

On faisait plus accueillant. Elle voulut déglutir, mais constata que c'était ardu avec la langue pendante. Elle la rentra dans sa bouche et soupira de regret.

– C'est Jaine, la nouvelle voisine. Ça m'embête de vous dire ça, mais peut-être préfériez-vous... tirer vos rideaux ?

Il se tourna face à la fenêtre, et ils s'observèrent un instant à travers leurs deux allées de garage. Il ne bondit pas sur le côté, ne disparut pas derrière un mur, ne fit rien qui puisse indiquer de la gêne. Non, il souriait. Bon sang, elle ne supportait pas ça.

– Vous vous êtes rincé l'œil, hein ? dit-il en se rapprochant du carreau pour attraper le rideau.

– Oui, c'est vrai.

Cela faisait bien cinq minutes qu'elle n'avait pas cligné des paupières.

– Merci, dit-elle lorsqu'il disparut derrière ses tentures.

– Tout le plaisir était pour moi, répondit-il en riant. N'hésitez pas à me renvoyer l'ascenseur.

Il raccrocha sans lui laisser le temps de répondre, ce qu'elle n'aurait pu faire de toute façon. Elle baissa son store et se frappa le front. Mais oui, enfin ! Elle n'aurait eu qu'à baisser son store et basta !

– Je suis la reine des idiotes, confia-t-elle à BooBoo.

L'idée de se déshabiller devant Sam la remua – et l'excita. Elle virait exhibitionniste, ou quoi ? Elle ne l'avait jamais été par le passé, mais là... Ses tétons étaient dressés tels deux framboises, sans parler du reste. Ben dis donc... Elle n'avait jamais été portée sur le badinage sexuel, et ce soudain désir pour l'abruti la laissait sans voix. Comment pouvait-on passer d'abruti à appétissant rien qu'en ôtant ses vêtements ?

– Se peut-il que je sois aussi superficielle ? demanda-t-elle à BooBoo.

Elle y réfléchit un instant.

– Et comment ! conclut-elle.

BooBoo poussa un miaulement, nécessairement approbateur.

Seigneur. Comment pourrait-elle, désormais, regarder Sam sans l'imaginer nu ? Comment pourrait-elle le croiser sans se mettre à rougir ou lui montrer qu'elle en pinçait à mort pour son corps ? Elle préférait de loin l'avoir comme adversaire que comme objet de désir. Elle aimait tenir les objets de son désir à distance. Sur un écran de cinéma, par exemple.

Cela dit, il n'avait guère paru gêné, alors pourquoi le serait-elle ? Ils étaient adultes, après tout, et elle avait déjà vu des hommes nus.

Mais pas Sam. Il n'aurait pas pu avoir un gros bide et un zizi rikiki, au lieu de ces tablettes de chocolat et de cette impressionnante érection matinale ?

Elle salivait à nouveau.

– C'est répugnant ! pesta-t-elle. J'ai trente ans, et j'ai l'air d'une ado en transe devant... devant Dieu sait qui les met en transe aujourd'hui. Je devrais au moins être capable de contrôler mes glandes salivaires.

Mais ces dernières n'étaient pas de cet avis. Chaque fois qu'une image de Sam se formait dans sa tête, soit environ toutes les dix secondes – il lui en fallait neuf pour l'apprécier pleinement avant de zapper –, elle avait besoin de déglutir. À plusieurs reprises.

La veille, elle avait quitté la maison plus tôt que d'habitude et elle était tombée sur Sam. Autrement dit, tout indiquait qu'il partait au travail avant elle, n'est-ce pas ?

Sauf qu'il avait évoqué des horaires fluctuants. Ce qui signifiait qu'elle ne serait jamais à l'abri d'une rencontre matinale. Et qu'elle pouvait, au mieux, toucher du bois. Demain, elle parviendrait peut-être à faire bonne figure devant lui. Mais pas ce matin, pas avec ce corps en feu et ces hormones en ébullition.

Le mieux était encore d'oublier l'incident et de se préparer à partir.

Elle ouvrit la penderie et se retrouva face à une question inédite : que faut-il porter quand on risque de croiser un voisin qu'on vient de surprendre à poil ?

Elle bénit le ciel pour son genou amoché. Ce serait pantalon-jupe longue jusqu'à la cicatrisation, ce qui interdisait notamment le fourreau noir à franges au-dessus du genou qu'elle portait en soirée pour paraître sophistiquée. Ce vêtement court en disait long, quelque chose du style : « Vous avez vu comme je suis sexy ? » soit tout le contraire d'un habit de travail. En somme, son genou éraflé lui éviterait un terrible faux pas.

Quitte à pécher par excès de prudence, elle opta pour le tailleur-pantalon le plus austère qu'elle possédât. Tant pis s'il épousait à ravir la forme de ses fesses, et s'il lui valait immanquablement des commentaires flatteurs de la part de ses collègues mâles ; elle ne croiserait pas Sam aujourd'hui. Il devait se sentir encore plus mal qu'elle. Au petit jeu de l'esquive, ce serait lui le plus actif.

Mais un homme gêné aurait-il décoché un tel sourire vicelard ? Il se savait beau gosse, et même plus que beau gosse, le saligaud.

Refusant de chercher le mot exact pour qualifier son physique, elle décida d'allumer la télé pour écouter les infos pendant qu'elle s'habillait et se maquillait.

Elle s'appliquait à camoufler le bleu de sa pommette lorsque la présentatrice du journal déclara de sa voix mielleuse :

– « Mais que veulent-elles donc ? » s'était toujours demandé Freud. Quatre femmes de la région semblent avoir trouvé la réponse. À vous de découvrir si votre mari ou votre compagnon est l'homme parfait, après une page de publicité.

Ce fut un tel coup de massue qu'elle en oublia de jurer. Les jambes sciées, elle se laissa tomber sur la lunette des toilettes. Cette salope de Dawna les avait balancées en moins de deux ! Remarque, non. Si elle avait révélé leurs identités, le téléphone n'aurait cessé de sonner. Non, leur anonymat semblait préservé, mais pour combien de temps ?

Elle fila dans la chambre et composa le numéro de T.J., en priant pour que son amie ne soit pas encore sortie. Ayant un temps de trajet supérieur à celui de Jaine, T.J. partait toujours plus tôt.

– Allô ?

T.J. semblait pressée et quelque peu nerveuse.

– C'est Jaine. Tu as vu les infos du matin ?

– Non, pourquoi ?

– L'homme parfait fait la une.

– C'est pas vrai...

Elle semblait sur le point de s'évanouir, ou de vomir, voire les deux à la fois.

– Je ne crois pas qu'ils aient nos noms, étant donné que personne n'a appelé. Mais quelqu'un de Hammerstead les devinera d'ici ce soir, c'est certain. À ta place, j'éteindrais tous les téléphones de la maison et je débrancherais le répondeur.

– C'est fait, répondit T.J.

Un ange passa.

– Je sens arriver le moment de vérité entre Galan et moi, dit-elle d'une petite voix. Je ne m'attends pas à ce qu'il apprécie, mais j'espère bien qu'il se montrera compréhensif. Après notre petite discussion de l'autre soir au sujet de l'homme parfait, j'ai pas mal cogité, tu sais, et franchement...

Galan est loin de la perfection, compléta Jaine dans sa tête.

– Et puis je vais te dire, poursuivit T.J. encore plus doucement, je ne vais pas débrancher le téléphone. Ce qui doit arriver arrivera, et le plus tôt sera le mieux.

Après avoir raccroché, Jaine se dépêcha de boucler ses préparatifs. Son échange avec T.J. avait été bref, et la pause publicitaire touchait à sa fin. Les gazouillements de la présentatrice la firent tressaillir.

– Quatre femmes de la région ont fait sensation en dressant la liste des critères définissant l'homme parfait...

Trois minutes plus tard, Jaine fermait les yeux et s'affaissait contre le meuble bas de la salle de bains. *Trois minutes !* Combien de reportages duraient aussi longtemps ? Ils n'auraient pas pu trouver un meurtre, un embouteillage monstre, une guerre, une famine, n'importe quoi qui puisse éloigner cette histoire idiote des écrans ?

Les reporters avaient passé sous silence les aspects les plus graveleux de l'affaire, mais ils précisaient bien que l'intégralité de la Liste, comme ils l'appelaient désormais, et de l'article du *Hammerhead* étaient d'ores et déjà consultables sur le site Internet de la chaîne. On avait soumis la Liste à un micro-trottoir auprès de sondés des deux sexes. Si les cinq premiers critères semblaient faire l'unanimité, ceux qui suivaient révélaient un flagrant clivage entre hommes et femmes.

Si elle prenait une semaine de vacances, à compter de tout de suite, cette agitation serait peut-être retombée à son retour du Népal.

Mais elle n'était pas assez lâche pour ça. Elle tenait à être là au cas où T.J. aurait besoin d'aide. Marci aussi risquait de perdre Tête-de-Brique, mais ce ne serait pas une grande perte, et puis ça lui apprendrait à se biturer avec Dawna.

Les jambes alourdies par l'angoisse, elle se traîna jusqu'à sa voiture. Comme elle glissait la clé dans la serrure, elle entendit une porte claquer. Elle regarda par-dessus son épaule, et se figea en voyant Sam qui verrouillait son entrée. Soudain sa mémoire se rafraîchit, et elle se débattit avec la poignée de la Viper, complètement affolée.

Offrez-lui un zeste de notoriété, et une femme oublie aussitôt qu'elle a un homme à éviter, songea-t-elle amèrement. Bon sang, il la guettait ou quoi ?

– Ça va mieux, aujourd'hui ? demanda-t-il en venant à sa rencontre.

– Ça va.

Elle jeta son sac à main sur le siège passager et se glissa derrière le volant.

– Vous ne devriez pas le laisser là, dit-il. Au premier feu rouge, n'importe qui peut briser la vitre, s'emparer de votre sac et disparaître avant que vous n'ayez compris ce qui vous arrive.

Elle trouva ses lunettes de soleil et les chaussa, dérisoire protection contre les yeux de braise de Sam.

– Et où voulez-vous que je le mette ?

– Le coffre est l'endroit le plus sûr.

– Ce n'est pas très commode.

Il haussa les épaules. Ce mouvement rappela à Jaine combien il était baraqué, ce qui raviva le souvenir du reste de son corps. Elle sentit la chaleur gagner ses joues. Pourquoi avait-il remplacé son bas de jogging et son tee-shirt cradingue par ce pantalon beige et cette chemise de soie bleu marine ? Une cravate desserrée aux rayures bleu, crème et rouge soulignait l'épaisseur de son cou, et il tenait une veste à la main. Le gros pistolet noir était maintenu dans son étui contre son rein droit. Sam donnait l'image d'un homme fort et compétent. Deux mots de trop.

– Excusez-moi si je vous ai choquée ce matin, dit-il. Je dormais à moitié et je n'ai pas pensé aux rideaux.

Elle se composa un air neutre.

– Je n'ai pas été choquée. Ce sont des choses qui arrivent.

Elle voulait partir, mais il était trop près pour qu'elle puisse refermer la portière.

Il se pencha sur elle.

– Vous êtes sûre d'aller bien ? Vous ne m'avez pas

encore insulté, alors que nous discutons depuis – il consulta sa montre – trente secondes déjà.

– Mettez ça sur le compte d'un certain détachement. Je me réserve pour les choses importantes.

Il sourit.

– Enfin je vous retrouve. Je me sens déjà mieux.

Il passa délicatement la main sur sa pommette.

– Le bleu a disparu.

– Erreur. Le maquillage fait des merveilles.

– En effet.

Il fit glisser son doigt jusqu'au petit pli du menton, qu'il tapota tendrement avant de reprendre sa main. Jaine se glaça en comprenant qu'il la draguait, nom de Dieu ! Et son cœur de réitérer l'assaut de tout à l'heure.

La voilà bien.

– Ne m'embrassez pas, dit-elle par précaution, car Sam semblait s'être rapproché en douce, et son regard portait toute la concupiscence d'un homme qui va passer à l'attaque.

– Je n'en ai pas l'intention, répondit-il avec un léger rictus. J'ai laissé menottes et matraque à la maison.

Il se redressa et recula, posant la main sur la portière pour la refermer. Il se tut un instant, avant d'ajouter :

– Qui plus est, je n'ai pas le temps pour l'instant. Vous et moi devons partir au boulot, et je n'aime pas le travail bâclé. Il me faudrait une ou deux heures, minimum.

Elle savait qu'il valait mieux la boucler. Fermer la portière et démarrer. Mais elle n'en fit rien :

– Une ou deux heures ?

– Ouais, dit-il en esquissant un de ses sourires ravageurs. L'idéal serait même trois heures, parce que m'est avis que le jour où je vous embrasserai, nous finirons tous les deux à poil.

8

« Oh », ressassait Jaine dans sa tête tandis qu'elle avançait en pilotage automatique, ce qui, dans les bouchons de Detroit, était plutôt aventureux. *Oh* ? C'était donc ça, sa répartie cinglante ? Elle n'aurait pas pu dire un truc du genre : « Dans tes rêves, mon gars » ; ou bien : « Plutôt rouler un patin à Hannibal le cannibale » ; ou n'importe quelle vanne foireuse plutôt que ce *Oh* débile ? Même dans son sommeil elle faisait mieux.

Elle n'avait même pas pris la peine d'agrémenter l'onomatopée d'un ton ironique, pour lui signifier que ses explications lui faisaient une belle jambe. Non, cette putain de syllabe était sortie si faiblement qu'un trouillomètre standard ne l'aurait même pas captée. Après ça, l'autre devait être convaincu qu'il suffisait de se pointer chez elle la bouche en cœur pour qu'elle lui montre aussitôt le chemin de la chambre.

Le pire, c'est qu'il n'avait peut-être pas tort.

Non. Non, non, non, non, non... Elle ne donnait pas dans le badinage, et elle était nulle en histoires sérieuses, ce qui laissait peu de place pour les affaires sentimentales. Pas question de faire quoi que ce soit avec le type d'à côté, qu'hier encore – ou était-ce avant-hier ? – elle désignait par l'« abruti ».

Elle ne l'appréciait même pas. Enfin, pas des masses.

Certes, elle admirait la façon dont il avait plaqué son assaillant. Il arrivait que la force brute soit la seule réponse satisfaisante ; et quelle satisfaction de voir l'ivrogne mordre la poussière et se faire rosser comme un poids plume !

Appréciait-elle autre chose chez Sam, hormis son corps – sublime – et son savoir-faire avec les poivrots ? Elle réfléchit un instant. Le fait qu'il retape sa cuisine n'était pas dénué de charme. Elle n'aurait su dire pourquoi ; un petit côté homme d'intérieur, peut-être. Il fallait bien ça pour compenser sa façon de rouler des mécaniques. Sauf qu'il ne roulait pas, il posait. Pourquoi en rajouter quand on porte un flingue gros comme un sèche-cheveux à la ceinture ? Ça, il n'était pas en reste côté symboles phalliques. Mais pourquoi s'encombrer de symboles quand on a tout ce qu'il faut dans le froc ?

Elle broyait littéralement son volant, luttant pour contrôler sa respiration. Elle alluma l'air conditionné et dirigea le flux d'air sur son visage. Son soutien-gorge semblait avoir rétréci, et il lui suffisait de porter une main à sa poitrine pour découvrir ses tétons dressés comme des petits soldats.

Disons-le, elle présentait tous les symptômes de l'appétence aggravée. Inutile de se voiler la face. C'était un fait, et il faudrait faire avec, c'est-à-dire se comporter en adulte sage et responsable. Se remettre à la pilule sans tarder. Elle attendait ses règles d'un moment à l'autre, ce qui tombait à point : le prochain cycle était tout proche. Mais en aucun cas elle n'en parlerait à Sam. La pilule était une simple précaution, au cas où ses hormones prendraient le dessus sur sa matière grise. Ce serait bien la première fois qu'une telle chose lui arriverait, mais c'était aussi la première fois qu'elle se noyait dans sa salive à la seule vue du petit jésus.

Mais quelle mouche l'avait donc piquée ? se demanda-t-elle. Ce n'était pas la première bistouquette qu'elle voyait. Certes, Sam en avait une magnifique, mais la lycéenne ingénue d'antan avait visionné quelques films porno et feuilleté plus d'un *Playgirl*, si bien qu'elle avait déjà vu plus grand. D'autre part, malgré ce qu'elle avait pu dire au sujet de l'homme parfait et de ses attributs, le pénis importait moins que l'homme qui se trouvait au bout.

L'homme parfait. Merde, comment avait-elle pu oublier ?

De la même façon qu'elle avait oublié Sam et son popaul en tombant sur ce satané reportage, voilà comment. Dans le genre absorbant, ces deux sujets arrivaient à égalité avec, disons, l'incendie de sa maison.

La journée s'annonçait relativement tranquille. Sur les huit cent quarante-trois employés de Hammerstead, on pouvait estimer à plus d'un le nombre d'individus capables de les démasquer après avoir vu les infos du matin. L'un deux demanderait confirmation à Dawna, qui cracherait les dernières miettes du morceau, et l'information se répandrait dans tout l'immeuble à la vitesse de l'e-mail. Mais tant qu'elle ne franchirait pas l'enceinte de la maison, T.J. pourrait dormir sur ses deux oreilles. Galan ne se mêlait jamais aux collègues de sa femme, en dehors du Noël de l'entreprise, où sa présence était obligatoire et où il s'ennuyait comme un rat mort.

Il se produirait sûrement un événement important d'ici ce soir, au niveau local ou national. Sauf qu'on se trouvait au plus fort de l'été ; le Congrès avait clos sa session, et les parlementaires étaient soit rentrés chez eux, soit en voyage aux frais de la princesse, si bien que seule une catastrophe pouvait faire office d'événement national. Loin de Jaine l'idée de souhaiter un crash d'avion ou un drame aussi tragique, mais pourquoi pas un truc sans pertes humaines ?

Elle se mit à prier pour un krach boursier à vous soulever le cœur – qui se résorberait juste avant la fermeture de Wall Street, bien sûr. Et une rechute le lendemain suivie d'un record historique du Dow Jones serait du plus bel effet.

Voilà qui occuperait les commentateurs suffisamment longtemps pour que l'homme parfait se fasse oublier.

Mais à peine eut-elle atteint la barrière de Hammerstead qu'elle vit s'envoler la perspective d'une journée tranquille. Trois camions de télévision étaient garés devant la grille. Trois types débraillés munis de caméras légères filmaient trois personnages, un homme et deux femmes, avec les locaux de Hammerstead en arrière-plan. Les trois journalistes étaient suffisamment éloignés les uns des autres pour ne pas envahir le champ du voisin, et ils dissertaient avec sérieux derrière leur micro.

Jaine sentit ses intestins se nouer. Mais elle ne perdit pas espoir ; la Bourse n'avait pas encore ouvert.

– Qu'est-ce qui se passe ? furent ses premières paroles en pénétrant dans le bâtiment.

Deux types remontaient le couloir devant elle.

– C'est quoi ces équipes de télévision à l'entrée ? demandait l'un. On a été rachetés ou liquidés, ou quoi ?

– Tu n'as pas vu les nouvelles du matin ? répondait l'autre.

– Pas eu le temps.

– Il semblerait que des femmes travaillant ici aient rédigé une définition de l'homme parfait. Les chaînes de télé pensent tenir un grand sujet de société, visiblement.

– Et elles le voient comment, le bonhomme de leurs rêves ? Un mec qui pense à rabattre la lunette des chiottes ?

Zut, se dit Jaine. Elles l'avaient oublié, celui-là.

– Non, le peu que j'ai entendu fait plutôt boy-scout : loyal, honnête, qui aide les vieilles à traverser la rue, ce genre de niaiseries.

– Eh ! je peux faire ça, moi ! dit le premier type en ouvrant de grands yeux.

– Alors pourquoi tu ne le fais pas ?

– Qui te dit que j'en ai envie ?

Ils éclatèrent de rire. Jaine caressa la merveilleuse idée de les défenestrer, mais se contenta de demander :

– Vous avouez donc que vous êtes volage ? Quel homme !

Les deux types se retournèrent, l'air de se demander d'où sortait cette cinglée, mais quelqu'un venait dans leur direction, si bien qu'elle n'eut pas à payer pour son effronterie. Elle connaissait leur visage mais pas leur nom ; ils avaient l'allure de jeunes cadres dynamiques, la petite trentaine, engoncés dans leur chemise bleu roi et leur cravate austère.

– Désolé, dit le premier type avec une parfaite hypocrisie. On ne vous avait pas vue.

– J'avais remarqué, dit-elle en roulant des yeux.

Puis son esprit la rappela à l'ordre ; nul besoin de s'embarquer dans de telles discussions. Laissons cette nouvelle guerre des sexes éclater sans elle. Faisons profil bas. Rasons les murs.

Le trio se dirigea en silence vers les ascenseurs. Aucun message n'était affiché ce matin. Elle se sentit un peu frustrée.

Marci l'attendait fébrilement dans son bureau.

– Je suppose que tu as vu les infos ? demanda-t-elle à Jaine.

Elle hocha la tête.

– J'ai prévenu T.J. par téléphone.

– Si tu savais à quel point je m'en veux d'avoir fait ça, dit Marci en baissant d'un ton car quelqu'un passait dans le couloir.

– Je sais, dit Jaine avec un soupir.

À quoi bon lui tenir rancune ? Le mal était fait. Et ce n'était pas la fin du monde, même pour T.J. À supposer que Galan découvre le pot aux roses et réplique par un divorce, la preuve serait faite que leur mariage était une coquille vide.

– Dawna leur a donné mon nom, poursuivit Marci. Je te

jure, le téléphone m'a rendue chèvre. Toutes les chaînes me réclament une interview, ainsi que le *News*.

Elle se tut un instant.

– Tu as lu leur papier dc ce matin ?

Captivée par le peep-show de ce matin, Jaine avait complètement oublié le quotidien local. Elle secoua la tête.

– Je n'ai pas ouvert le journal.

– À vrai dire, ce n'est pas bien méchant. Ils ont mis ça sur la même page que les recettes de cuisine. Ce qui me laisse penser que peu de gens l'auront lu.

Voilà qui faisait plaisir à entendre ; ils traitaient cela comme un sujet de vie pratique, et nombre de lecteurs n'ouvraient jamais ce qu'ils considéraient encore comme le « supplément femmes ». À moins qu'ils ne parlent d'animaux ou de bébés, les sujets de vie pratique restaient souvent sans suite.

Et celui-ci avait déjà dépassé son espérance de vie.

– Tu comptes leur parler ? demanda Jaine. Aux journalistes, j'entends.

Marci secoua la tête.

– Pas question. Si j'étais la seule concernée, ouais, je m'amuserais un peu. Que Brick casse la vaisselle est le cadet de mes soucis. Mais je dois penser à vous, les filles.

– C'est T.J. qui risque gros dans cette histoire. J'y ai pas mal réfléchi hier, et personnellement je n'ai rien à perdre. Alors ne t'inquiète pas pour moi. Luna n'a pas l'air de s'en faire non plus. Mais T.J., c'est une autre paire de manches.

– Je ne te le fais pas dire. Personnellement, je pense que ce ne serait pas une grande perte si elle se séparait de Galan, mais je ne suis pas à sa place, et elle doit penser pareil au sujet de Brick.

Elle fronça les sourcils et ajouta :

– Putain, les trois quarts du temps moi-même je pense pareil au sujet de Brick !

« Je ne te contredirai pas sur ce point », songea Jaine.

Gina Landretti, qui officiait dans le même service, entra dans le bureau. À en juger par la façon dont son regard s'illumina, Jaine devina que les carottes étaient cuites.

– Attendez voir ! s'exclama-t-elle. C'est vous ! C'est vous les quatre copines ! Sur le moment, je n'ai pas tilté en lisant le nom de Marci, mais oui, c'est évident. Il y a aussi la petite minette des ventes, et celle des ressources humaines, c'est ça ? Je vous ai vues déjeuner ensemble.

À quoi bon nier ? Jaine et Marci échangèrent un regard navré.

– Je trouve ça extra ! lança Gina. J'ai montré la lettre interne à mon mari hier, et le critère numéro huit l'a drôlement foutu en rogne. Comme si ce porc ne se retournait pas chaque fois qu'il croise une nana bien lochée ! J'ai pas pu m'empêcher de rire. Il refuse toujours de me parler.

Et elle ne semblait guère affectée.

– C'était juste pour rire, précisa Jaine. On ne pensait pas que ça dégénèrerait.

– Je ne suis pas de cet avis. Je trouve ça fabuleux. J'en ai parlé à ma sœur qui habite New York, et elle m'a demandé de lui faxer l'article. Pas seulement le court extrait paru dans le journal, mais l'article en entier.

– Ta sœur ? demanda Jaine, dont le ventre se remit à faire des siennes. Ta sœur qui bosse pour une chaîne nationale ?

– ABC. Elle tient une chronique dans *Good Morning America.*

Marci se décomposa à son tour.

– Mais... c'était par simple curiosité personnelle, n'est-ce pas ?

– Elle a trouvé ça tordant. Ça ne m'étonnerait pas qu'elle vous appelle. Elle m'a dit que la Liste ferait un sujet formidable.

Sur ce, Gina repartit vers son bureau, ravie d'avoir contribué à leur notoriété naissante.

Jaine sortit un dollar de son sac à main, tendit le billet à Marci et lâcha quatre mots très vilains.

– La vache ! dit Marci, impressionnée. Je ne t'avais jamais entendu parler comme ça.

– Seulement dans les cas de force majeure.

Le téléphone sonna. Jaine examina le combiné d'un œil méfiant. Il n'était pas encore 8 heures. Ce n'était donc pas pour le boulot. Mauvais signe.

À la troisième sonnerie, Marci décrocha.

– Service paye, annonça-t-elle froidement. Oh ! T.J. ! C'est Marci. On parlait justement de... Oh ! merde ! Je suis désolée, mon cœur.

Jaine lui arracha le combiné des mains.

– Que se passe-t-il ? demanda-t-elle.

– Je vais craquer, répondit T.J. d'une petite voix. Je viens d'interroger ma boîte vocale, et il y a sept messages de journalistes. Je te parie que tu as reçu les mêmes.

Jaine consulta le voyant de la messagerie. Il semblait pris d'épilepsie.

– Si Marci et moi acceptons de leur parler, ils vous laisseront tranquilles, Luna et toi. Tout ce qu'ils veulent c'est un sujet, pas vrai ? Il leur faut juste un visage à montrer, puis ils seront contents et ils passeront à autre chose.

– Ils connaissent nos noms, Jaine.

– Mais ils n'ont pas besoin de quatre interviews. Une seule devrait leur suffire.

– Je veux bien me dévouer, intervint Marci.

T.J. entendit sa proposition.

– Ça mérite d'être tenté, répondit-elle. Mais quoi qu'il advienne, je n'ai pas l'intention de me défiler. S'ils ne sont pas satisfaits après avoir parlé à vous deux, ou seulement à Marci, alors nous irons les trouver toutes les quatre, et advienne que pourra. Je refuse de culpabiliser à cause d'une partie de rigolade et d'une liste idiote.

– Très bien, dit Marci après que Jaine eut raccroché. Je

vais briefer Luna, puis je rappelle les canards pour leur fixer rancard à midi. Je vais essayer d'atténuer le truc au maximum.

Elle croisa les doigts avant d'ajouter :

– Ça peut marcher.

Toute la matinée, les visages défilèrent à la porte du bureau de Jaine, chacun y allant de son petit commentaire ; clins d'œil complices pour les femmes, remarques caustiques pour les hommes, dont deux ou trois ne manquèrent pas d'offrir leurs mensurations. Leah Street l'accueillit d'une mine scandalisée puis garda ses distances, ce qui n'était pas pour déplaire à Jaine, bien qu'elle s'attendît à retrouver un écriteau « La Putain de Babylone » sur son bureau chaque fois qu'elle avait le dos tourné. Leah vivait la situation encore plus mal que T.J., et ce n'était pas peu dire.

Sa boîte vocale était saturée de messages de journalistes ; elle les effaça d'une traite sans rappeler quiconque. Marci avait dû lancer tambour battant son opération déminage, car Jaine ne reçut aucun appel après 9 heures. Les requins affamés semblaient avoir trouvé leur proie.

À midi, craignant que les barbares ne soient toujours au portail, Jaine joua la prudence en optant une fois de plus pour les distributeurs de la salle de repos. Dans l'hypothèse où la diversion de Marci se solderait par un échec, et que la tranquillité du moment ne soit que le calme annonçant la tempête, Jaine comptait bien en profiter au maximum. Le répit s'avéra toutefois éphémère, puisque la salle de repos grouillait de collègues munis d'un casse-croûte maison, dont Leah Street, assise à l'écart.

Le bourdonnement de la conversation se transforma en concert de sifflets et d'applaudissements lorsque Jaine apparut. En toute logique, seules les femmes applaudissaient.

Que pouvait-elle faire, sinon les saluer d'une gracieuse courbette, aussi appuyée que ses côtes et son genou le permettaient ?

– Merci beaucoup, dit-elle dans sa meilleure imitation d'Elvis Presley.

Elle offrit sa monnaie aux machines et s'éclipsa le plus vite possible, s'efforçant d'ignorer pêle-mêle quolibets et félicitations.

La salle de repos prit vite des allures de champ de bataille, opposant les belligérants selon leur sexe.

– Merde, merde, merde, maugréa Jaine en regagnant son bureau avec son soda light et ses crackers.

À qui devait-elle de l'argent lorsqu'elle jurait pour elle-même ? s'interrogea-t-elle. Fallait-il se constituer une cagnotte en prévision des transgressions futures ?

Elle entamait sa digestion lorsque Marci appela sur le coup de 14 heures. Elle semblait épuisée.

– Fini pour les interviews. On saura bientôt si l'incendie est maîtrisé.

Les reporters avaient plié bagage quand Jaine franchit la grille en fin de journée. Craignant de manquer les infos régionales, elle roula pied au plancher et s'arrêta devant chez elle dans un nuage de poussière et de gravillons. Par chance Sam n'était pas rentré, sans quoi il aurait accouru pour lui suspendre son permis.

BooBoo était reparti à l'assaut du canapé. Faisant abstraction des morceaux de mousse dispersés sur la moquette, Jaine empoigna la télécommande et alluma le poste en s'asseyant à l'extrémité du fauteuil. Elle suivit la chronique boursière – ni krach ni chute vertigineuse, la poisse ! –, le bulletin météo et les résultats sportifs. Comme elle commençait à espérer que l'interview de Marci passerait à la trappe, la présentatrice annonça avec emphase :

– Dans un instant : la Liste. Quatre femmes de la région disent ce qu'elles attendent d'un homme.

Elle grogna et se cala dans son fauteuil. Chose inédite, BooBoo sauta sur ses genoux. Elle porta machinalement la main derrière ses oreilles, et il se mit à vibrer.

La page publicitaire se referma et le journal reprit :

– Quatre femmes de la région – Marci Dean, Jaine Bright, T.J. Yother et Luna Scissum – ont dressé la liste des qualités définissant l'homme parfait. Les quatre amies travaillent chez Hammerstead Technologies, et la Liste, ainsi qu'on l'appelle désormais, est née d'une récente séance de brainstorming à l'heure du déjeuner.

Faux, corrigea Jaine. C'était chez Ernie, en soirée. Soit la journaliste avait péché par négligence, soit elle jugeait sa version plus convenable que « dans un bar après le travail ». Cela dit, cette fausse information jouerait plutôt en faveur de T.J., puisque Galan n'appréciait guère leurs petites soirées du vendredi.

Souriant, détendu, le visage de Marci emplit l'écran. À une question de la journaliste, elle renversa la tête en arrière et poussa un rire franc.

– Qui ne rêve pas de l'homme parfait ? demandait-elle. Bien entendu, chaque femme a ses propres critères, si bien que les éléments de notre liste ne figurent pas nécessairement sur celle d'une autre.

Bien joué, se dit Jaine. Très diplomate. Rien à redire jusqu'ici.

Puis Marci flanqua tout par terre. Lorsque la journaliste, politiquement correcte jusqu'au bout des ongles, pointa la futilité des critères physiques figurant sur la Liste, l'interviewée fronça les sourcils et dévisagea son interlocutrice avec des yeux de fouine. Jaine ne put retenir un gémissement, car elle connaissait trop bien Marci pour ne pas y déceler les signes avant-coureurs d'une attaque.

– Futilité ? releva Marci d'une voix traînante. Je dirais

plutôt : honnêteté. Il me semble que toute femme rêve d'un homme doté d'attributs, comment dirais-je, avantageux. Pas vous ?

– Vous n'avez pas diffusé ça ! hurla Jaine en bondissant sur ses pieds, ce qui fit chuter le pauvre BooBoo.

Parvenant de justesse à retomber sur ses pattes, le matou la fusilla du regard. Mais elle ne le voyait même pas.

– C'est l'heure des familles ! Comment pouvez-vous diffuser un truc pareil ?

Saint Audimat, priez pour nous. Jusque dans leurs journaux télévisés, toutes les chaînes du pays se disputaient les téléspectateurs. Le sexe était vendeur, et Marci se révélait la reine du télé-achat.

9

Le téléphone sonna. Jaine hésita à décrocher.

Pourquoi les journaleux l'appelleraient-ils maintenant que Marci les avait régalés ? Non, vu l'heure, il s'agissait probablement d'une connaissance ; quelqu'un qui, après avoir entendu son nom à la télé, devait craindre que cet improbable quart d'heure de gloire ne lui retombe dessus par ricochet. Mais Jaine n'avait aucune envie de s'appesantir sur cette foutue liste ; elle voulait seulement en finir.

D'un autre côté, c'était peut-être Luna, T.J. ou Marci.

Elle céda à la septième sonnerie, prête à prendre l'accent italien pour prétexter un faux numéro.

– Comment peux-tu me faire ça ? demanda sans ambages son frère David.

Jaine cligna des yeux, comme pour cliquer sur la bonne icône. Bon sang, il ne lui pardonnerait donc jamais d'avoir recueilli la voiture ?

– Je ne t'ai rien fait, David. Ce n'est pas ma faute si papa a choisi de me confier la bagnole. Crois-moi, je préférerais encore qu'elle reste chez toi. Ça éviterait à la mienne de coucher dehors.

– Il ne s'agit pas de la voiture ! dit-il en haussant le ton. Ce truc à la télé ! Comment as-tu pu ? De quoi j'ai l'air maintenant ?

Étrange. Elle cogita rapidement, cherchant en quoi cet incident pouvait bien affecter David, mais elle ne parvint qu'à cette unique hypothèse : il ne satisfaisait pas à tous les critères de la liste, et il ne voulait pas que Valerie eût l'idée de s'en formaliser. Mais Jaine ne voulait rien savoir des particularités physiques de son frère.

– Je suis sûre que Valerie s'abstiendra de toute comparaison, dit-elle avec autant de tact que possible. Écoute, j'ai une cocotte sur le feu, et je dois...

– Valerie ? Mais qu'est-ce qu'elle vient faire là-dedans ? Serais-tu en train de dire qu'elle a participé à cette... à cette affaire de liste ?

De plus en plus étrange. Elle se gratta le crâne.

– J'ai du mal à te suivre, confessa-t-elle.

– Ce truc à la télé !

– Eh bien ? En quoi cela te concerne-t-il ?

– Tu as donné ton nom ! Si seulement tu avais réussi à te marier, tu ne serais plus une « Bright » à l'heure qu'il est. Mais non, il a fallu que tu restes célibataire pour garder le même nom que moi. Et ce n'est pas un nom très répandu, au cas où tu ne l'aurais pas remarqué ! Tu imagines comment ils vont se payer ma tête au boulot à cause de tes conneries ?

Cela allait trop loin, même pour David. Son frangin adoré avait d'ordinaire la paranoïa moins aiguë. Mais il n'avait jamais admis qu'il n'était pas le centre de l'univers. Cette attitude passait encore du temps où c'était un grand et beau lycéen qui faisait un malheur auprès des filles. Seulement, ça faisait bien quinze ans qu'il avait eu son bac.

– Je ne pense pas qu'ils feront le rapprochement, dit-elle d'une voix aussi douce que possible.

– C'est bien ça, ton problème : tu ne penses jamais avant d'ouvrir ta grande gueule !

Là non plus, elle ne pensa pas ; elle se contenta de suivre son instinct :

– Va te faire foutre.

Et elle raccrocha aussi sec. Réaction peu mature, certes, mais drôlement agréable.

Le téléphone sonna de nouveau. Plutôt mourir que répondre, se dit-elle, et pour la première fois elle regretta de ne pas être équipée d'un identificateur d'appel. Cela devenait indispensable.

Les sonneries se succédèrent sans relâche. Après en avoir compté vingt, elle reprit l'appareil et hurla :

– Quoi encore ?

Si David croyait pouvoir la harceler ainsi, qu'il attende donc d'être réveillé à 2 heures du matin. Ah ! les frères !

C'était Shelley.

– Bravo. On peut dire que tu as réussi ton coup.

Jaine pressa son pouce entre ses arcades sourcilières ; la migraine approchait à grands pas. Marquée par son échange avec David, elle attendit de voir où celui-ci la mènerait.

– Plus jamais je ne pourrai regarder le prêtre en face.

– Vraiment ? Mon Dieu, Shelley, je ne sais que dire. Jamais je ne t'aurais crue frappée du syndrome du Cou mou. À quand remonte le diagnostic ?

– Espèce de m'as-tu-vu ! Tu ne penses qu'à ta pomme. N'as-tu jamais songé, ne serait-ce qu'une fois, aux ravages que cela causerait à moi et aux enfants ? Stefanie est traumatisée. Toutes ses copines savent que tu es sa tante...

– Et comment le savent-elles ? Je n'ai jamais rencontré ses copines.

Shelley se tut un instant.

– Je présume que Stefanie le leur a dit.

– Elle est tellement traumatisée qu'elle s'est vantée d'être ma nièce ? Bizarre, non ?

– Bizarre ou pas, comment peux-tu mettre de telles horreurs sur la place publique ?

Jaine visionna mentalement l'interview télévisée de Marci. Elle n'avait pas été si explicite que ça.

– J'ai trouvé Marci plutôt correcte, répondit-elle.

– Marci ? Mais de quoi tu parles ?

– De l'interview télévisée qu'ils viennent de diffuser, pardi.

– Comment ? Tu veux dire que ça passe aussi à la télé ? demanda Shelley avec effroi. Oh ! mon Dieu !

– Mais alors, de quoi parlais-tu au juste ? demanda Jaine à son tour.

– Ce truc sur Internet ! C'est de là que Stefanie tient ces horreurs.

Sur Internet ? Sa migraine sonna la charge finale. Un fêlé du bureau avait dû mettre leur feuille de chou en ligne. De quoi parfaire l'éducation d'une môme de quatorze ans, en effet.

– Je n'y suis rien pour rien, dit-elle d'une voix lasse. Un collègue a dû me faire une mauvaise blague.

– Peu importe qui a fait le coup. Tu es à l'origine de cette foutue liste !

Cette fois-ci Jaine en avait vraiment ras la patate. Cela faisait des jours qu'elle était sur la corde raide, elle-même aussi tendue que ladite corde, et les deux personnes censées la soutenir dans les moments difficiles semblaient s'être liguées pour lui pourrir la vie. La coupe était pleine, au point qu'elle se trouva à court de remarques acerbes.

– Tu sais, dit-elle calmement, coupant Shelley en plein sermon, ça me navre de voir comment David et toi me jugez coupable avant même de connaître le fin mot de l'histoire. Il est furieux à cause de la voiture et tu es furieuse à cause du chat, et vous m'agressez d'emblée sans même me demander comment je vis cette agitation autour de la liste, alors qu'il vous suffirait de réfléchir deux secondes pour deviner que je la vis très mal. Je viens de dire à David d'aller se faire foutre, et tu sais quoi, Shelley ? Toi aussi, tu peux aller te faire foutre.

Sur ces mots, elle raccrocha au nez de sa sœur. Dieu merci, ses parents s'étaient arrêtés au troisième.

– C'était un bref aperçu de mes capacités d'arrondisseuse d'angles, dit-elle à BooBoo, avant de battre des paupières pour refouler leur inhabituelle moiteur.

Le téléphone retentit une troisième fois. Elle coupa la sonnerie. Le voyant du répondeur indiquait une bande saturée. Elle l'effaça sans autre forme de procès et monta dans la chambre pour ôter sa tenue de travail. Le matou lui emboîta le pas.

Aussi improbable que soit l'idée de trouver du réconfort auprès de BooBoo, elle le prit dans ses bras et posa le menton sur son petit crâne. Lui qui ne jurait que par les frictions derrière les oreilles toléra cette étreinte pendant une petite minute, avant de se libérer en se jetant à terre.

Les nerfs à vif et le moral à zéro, l'idée de se détendre ou de manger relevait de l'utopie. Mais un bon lavage de voiture offrirait un parfait exutoire, se dit-elle avant d'enfiler un short et un tee-shirt. La Viper n'était pas excessivement sale – il n'avait pas plu en quinze jours – mais elle aimait la voir briller. Non seulement une bonne séance de lavage et d'astiquage apaiserait ses nerfs, mais elle lui donnerait bonne conscience. Et Dieu savait combien sa conscience avait besoin d'un sérieux coup de chiffon.

Elle rumina sa rancœur tout en rassemblant ses produits. Cette peste de Shelley mériterait que Jaine lui ramène BooBoo et qu'il s'attaque à son canapé ; avec ses meubles flambant neufs – le mobilier de Shelley semblait toujours flambant neuf – elle ferait sûrement moins la fière en retrouvant ses coussins éventrés. Le seul obstacle au transfert de BooBoo demeurait la volonté de maman, qui avait confié son gros minet à Jaine, et non à Shelley.

Quant à David, c'était peu ou prou le même cas de figure. Elle lui aurait volontiers remis la voiture de papa si ce dernier ne lui avait pas demandé d'en prendre soin elle-même, ce qui signifiait qu'elle se sentirait doublement coupable s'il arrivait quoi que ce soit dans le garage de son frère. Qu'elle le veuille ou non, elle était coincée.

Munie d'une peau de chamois, d'un seau, du savon spécial auto qui préservait l'éclat de la peinture, d'un pot de cire et de produit à vitres, elle dirigea BooBoo vers le perron de la cuisine d'où il pourrait suivre les travaux. Vu l'aversion des chats pour l'eau, elle doutait que cela le passionne, mais elle voulait de la compagnie. Il s'allongea dans un minuscule carré de lumière de fin d'après-midi et entama promptement une sieste.

L'allée mitoyenne de la sienne étant vide de toute Pontiac marron cabossée, Jaine ne risquait pas de s'attirer les foudres de Sam en éclaboussant le tacot, même si un bon coup de jet ne lui aurait pas fait de mal – ni beaucoup de bien, à vrai dire, car à quoi bon faire rutiler un champ de cratères ? Quoi qu'il en soit, les voitures sales l'agaçaient. Et celle de Sam plus que toute autre.

Elle se mit au travail, avec énergie et méthode, en procédant section par section, afin que le savon ne laisse aucune trace en séchant. Ce savon spécial n'était pas censé faire de taches, mais elle ne voulait pas s'y risquer. Elle tenait cette façon de procéder de son père, et elle n'en connaissait pas de meilleure.

– Salut.

– Merde ! glapit-elle en sursautant sur un pied.

Le chiffon plein de mousse tomba à terre, et son cœur faillit lui perforer les côtes. Elle se retourna brusquement, le tuyau dressé devant elle.

Sam bondit en arrière quand le jet d'eau lui aspergea les jambes.

– Vous pouvez pas faire attention ?

Jaine prit aussitôt la mouche.

– D'accord, dit-elle d'une voix enjouée.

Et de lui envoyer la flotte en pleine figure.

Il s'écarta en aboyant. Droite comme un i, le tuyau à la main, elle le regarda passer une main sur son visage dégoulinant. La première salve d'eau, aussi accidentelle fût-elle, avait inondé son pantalon des genoux jusqu'aux chevilles. La seconde s'était chargée du tee-shirt. Le tissu détrempé collait à sa peau comme un moule de plâtre. Elle tenta d'ignorer ses pectoraux massifs.

Ils se faisaient face tels deux duellistes, séparés par trois mètres à peine.

– Putain, vous êtes folle ou quoi ? s'exclama-t-il.

Il n'avait manifestement pas eu son compte. Elle répliqua en le poursuivant avec le jet d'eau.

– Je ne suis pas folle ! cria-t-elle en planta un doigt dans l'embout pour augmenter la pression et son rayon d'action. Et j'en ai marre qu'on m'engueule à tout bout de champ !

Elle l'atteignit de nouveau au visage.

– J'en peux plus de vous, de Shelley, de David, de mes collègues, de ces connards de journalistes et de ce BooBoo qui étripe mes coussins ! J'en peux plus, vous m'entendez ?

Sam opéra un brusque revirement tactique, passant de la fuite à l'attaque. Il se rapprocha, courbé comme un demi de mêlée, à contre-courant du jet braqué sur son visage. Jaine s'écarta, mais avec une fraction de seconde de retard. Il planta son épaule dans son ventre et la projeta contre la Viper. Rapide comme le serpent du même nom, il lui arracha le tuyau des mains, et la plaqua de tout son poids contre la tôle.

Ils haletaient comme deux buffles. Il était trempé jusqu'aux os, et les vêtements de Jaine, agissant comme un buvard, se retrouvèrent presque aussi mouillés que les siens. Elle levait les yeux vers lui, et il baissait les yeux sur elle, leurs nez à quelques centimètres l'un de l'autre.

L'eau gouttait de ses cheveux ras.

– Vous m'avez arrosé ! accusa-t-il, subjugué.

– Vous m'avez fait peur, riposta-t-elle. C'était un accident.

– Seulement la première fois. Ensuite, vous avez fait exprès.

Elle acquiesça.

– Et puis vous avez dit « merde » et « connards ». Vous me devez 50 cents.

– Je décrète une nouvelle règle : vous ne pouvez pas m'infliger une amende quand c'est vous qui m'avez provoquée.

– Vous vous foutez de moi ?

– Reconnaissez que tout est de votre faute.

– Expliquez-moi ça.

– Vous m'avez délibérément fait peur, n'essayez pas de le nier. Ce qui vous rend responsable du premier juron.

Elle fit une soudaine tentative pour se soustraire à son étreinte. Putain qu'il était lourd. Et quasiment aussi rigide que la carrosserie dans son dos.

Il contra l'offensive en la serrant plus lourdement encore. Jaine sentit l'eau de son pantalon filer le long de ses jambes.

– Et le second, alors ?

– Vous avez dit « Putain ». La somme de mes deux jurons ne fait pas le poids face au vôtre.

– Parce qu'il y a un système de points, maintenant ?

Elle prit un air méprisant.

– Le fait est que je n'aurais prononcé aucun des deux si : a) vous ne m'aviez pas effrayée ; b) vous n'aviez pas lâché cette grossièreté.

– À ce petit jeu, je vous ferai remarquer que je n'aurais pas juré si vous ne m'aviez pas arrosé.

– Et je ne vous aurais pas arrosé si vous ne m'aviez pas effrayée. Vous voyez, quand je vous dis que tout est de votre faute.

Elle souligna son triomphe d'un mouvement de menton.

Sam prit une longue inspiration. Le gonflement de son

torse comprima les seins de Jaine, qui prit soudain conscience de ses tétons dressés. Aïe. Paniquée, elle écarquilla les yeux.

– Lâchez-moi, dit-elle plus nerveusement qu'elle ne l'aurait souhaité.

– Non.

– Non ? Vous ne pouvez pas dire non. C'est illégal de me retenir contre mon gré.

– Je ne vous retiens pas contre votre gré : je vous retiens contre votre voiture.

– Mais par la force !

Il lui donna raison en haussant les épaules. L'idée d'enfreindre la législation antimaltraitance sur voisins ne semblait guère l'émouvoir.

– Lâchez-moi, répéta-t-elle.

– Je ne peux pas.

– Comment cela ? demanda-t-elle d'un air méfiant.

Elle craignait, hélas, de connaître la réponse. Le pourquoi de ce « Comment » poussait dans son jean trempé depuis quelques minutes déjà. Elle faisait l'impossible pour ne pas y penser et, au-dessus de la ceinture – hormis ses tétons frondeurs –, elle y parvenait relativement bien. En dessous, par contre, c'était un vrai désastre.

– Parce que je m'apprête à commettre un geste que je vais regretter.

Il secouait la tête en disant cela, comme s'il en était le premier étonné.

– Je n'ai toujours ni menottes ni matraque, mais merde à la fin, je me jette à l'eau.

– Att... gémit-elle, mais trop tard.

La tête de Sam avait plongé.

Cette fin d'après-midi disparut en un tourbillon. Autour d'eux se détachaient quelques rires d'enfants. Le bruit d'une voiture qui passe. Le claquement de cisailles à l'œuvre. Autant de sons qui semblaient à mille lieues d'ici, presque irréels. La réalité, c'était la bouche de Sam sur la sienne, leurs langues entortillées, le parfum chaud et viril de son corps dans ses narines et ses bronches. Et son goût – Seigneur, ce goût... Il avait un goût de chocolat, comme s'il venait d'avaler un Mars. Elle voulait le dévorer tout cru.

Elle se rendit compte qu'elle agrippait le tee-shirt mouillé de Sam. L'une après l'autre, sans décoller ses lèvres, Sam détacha les mains de Jaine et les ramena derrière sa nuque pour mieux adhérer à son corps, des genoux aux épaules.

Comment un simple baiser pouvait-il la mettre dans un état pareil ? En fait, ce n'était pas un simple baiser ; Sam jouait de tout son corps, frottant son torse contre ses seins jusqu'à ce que ses tétons durcis deviennent douloureux, promenant la bosse de son érection le long de son ventre dans un rythme lent, subtil et néanmoins aussi puissant qu'une forte houle.

Jaine s'entendit pousser un râle bestial, et elle tenta d'escalader Sam, de sorte à placer la bosse à l'endroit le plus propice. Le corps en feu, brûlante de fièvre, elle succombait à la folie du désir et de la frustration combinés.

Il tenait toujours le tuyau d'une main. Il enserra Jaine des deux bras et l'éleva des quelques centimètres nécessaires. Décrivant un arc de cercle aléatoire, le jet d'eau aspergea BooBoo, avant de leur revenir au visage. Mais elle s'en moquait. Elle avait la langue de Sam dans sa bouche, les jambes autour de ses hanches, et la bosse pile où elle voulait.

Il remua – encore un de ces roulements experts –, et elle faillit atteindre l'orgasme. Elle planta ses ongles dans son dos et, rugissante, se cambra sous son étreinte.

Il décolla ses lèvres, haletant.

– Allons à l'intérieur, dit-il d'une voix rauque et sourde qui rendait les mots à peine perceptibles.

– Non, gémit-elle. Ne t'arrête pas !

Elle était si près, si près du but. Elle se cambra de plus belle.

– Dieu du ciel ! rugit-il en fermant les yeux, le visage tordu par le désir. On peut pas baiser ici, Jaine. Il faut aller à l'intérieur.

Baiser ? À l'intérieur ?

Seigneur, mais elle n'était pas encore sous pilule !

– Attends ! s'écria-t-elle, paniquée.

Elle repoussa ses épaules, se décrocha de sa taille et se mit à le ruer de coups de pieds.

– Arrête ! Laisse-moi partir ! ordonna-t-elle en s'agitant frénétiquement.

– Arrête ? demanda-t-il, stupéfait. Tu disais le contraire il y a une seconde !

– J'ai changé d'avis.

Elle continuait de repousser ses épaules. Elle continuait en vain.

– Tu ne peux pas changer d'avis !

Il semblait au bord du désespoir.

– Bien sûr que si.

– Tu as de l'herpès ?

– Non.

– La syphilis ?

– Non.

– Une blenno ?

– Non.

– Le sida ?

– Non !

– Alors tu ne peux pas changer d'avis.

– J'ai un ovule qui n'attend que ça, si tu veux savoir.

C'était sûrement un mensonge. Sans aucun doute. Ses règles devant débuter le lendemain, autant dire que le petit œuf avait au moins un pied dans la tombe. Mais elle ne plaisantait pas avec les questions de descendance. Le plus infime reste de vie dans les méandres de son ADN ne manquerait pas de se faire booster pas le sperme de Sam.

L'argument le laissa songeur. Il réfléchit, puis proposa :

– Je peux mettre une capote.

Elle lui lança un regard inhibant. Du moins espérait-elle qu'il se sentirait inhibé. Il s'était montré remarquablement peu inhibé jusqu'ici.

– Les capotes n'offrent un taux de fiabilité que de 90 à 94 %. Ce qui signifie, au mieux, un taux d'échec de 6 %.

– C'est déjà appréciable, non ?

Un deuxième regard inhibant.

– Ah oui ? Tu imagines ce qui arriverait si un seul de tes zozos sautait sur ma fifille ?

– Ils s'accrocheraient et se battraient comme deux chats sauvages prisonniers d'un sac.

– Ouais. Comme nous venons de le faire.

Il parut soudain horrifié. Il la relâcha et recula.

– Ils se retrouveraient dans le sac avant même de s'être présentés, dit-il.

– Nous-mêmes n'avons jamais eu cet honneur, se fit-elle fort de souligner.

– Putain, lâcha-t-il en se frottant le visage. Je m'appelle Sam Donovan.

– Je sais. Mme Kulavich me l'a dit. Moi c'est Jaine Bright.

– Je sais. Elle me l'a dit. Elle a même pris soin de me l'épeler.

Tiens donc. Comment Mme Kulavich pouvait-elle connaître l'orthographe exacte de son prénom ?

– J'aurais dû m'appeler Janine, expliqua-t-elle. Mais le premier *n* a été oublié sur l'acte de naissance, et maman a trouvé que c'était aussi bien comme ça.

Mais Jaine aurait préféré être une Janine. « Shelley, David, Janine » formait une suite homogène. Mais « Jaine » faisait un peu « cherchez l'erreur ».

– Je préfère « Jaine », dit Sam. Ça te va mieux. Tu n'as rien d'une Janine.

Ouais, songea-t-elle amèrement. C'était bien le problème.

– Que disais-tu au sujet de... comment s'appellent-ils déjà ? Ah oui : Shelley, David, tes collègues, les journalistes et BooBoo. Tu es poursuivie par des journalistes ?

Quelle mémoire ! Dans la même situation que lui, c'est-à-dire douché à l'eau froide, Jaine n'aurait jamais su mémoriser une liste de noms braillés à la cantonade.

– Shelley est ma sœur aînée. Elle est fâchée parce que c'est à moi que maman a confié BooBoo. David est mon frère. Il est fâché parce que c'est à moi que papa a confié sa voiture. Et tu connais BooBoo.

Il jeta un coup d'œil par-dessus l'épaule de Jaine.

– C'est le chat qui se trouve sur ta voiture, n'est-ce pas ?

– Seigneur ! glapit-elle en se retournant.

BooBoo maculait tranquillement le capot de la Viper. Elle l'empoigna avant qu'il n'ait le temps de se sauver, et le ramena de manière musclée à l'intérieur. Puis elle revint à sa voiture et se pencha pour inspecter le capot.

– J'ai comme l'impression que toi non plus tu n'aimes pas voir le chat sur ta bagnole, dit-il froidement.

Elle tenta un nouveau regard inhibant, bien qu'elle ait remarqué que son histoire d'ovule l'avait déjà pas mal refroidi.

– On ne peut pas comparer ma voiture à la tienne, rétorqua-t-elle en se tournant vers l'allée... vide.

Pas de Pontiac marron. Sam était là, pourtant.

– Où est passée ta voiture ?

– La Pontiac n'est pas à moi. C'est un véhicule municipal.

Elle accueillit la nouvelle avec un énorme soulagement. Dieu soit loué. Son amour-propre supporterait mal qu'elle couche avec le propriétaire d'une telle épave. D'un autre côté, la Pontiac était peut-être la meilleure arme pour réfréner sa libido. Elle n'aurait peut-être pas perdu les pédales de la sorte avec cet horrible engin sous le nez.

– Mais alors, comment es-tu rentré ?

– Je range mon pick-up dans le garage. Ça le préserve de la poussière, des pollens et des chiures d'oiseau.
– Un pick-up ? Quel genre de pick-up ?
– Un Chevrolet.
– Un 4 × 4 ?
Il avait tout à fait l'allure d'un conducteur de 4 × 4.
– À ton avis ? dit-il d'un air condescendant.
– La vache... Je peux le voir ?
– Quand on aura fini de négocier.
– De négocier ?
– Ouais. Pour savoir quand on va terminer ce qu'on vient de commencer.
Elle se retrouva bouche bée.
– Tu veux dire que tu refuseras de me montrer le pick-up tant qu'on n'aura pas couché ensemble ?
– T'as tout pigé.
– Te crois quand même pas que j'en meurs d'envie à ce point ?
– C'est un pick-up rouge.
– Ah ! la vache...
Elle se liquéfiait.
– C'est à prendre ou à laisser, insista-t-il.
– Tu parles de moi, c'est ça ?
– Il s'agit seulement d'arrêter une date, pas de faire ça sur-le-champ. Pour rien au monde je ne m'aventurerais près de ton œuf.
Elle cogita un instant.
– Je te montre ma chaudière si tu me montres ton pick-up.
– Pas d'accord, dit-il en secouant la tête.
Jaine eut une idée. Elle n'avait jamais parlé à quiconque de la voiture de papa. Ses meilleures amies savaient seulement qu'il tenait à la berline familiale comme à la prunelle de ses yeux. Mais ce joyau serait l'argument décisif, sa botte secrète, son atout gagnant. En plus, Sam étant flic, il

semblait judicieux de le mettre dans la confidence, ne serait-ce que pour qu'il sache que son garage devait être hyperprotégé. Bien qu'assurée pour une petite fortune, la voiture n'en demeurait pas moins irremplaçable.

– Je te montre la voiture de mon père si tu me montres ton camion, dit-elle en jouant les intrigantes.

Le visage de Sam trahit sa curiosité. Celui de Jaine laissait entendre que cette voiture valait le coup d'œil.

– C'est quoi comme bagnole ?

Elle haussa les épaules.

– Je ne prononce jamais ces mots-là à voix haute.

Il approcha son visage du sien.

– Dis-le-moi à l'oreille, chuchota-t-il.

Elle s'exécuta, et crut flancher en retrouvant son doux parfum viril. Elle articula deux syllabes.

Il lui cogna le nez en se redressant d'un coup.

– Aïe ! cria-t-elle en se frottant le museau.

– Je veux la voir ! implora-t-il.

Elle croisa les bras, et singea l'air suffisant de Sam.

– Alors, marché conclu ? Je te montre la voiture de papa, et tu me montres le pick-up ?

– Et comment ! À ce prix-là, tu pourras même le conduire !

Il se tourna religieusement vers le garage comme s'il abritait le Saint-Graal.

– Elle est là-dedans ?

– En parfaite sécurité.

– C'est un modèle d'origine ? Pas une copie ?

– D'origine.

– Punaise... souffla-t-il, déjà en route vers le garage.

– Je vais chercher la clé du cadenas.

Quand elle revint munie de son trousseau, Sam piaffait d'impatience devant la porte.

– Entrouvre seulement le battant et faufile-toi à l'intérieur. Je ne veux pas qu'on puisse la repérer.

– D'accord, d'accord.

Il lui prit la clé des mains et l'introduisit dans le cadenas.

Ils pénétrèrent dans le garage obscur, et Jaine chercha l'interrupteur à tâtons. Le plafonnier s'alluma, qui révéla une masse longue, basse et bâchée.

– Comment l'a-t-il acquise ? demanda Sam à mi-voix, comme s'ils visitaient une église.

Il saisit un coin de bâche.

– C'était l'un des concepteurs.

Il lui fit des yeux ronds.

– Ton père est Lyle Bright ?

Elle acquiesça.

– La vache... soupira-t-il avant de soulever le carré de tissu.

Un râle profond s'échappa de sa gorge.

Elle savait ce qu'il éprouvait. Elle-même retenait son souffle chaque fois qu'elle regardait la bête, bien qu'elle ait grandi avec.

Elle n'était pas à proprement parler clinquante. Les peintures de l'époque n'avaient pas l'éclat d'aujourd'hui. D'un gris métallisé mais sobre, elle n'avait aucun des gadgets exigés par le consommateur moderne. Pas un seul porte-gobelets en vue.

– La vache... répéta-t-il en étudiant le tableau de bord.

Il prenait soin de ne pas toucher le bolide, ce que 99 % des gens n'auraient pu s'empêcher de faire. Là où d'aucuns ne se seraient pas gênés pour enjamber la portière et s'installer derrière le volant, Sam observait toute la déférence que méritait cette merveille, et Jaine de sentir une étrange sensation lui serrer le cœur. Comme un petit vertige, qui jeta un voile sur tout ce qui peuplait le garage hormis le visage de Sam. Elle inspira et expira profondément, clignotant des paupières, et le monde réapparut tel qu'en lui-même.

Seigneur. C'était quoi, ça ?

Il recouvrit la voiture avec le même soin qu'une mère bordant son poupon. Sans dire un mot, il sortit les clés du pick-up et les tendit à Jaine.

Elle les prit, puis baissa les yeux sur ses propres vêtements.

– Je suis trempée, dit-elle.

– Je sais, répondit-il. Je mate tes seins depuis tout à l'heure.

Elle plaqua ses mains sur les zones les plus expressives de son tee-shirt mouillé.

– Pourquoi ne m'as-tu rien dit ?

– Tu me crois assez fou pour ça ? dit-il en s'esclaffant.

– Tu mériterais que je conduise ton camion dans cette tenue !

Il haussa les épaules.

– Maintenant que tu m'as montré ça, plus tes seins, je ne peux plus rien te refuser.

Elle s'apprêtait à objecter qu'elle ne lui avait pas *montré* ses seins, mais qu'il avait regardé sans demander la permission, puis elle se ravisa en songeant que lui-même en avait révélé davantage ce matin.

– D'autre part, poursuivit-il, tu t'es déjà rincé l'œil. Et ce que tu as vu vaut forcément plus de points qu'une paire de seins.

– Tu parais bien sûr de toi, mon grand. Et puis, je te rappelle que je t'ai demandé de te cacher, moi.

– Mais après avoir maté pendant combien de temps ?

– Juste le temps qu'il m'a fallu pour appeler Mme Kulavich et obtenir ton numéro, répliqua-t-elle avec emphase, car c'était la stricte vérité.

Certes, Mme Kulavich lui avait tenu la jambe pendant une bonne minute, mais qu'y pouvait-elle ?

– Et tu ne semblais pas la trouver précieuse au point de la cacher, ajouta-t-elle. Non, tu la brandissais comme pour donner le départ d'une course.

– Je te faisais du gringue.
– Mon œil ! Tu ignorais que j'étais à la fenêtre !
Il fronça un sourcil. Elle lui renvoya ses clés.
– Même si tu me suppliais à genoux, je ne monterais pas dans ton camion ! Je te parie qu'il est infesté de morbacs ! Espèce de pervers, d'infâme... d'infâme agitateur de pénis !
Il rattrapa ses clés d'une main.
– Tu veux dire que ça ne t'a pas fait envie ?
Elle voulut répondre qu'elle n'avait pas éprouvé le moindre début de soupçon de désir, mais sa langue refusa de cautionner ce qui eût été le plus gros bobard de sa vie.
– Je me disais bien, conclut-il d'un sourire narquois.
Il n'y avait qu'une seule façon de reprendre le dessus. Jaine décroisa les bras et bomba le torse. Tel un missile à guidage laser, le regard de Sam obliqua instantanément sur sa poitrine. Elle le vit déglutir.
– C'est pas du jeu, dit-il sèchement.
Elle lui rendit son sourire narquois.
– Souviens-t-en, dit-elle avant de pivoter pour quitter le garage.
Il la doubla.
– Moi d'abord ! Je veux te voir marcher dans la lumière.
Elle ramena ses mains sur sa poitrine.
– Rabat-joie, maugréa-t-il en se glissant à l'extérieur.
Il réapparut aussitôt, et ils se tamponnèrent.
– Tu as deux problèmes, annonça-t-il.
– Vraiment ?
– Absolument. D'abord, tu as laissé le robinet ouvert. Ce qui promet une belle facture d'eau.
Elle soupira. L'allée devait être complètement inondée. Une telle négligence prouvait que Sam l'avait bel et bien rendue marteau.
– Et le deuxième problème ?
– Les journalistes dont tu parlais sont devant ta porte.
– Oh ! merde !

10

Sam prit les choses en main. Il quitta le garage et verrouilla le cadenas pour éviter qu'un journaliste opiniâtre ne tombe nez à nez avec Jaine – bien que celle-ci le soupçonne de se soucier autant de la voiture que d'elle-même, mais soit. Elle l'entendit s'éloigner vers la Viper en disant :

– Excusez-moi, mais je dois fermer le robinet qui se trouve derrière vous. Voudriez-vous me laisser passer ?

Il se montrait d'une politesse exemplaire, et Jaine de regretter qu'il n'en use jamais avec elle. Certes, son ton relevait plus de l'ordre que de la requête, mais quand même...

– Que puis-je pour vous, messieurs ?

– Nous aimerions interviewer Jaine Bright au sujet de la Liste, répondit une voix nasillarde.

– Je ne connais personne de ce nom.

– Elle habite ici. D'après les services du cadastre, elle a acheté cette maison, il y a quelques semaines.

– Erreur. C'est moi qui ai acheté cette maison il y a quelques semaines. Mince alors, ils ont dû se planter en enregistrant l'acte de vente. Il va falloir que je fasse rectifier ça.

– Jaine Bright n'habite pas ici ?

– Je vous dis que je ne connais aucune Jaine Bright.

Maintenant, si vous le permettez, j'aimerais poursuivre le lavage de ma voiture.

– Mais...

– Peut-être devrais-je me présenter, dit-il avec une extrême douceur. Je suis l'inspecteur Donovan, et ceci est une propriété privée. En d'autres termes, vous n'avez rien à y faire. Quelque chose à ajouter ?

Non, de toute évidence. Tapie dans son antre, Jaine entendit les portières claquer et les voitures repartir. C'était un miracle que les reporters n'aient pas surpris sa conversation avec Sam dans le garage. Ils devaient être absorbés par leurs propres discussions, c'était la seule explication possible. Elle et Sam étaient eux-mêmes si absorbés par leurs palabres qu'ils ne les avaient pas entendu s'approcher.

Elle attendit que Sam vienne la délivrer. Il n'en fit rien. Tout près s'élevèrent un bruit d'arrosage et un sifflement guilleret.

Cet abruti lavait la voiture !

– T'as intérêt à faire ça proprement, dit-elle entre ses dents. Une seule trace de savon, et je t'écorche vif.

Impuissante, elle prit son mal en patience, n'osant crier ou tambouriner contre la porte de peur qu'un journaliste ne soit resté pour la guetter. Car nul besoin d'être un génie pour deviner qu'un type comme Sam n'allait pas dépenser son argent dans une voiture qu'il devrait conduire la tête entre les genoux. La Viper n'était pas conçue pour les grands gaillards de son espèce. Il était plutôt fait pour les pick-up. Elle se mordit le poing en songeant au 4 × 4 Chevrolet rouge. C'était ce qu'elle avait failli acheter avant de craquer pour la Viper.

Elle ne portait pas de montre, mais estima à une bonne heure, voire une heure et demie, le temps qu'il mit à rouvrir la porte. La pénombre se fondait dans la nuit et son tee-shirt était sec. C'était dire.

– Tu en as mis du temps ! rouspéta-t-elle quand il mit fin à son calvaire.

– De rien, répondit-il. J'ai fini de laver ta bagnole, puis je l'ai astiquée et cirée.

– Merci. Tu as fait ça bien, au moins ?

Elle courut jusqu'à la voiture, mais la nuit l'empêcha de distinguer d'éventuelles traces.

Sam ne se formalisa point de ce manque de confiance, préférant demander :

– Et si tu m'expliquais cette histoire de journalistes ?

– Non. J'aimerais ne plus jamais en entendre parler.

– Je doute que ce soit possible. Ils reviendront dès qu'ils auront découvert que je possède le pavillon d'à côté, c'est-à-dire demain à la première heure.

– Je serai déjà au bureau.

– Jaine, insista-t-il, cette fois avec sa voix de flic.

Elle soupira et se laissa tomber sur les marches du porche.

– C'est cette stupide liste.

Il s'assit à côté d'elle et déploya ses longues jambes.

– Quelle stupide liste ?

– À propos de l'homme parfait.

Il ouvrit de grands yeux.

– Cette liste-là ? Celle qui se trouvait dans le journal ?

Elle hocha la tête.

– C'est toi qui l'as écrite ?

– Pas vraiment. Je suis l'une des quatre copines qui l'ont pondue. Mais tout ce battage est purement accidentel. Personne n'était censé la lire, mais elle a été reprise dans le journal interne de ma boîte, puis elle s'est retrouvée sur Internet, et ça a fait boule de neige.

Elle croisa ses bras sur ses genoux et y reposa sa tête.

– C'est un cauchemar. C'est à croire qu'il ne se passe rien dans le pays. Je ne cesse de prier pour un krach boursier.

– T'es malade ou quoi ?

– Juste un krach temporaire.

– Quelque chose m'échappe, dit-il après un instant de réflexion. En quoi cette liste est-elle extraordinaire ? « Loyal, gentil, emploi stable... » La belle affaire.

– Le journal ne dit pas tout, confia-t-elle d'un air piteux.

– Et c'est quoi le reste ?

– Tu sais bien. Le reste, quoi.

Il réfléchit de nouveau, puis risqua :

– Des trucs anatomiques ?

– Anatomiques, c'est ça, confirma-t-elle.

Un ange passa.

– Mais encore ?

– Je n'ai pas envie d'en parler.

– Il suffit que je regarde sur Internet, tu sais.

– Bonne idée. Va donc voir sur Internet.

Il lui massa tendrement la nuque.

– Ça ne peut pas être si terrible que ça.

– Eh si, pourtant. T.J. y risque son mariage, et Shelley et David se disent humiliés.

– Je croyais qu'ils t'en voulaient à cause du chat et de la voiture.

– Aussi. Le chat et la voiture leur servent de tremplin pour m'incendier au sujet de la liste.

– Ils ont l'air de sacrés emmerdeurs, dis donc.

– Mais c'est ma famille, et je les aime.

Elle rentra la tête dans les épaules.

– Je vais t'apporter ton argent.

– Quel argent ?

– Pour les gros mots.

– Tu vas me payer ?

– C'est la seule chose digne que je puisse faire. Mais maintenant que tu connais la règle du jeu, dis-toi que c'est la dernière fois que je raque quand c'est de ta faute. 75 cents, c'est bien ça ? Les deux précédents, plus celui à l'arrivée des journaleux.

– Je crois que le compte y est.

Elle rentra et rassembla la somme. Étant en rupture de pièces de 25 cents, elle ne pouvait lui offrir que de la petite monnaie. Il n'avait pas bougé lorsqu'elle le retrouva sur le porche, mais il se leva pour empocher ses gains.

– Est-ce que tu comptes m'inviter à entrer, pour me faire à dîner par exemple ?

– Redescends sur terre, bonhomme.

– C'est bien ce que je me disais. Bon, dans ce cas on va casser la graine quelque part ?

Cela demandait réflexion. Il fallait mesurer le pour et le contre. Le pour, c'était d'abord de ne pas avoir à manger toute seule, des fois qu'elle aurait eu envie de préparer quelque chose, ce qui n'était pas le cas. Quant au principal contre, c'était la perspective de rester avec lui. La compagnie de Sam était redoutable. Jusque-là, Jaine devait son salut au seul fait qu'ils ne s'étaient jamais trouvés ensemble dans un lieu privé. Mais s'il l'attirait dans son pick-up, nul ne savait ce qu'il adviendrait. D'un autre côté, elle mourait d'envie de faire un tour dans ce pick-up...

– Je ne te demande pas d'élucider le sens de la vie, dit-il d'un air agacé. Tu veux un hamburger, oui ou non ?

– Si je viens, pas le droit de me toucher, d'accord ?

Il leva sa main droite.

– Je le jure. Je t'ai déjà dit que je ne m'approcherais pas de ton ovule glouton. D'ailleurs, quand est-ce que tu vas te mettre à la pilule ?

– Qui te dit que j'en ai l'intention ?

– C'est juste un conseil.

– Garde tes distances, et tu n'auras pas à t'inquiéter.

Elle avait oublié d'appeler son gynéco aujourd'hui, mais ce serait son premier coup de fil du lendemain.

– Tu fais la fière, poupée, mais il reste trois minutes à jouer et je mène par soixante à zéro. Tu n'as plus qu'à te coucher.

– Mon cul, oui.

– Et 25 cents de plus !

– « Cul » n'est pas vraiment un gros mot.

– C'est la meilleure, celle-là !

Mais il n'alla pas plus loin.

– Laisse tomber, soupira-t-il. Revenons plutôt à nos moutons. Tu veux dîner, oui ou non ?

– Je préférerais manger chinois, en fait.

Re-soupir.

– Parfait. Allons au Chinois.

– J'aime bien ce resto sur Ten Mile Road.

– Parfait ! hurla-t-il.

Elle lui décocha un sourire radieux.

– Je vais me changer.

– Moi aussi. Cinq minutes, pas une de plus.

Jaine fonça à l'intérieur, consciente que lui aussi mettait le turbo. Il la croyait incapable de se changer en cinq minutes ? On allait voir ce qu'on allait voir.

Elle se dénuda entièrement sur le chemin de la chambre. BooBoo la suivit comme son ombre, en poussant des miaulements plaintifs. L'heure de son dîner était largement dépassée. Elle passa une culotte neuve, se harnacha dans un soutien-gorge sec, enfila un tricot de coton rouge, un jean blanc, et sauta dans ses espadrilles. Elle courut à la cuisine et vida une boîte dans l'écuelle de BooBoo, empoigna son sac à main, et franchit la porte au moment même où Sam bondissait de son perron et se ruait vers le garage.

– Tu es en retard, dit-il.

– Pas du tout. Et puis, toi, tu t'es seulement changé, alors que moi j'ai aussi dû nourrir le chat.

Le garage de Sam était équipé d'une porte moderne. Il pressa le bouton de la télécommande, et les lattes de bois s'enroulèrent vers le haut comme un drap de velours. Elle soupira, en proie à un violent accès de garagite électrique.

Puis, dans la lumière du plafonnier à déclenchement automatique, apparut l'étincelant monstre rouge. Des chromes partout, du pot d'échappement au pare-buffle. Des pneus si grands qu'il aurait fallu se hisser à la force des bras s'il n'était pas muni d'un marchepied, chromé lui aussi, pour aider ceux qui n'avaient pas la longueur de jambes de Sam.

– Seigneur, dit-elle en frappant des mains. C'est exactement ce que je voulais avant de tomber sur la Viper.

– T'as vu cette banquette ? dit-il en levant un sourcil coquin. Si tu es bien sage, une fois que tu seras sous pilule et que tes œufs seront domptés, je te laisserai m'allumer dans le pick-up.

Elle parvint à rester de marbre. Dieu merci, Sam ignorait à quel point son self-control était précaire, bien que ce soit davantage l'idée de l'allumer que l'intérieur du camion qui la rendait fébrile.

– Eh bien, tu n'as rien à dire ? demanda-t-il.

Elle secoua la tête.

– Ah ! merde ! dit-il en la hissant à bord avec une facilité déconcertante. Là, j'ai vraiment les jetons.

Après trois coups de fil de journalistes, T.J. dut se rendre à l'évidence : le plan de Marci avait échoué. Bon sang, pourquoi cette liste les poursuivait-elle ainsi ? Pourquoi tant d'intérêt pour une simple plaisanterie ? Plaisanterie que n'apprécierait guère Galan, songea-t-elle avec dépit. Cela dit, seules les blagues de ses collègues d'usine trouvaient encore grâce à ses yeux.

Qu'était devenu le boute-en-train d'autrefois ? Où était passé ce garçon plein d'esprit qui l'avait séduite au lycée ?

Ils se voyaient de plus en plus rarement. Elle travaillait de 8 heures à 17 heures, lui de 15 à 23 heures. Elle était couchée quand il rentrait. Il dormait encore quand elle partait. Le plus révélateur, se dit-elle, c'est que rien n'obligeait

Galan à assurer cette tranche horaire. Il l'avait choisie. Si son but était de s'éloigner de sa femme, force était de constater qu'il avait réussi son coup.

Leur mariage avait-il fait naufrage sans qu'elle ne s'en soit aperçue ? Était-ce pour l'avoir compris avant elle que Galan refusait d'être père ?

Cette pensée lui comprima la poitrine. Elle aimait son mari. Ou plutôt, l'homme qui sommeillait sous ses dehors revêches. Parfois, perdue dans ses pensées, elle revoyait les traits du Galan jeune et gai, de celui qu'elle aimait à la folie quand ils étaient adolescents. Le Galan un peu gauche, craintif, mais enflammé qui l'avait faite femme en même temps qu'il devenait homme à l'arrière de l'Oldsmobile paternelle. L'homme qui lui avait offert une unique rose pour leur premier anniversaire, parce qu'il n'avait pas les moyens d'en acheter une douzaine.

Mais elle détestait celui qui n'avait pas dit « Je t'aime » depuis si longtemps qu'elle en avait oublié la sonorité.

Comparée à ses amies, T.J. se sentait démunie. Marci ne tergiversait pas avec les hommes indignes, elle les remplaçait illico dans son lit encore chaud. Luna n'était pas au bout de ses peines avec Shamal, mais elle ne passait pas ses soirées à attendre son retour ; elle menait sa propre vie. Quant à Jaine, elle possédait un humour et un courage à toute épreuve. Aucune des trois n'aurait toléré les souffrances que lui infligeait Galan depuis plus de deux ans.

Elle s'en voulait d'être aussi faible. Qu'adviendrait-il en cas de séparation ? Il faudrait vendre la maison, et Dieu sait si elle s'y sentait bien. Mais ce ne serait pas la fin du monde. Elle saurait s'habituer à la vie en appartement. Jaine était passée par là, et ça ne l'avait pas tuée. Mais vivre seule, pour la première fois de sa vie ? Oui, elle apprendrait à s'occuper de tout comme une grande. Elle adopterait un chat – un chien, plutôt, pour se protéger. Et elle ferait de nouvelles rencontres. Comme il devait être délicieux de fréquenter un homme qui ne vous insulte pas chaque fois qu'il ouvre la bouche...

Quand le téléphone sonna, elle sut que c'était lui. En atteignant le combiné, elle vit que sa main ne tremblait plus.

– Tu as perdu la tête ? furent les premières paroles de Galan.

Il respirait lourdement, symptôme classique de ses coups de sang.

– Je ne crois pas, non, répondit-elle avec calme.

– Je suis la risée de l'usine à cause de toi !

– C'est parce que tu le veux bien. Écoute, je n'ai pas envie de discuter de ça au téléphone. Si tu veux qu'on en parle ce soir, et de manière civilisée, je ne demande pas mieux. Mais si c'est un punching-ball que tu cherches, crois bien que j'ai mieux à faire.

Il lui raccrocha au nez.

Sa main tremblait légèrement lorsqu'elle reposa le téléphone, les yeux voilés de larmes. Qu'il ne s'attende pas à la voir se répandre en excuses. Cela faisait plus de deux ans, deux ans de malheur, que Galan faisait sa loi. Il était grand temps que T.J. suive ses propres règles. Elle y perdrait peut-être un mari, mais au moins retrouverait-elle sa fierté.

Le téléphone sonna de nouveau une demi-heure plus tard. Galan n'était pas du style à rappeler aussi vite, à moins qu'il ait compris que ses coups d'éclats ne marchaient plus.

– Allô ?

– Laquelle des quatre es-tu ?

Ce chuchotement n'était pas familier.

– Comment ? Qui est à l'appareil ?

– Tu es Mlle A ? ou B ? Laquelle des quatre es-tu ?

– Va jouer ailleurs, répliqua la nouvelle T.J. avant de rabattre le combiné sur son support.

11

Jaine sauta du lit de bonne heure le lendemain, décidée à partir au boulot avant que Sam lui mette le grappin dessus. Si son cœur palpitait à l'idée d'une nouvelle joute verbale, son cerveau la mettait en garde : Sam s'était certainement jeté sur son PC après qu'ils eurent picoré leurs petits beignets chinois. Pire qu'un pitbull, il ne lâchait jamais prise, et il avait passé la soirée à la cuisiner au sujet de la Liste. Or elle ne souhaitait pour rien au monde connaître son avis au-delà du septième critère.

Elle réussit l'exploit d'être prête à 7 heures, quand elle constata que son répondeur avait déjà refait le plein de messages. Elle hésita à les effacer d'une traite. Avec ses parents en voyage, il fallait s'attendre à tout : une maladie, une urgence quelconque, va savoir. Ou bien étaient-ce Shelley ou David qui appelait pour s'excuser ?

On peut toujours rêver, murmura-t-elle en enfonçant la touche de lecture.

Trois journalistes, un de la presse écrite et deux de la télévision, qui réclamaient une interview, puis deux appels sans message. Le sixième appel émanait de Pamela Morris, qui s'annonça comme la sœur de Gina Landretti. D'une voix doucereuse et toute télévisuelle, elle expliquait combien elle serait « heu-reuse » de la recevoir sur le plateau de *Good Morning America* pour évoquer la Liste, qui faisait un véritable « mal-heur » dans tout le pays. Le septième message provenait du magazine *People*, qui demandait la même chose que ses confrères.

Suivirent trois autres messages vides assez horripilants ; un mystérieux correspondant attendait plusieurs secondes avant de raccrocher. Imbécile.

N'ayant pas l'intention de rappeler qui que ce soit, elle rembobina la bande. Cette histoire confinait au summum du ridicule.

Elle quitta l'allée sans avoir vu l'ombre de Sam, ce qui promettait un début de matinée paisible. Elle se sentait de si bonne humeur qu'elle brancha la radio sur une station de musique country. Sam était-il fana de country ? Cela pouvait constituer un bon motif d'empoignade.

Fallait-il qu'elle soit drôlement accro, tout de même, pour que la perspective d'une bagarre avec Sam lui fasse autant d'effet que de gagner au Loto...

Mais c'était le premier homme qui non seulement restait impassible quoi qu'elle dise, mais lui donnait la réplique sans coup férir. Quel bonheur de savoir qu'elle pouvait se permettre tous les débordements verbaux !

Il lui fallait ces pilules au plus vite.

Les reporters étaient en nombre devant les grilles de Hammerstead. Quelqu'un avait dû les rancarder au sujet de son véhicule, car elle essuya une rafale de flashs en arrivant à la barrière. Le gardien se fit un plaisir de la chambrer :

– Vous m'emmenez faire un tour, pour voir si je tiens la route ?

– Laissez-moi vous rappeler. Je suis prise pour les deux années à venir.

– M'étonne pas, répondit-il avec un clin d'œil.

Elle avait tellement d'avance que le couloir vert immonde était désert. Mais il y avait toujours un fêlé pour vous devancer. Elle s'arrêta devant l'affiche du jour :

RAPPEL : PILLEZ D'ABORD, INCENDIEZ ENSUITE. LES CONTREVENANTS SERONT EXCLUS DE L'ÉQUIPE DE PROSPECTION.

On se sentait tout de suite mieux.

Une fois dans son bureau, elle se rendit compte que les journalistes et le gardien n'avaient pas réussi à la contrarier. À vrai dire, sa bataille avec Sam était autrement captivante, d'autant qu'ils savaient tous deux où cela finirait : dans un lit en feu. Non qu'elle envisage de s'offrir facilement, attention. Pilule ou pas, Sam allait devoir se battre, la mériter. C'était la loi du genre. Et puis, elle se délectait à l'idée de le faire languir.

Gina Landretti s'avéra aussi matinale qu'elle.

– Formidable ! dit-elle en apercevant Jaine à son bureau. J'espérais justement que tu arriverais de bonne heure pour qu'on ait un peu d'intimité.

Jaine grogna intérieurement. Elle la voyait venir avec ses gros sabots.

– J'ai eu Pam hier soir. Tu sais, ma sœur. Elle cherche à te joindre, et devine quoi ? Elle veut te recevoir dans son émission ! *Good Morning America* ! C'est pas génial, ça ? Bien sûr, elle aimerait vous réunir toutes les quatre, mais je lui ai dit que tu étais sûrement la porte-parole du groupe.

– Euh... je ne crois pas que nous ayons de porte-parole.

– Ah bon ! Mais si c'était le cas, ce serait toi. La porte-parole, j'entends.

Comment lui dire « Cause toujours, pauvre cloche » en termes choisis ?

– J'ignorais que ta sœur était programmatrice.

– Oh ! elle ne l'est pas, mais elle a parlé à sa rédac chef qui a trouvé l'idée splendide. Tu comprends, ça ferait un bon point pour Pam. Le bruit court que les autres chaînes vont te contacter dans la journée, et Pam aimerait les coiffer au poteau. Ce serait un vrai plus pour sa carrière.

Sous-entendu : si Jaine refusait de coopérer, le moindre obstacle à l'ascension de sœurette serait pour sa pomme.

– Je crains qu'il n'y ait un petit problème, dit Jaine en se composant un air contrit. Le mari de T.J. supporte mal toute cette publicité.

Gina haussa les épaules.

– Eh bien, vous irez à trois. En vérité, ta seule présence ferait parfaitement l'affaire.

– Luna est bien plus belle.

– Oui, peut-être, mais elle est si jeune. Question d'autorité, tu comprends.

Super. La voilà « autoritaire » à présent.

Jaine tenta d'exploiter cet improbable talent en durcissant le ton de sa voix :

– Moi non plus, je n'apprécie pas tout ce foin. J'aimerais autant que ça s'arrête là.

Gina parut épouvantée.

– Mais enfin, tu ne rêves pas de devenir riche et célèbre ?

– Riche, pourquoi pas. Célèbre, non merci. Et je ne vois pas comment une apparition dans *Good Morning America* me rendrait riche.

– Tu pourras décrocher un contrat avec un éditeur ! Tu sais, avec une avance de plusieurs millions de dollars.

– Gina ! s'emporta Jaine. Redescends sur terre ! Comment la Liste pourrait-elle faire un livre ? À moins de disserter sur la longueur optimale du pénis pendant trois cents pages...

– Trois cents ? s'étonna Gina. À mon avis, cent cinquante suffiraient amplement.

Jaine scruta le bureau à la recherche d'une surface contre laquelle se cogner la tête.

– S'il te plaît, Jaine, promets-moi de dire oui à Pam ! supplia Gina, les mains jointes.

Frappée d'un éclair de génie, Jaine répondit :

– Je dois consulter mon état-major. Une telle décision se prend à l'unanimité.

– Mais tu disais que T.J....

– Je vais consulter mon état-major, répéta Jaine.

Gina parut déçue, mais au moins se montrait-elle réceptive à l'autorité.

– Je pensais que tu serais enchantée, bredouilla-t-elle.

– Pas le moins du monde. Je n'aime pas faire parler de moi.

– Alors pourquoi as-tu publié la Liste dans le journal ?

– Je n'ai jamais fait ça. Marci s'est bourré la gueule et Dawna Machin-chose lui a tiré les vers du nez.

– Ah !

Gina parut plus déçue encore, comme si elle comprenait enfin que Jaine réprouvait cette histoire depuis le début.

– Toute ma famille me fait la tête à cause de ces bêtises, maugréa Jaine.

Déçue ou non, Gina était une chic fille. Elle s'assit sur un coin du bureau et offrit un sourire compatissant.

– Pourquoi donc ? En quoi cela les concerne-t-il ?

– Ma sœur dit que je l'ai mise dans l'embarras et qu'elle ne pourra plus regarder un prêtre en face, et ma nièce de quatorze ans s'est procuré la transcription intégrale sur Internet, ce qui rend sa mère encore plus furax. Et mon frère m'en veut parce qu'il se sent ridicule face à ses collègues.

– Pourquoi ? Ils sont allés se la mesurer en salle de repos et il est arrivé dernier ? ricana Gina.

– J'ose pas imaginer la scène, répondit Jaine.

Elles se dévisagèrent un instant, puis piquèrent un de ces fous rires propres à massacrer votre mascara. Gloussant et reniflant, elles filèrent aux toilettes des dames pour réparer les dégâts.

À 9 heures, Jaine fut convoquée dans le bureau de son supérieur hiérarchique.

Il s'appelait Ashford M. deWynter. Elle mourait d'envie de lui demander si le « M. » était l'initiale de « Max », comme Max deWynter, l'inquiétant personnage de *Rebecca*, mais elle redoutait la réponse. Sciemment ou non, il s'habillait dans un style très british, et se taillait un franc succès avec ses intonations snobinardes.

C'était aussi une peau de vache.

Certains y parviennent naturellement. D'autres doivent redoubler d'efforts. Ashford deWynter faisait les deux.

Il ne proposa pas à Jaine de s'asseoir. Elle passa outre à cet oubli, ce qui lui valut un regard mauvais. Mais elle préférait être confortablement installée avant de se faire manger toute crue.

– Mademoiselle Bright, dit-il en fronçant le nez comme en présence d'une sale odeur.

– Monsieur deWynter, répondit-elle.

Un deuxième regard mauvais. Ce ne devait pas être son tour de parler.

– La situation à la grille devient intenable.

– Je suis bien d'accord. Peut-être avec une injonction d'un juge...

Elle ne termina pas sa phrase, consciente qu'il n'était pas en son pouvoir d'obtenir un tel document, à supposer même que ce soit juridiquement fondé, ce dont elle doutait fort. Car la « situation » ne menaçait personne, pas plus que les journaleux ne retenaient les employés.

Le regard mauvais devint noir.

– Vos facéties sont fort malvenues. Vous et moi savons que vous êtes à l'origine de cette situation détestable qui entrave la bonne marche du travail. Les gens commencent à perdre patience.

Par « les gens », entendre : « mes supérieurs ».

– En quoi suis-je coupable ? demanda-t-elle doucement.

– Votre odieuse Liste...

« Leah Street et lui ont peut-être été séparés à la naissance », songea-t-elle, amusée.

– Cette Liste n'est ni la mienne, ni celle de Marci Dean. Elle est le fruit d'un travail collectif.

Qu'avaient-ils tous à lui faire porter le chapeau ? Était-ce à cause de cette mystérieuse « autorité » ? Si elle possédait vraiment ce don, peut-être devrait-elle s'en servir plus souvent. Elle pourrait forcer les autres à lui céder leur place aux caisses, ou contraindre le conducteur de chasse-neige à déblayer sa rue en premier.

– Mademoiselle Bright ! tonna Ashford deWynter. Je vous en prie.

Comprendre : ne me prenez pas pour un idiot.

Trop tard.

– Votre humour est reconnaissable entre tous. À défaut d'être la seule personne impliquée, vous êtes sans conteste la meneuse. Dès lors, c'est à vous qu'il incombe de remédier à la situation.

Ce n'est pas parce que Jaine égratignait Dawna auprès de ses amies qu'elle allait livrer un seul nom à deWynter. De toute façon, il connaissait déjà l'identité des trois autres. Et s'il avait décidé qu'elle était l'unique fautive, aucune parole ne le ferait changer d'avis.

– Très bien, dit-elle. Je me rendrai à la grille à midi pour leur dire que vous n'appréciez pas ce tapage et que vous exigez qu'ils quittent les lieux, sans quoi vous les ferez arrêter.

On aurait dit qu'il venait d'avaler sa cravate.

– Euh... je ne pense pas que ce soit la meilleure solution.

– Que proposez-vous alors ?

Voilà une question qu'elle était bonne. Il devint totalement inexpressif.

Elle cacha son soulagement. Quelle humiliation si deWynter avait disposé d'un plan réaliste, quand Jaine n'en possédait même pas de fantaisiste.

– Une chroniqueuse de *Good Morning America* a appelé, poursuivit-elle. Je vais l'envoyer paître. J'attends également un coup de fil du magazine *People*, mais je n'ai pas l'intention de répondre. L'entreprise n'a rien à gagner à toute cette publicité gratuite...

– La télévision ? La télévision nationale ? demanda-t-il fébrilement en étirant son cou comme un dindon. Euh... ce serait au contraire une formidable opportunité, ne pensez-vous pas ?

Elle haussa les épaules. Formidable ou pas, elle n'en savait rien. Mais c'était sans conteste une occasion en or.

Jaine venait de se tirer une balle dans le pied ; la publicité était précisément ce qu'elle voulait éviter.

– Peut-être devriez-vous en référer à qui de droit, suggéra-t-elle en se levant.

Avec un peu de chance, un ponte des hautes sphères écarterait l'idée.

DeWynter se sentait pris en piège, gêné de devoir reconnaître l'étroitesse de son pouvoir de décision – comme si Jaine ignorait quel était son rang dans l'organigramme. Il occupait une place intermédiaire dans l'encadrement intermédiaire, et il était voué à y croupir jusqu'à la retraite.

Sitôt revenue à son bureau, Jaine convoqua un conseil de guerre, pour midi, dans le bureau de Marci.

Jaine expliqua les derniers développements de l'affaire à Gina, et toutes deux passèrent le reste de la matinée à filtrer les appels.

L'heure du déjeuner venue, Jaine, Luna et T.J. débarquèrent au service de la compta les bras chargés de biscuits apéritifs et de sodas sans sucre.

– Je pense que nous pouvons officiellement déclarer la

situation hors de contrôle, annonça Jaine d'un air morose, avant de les mettre au parfum.

Elles se tournèrent vers T.J.

Laquelle haussa les épaules.

– Vous savez, dit-elle, au point où on en est... Galan est au courant. Il n'est pas rentré de la nuit.

– Ma pauvre chérie ! dit Marci en lui prenant la main. Je suis désolée.

T.J. avait les yeux bouffis, comme si elle avait passé la nuit à pleurer, mais elle semblait remise.

– Pas moi, répondit-elle pourtant. Ça m'a permis d'ouvrir les yeux. Soit il m'aime, soit il ne m'aime pas. Et s'il ne m'aime pas, qu'il sorte de ma vie une fois pour toutes.

– Ben dis donc, dit Luna en écarquillant ses beaux yeux. Ça, c'est parler !

– Et de ton côté ? demanda Jaine à Marci. Ton Brick n'a pas fait d'histoires ?

Marci prit son air je-suis-revenue-de-tout.

– Mon Brick fait toujours des histoires. Disons qu'il s'est montré égal à lui-même, à coups de beuglements et de canettes de bière. Il dormait encore quand je suis partie.

Elles se tournèrent vers Luna.

– Je n'ai pas de nouvelles de Shamal, dit la benjamine avant de s'adresser à Jaine. Tu avais vu juste au sujet des types qui se bousculent pour offrir leurs services. Je me contente de leur dire que j'avais personnellement fixé la barre à 30 centimètres, mais que vous avez revu le chiffre à la baisse. En général, ça suffit à leur clouer le bec.

Quand elles eurent fini de glousser, Marci déclara :

– Bon, je reconnais que mon passage au journal local a fait un bide. Mais merde à la fin. Et si on arrêtait de jouer les chochottes pour s'éclater un bon coup ?

– DeWynter est parti défendre l'idée d'une publicité nationale et gratuite auprès des huiles du dernier étage, expliqua Jaine.

– Ils vont sauter sur l'occasion comme un mendiant sur une brioche ! pronostiqua T.J. Mais je suis d'accord avec Marci. Prenons cette liste à bras-le-corps et offrons-nous un peu de bon temps. Pour commencer, on pourrait ajouter quelques critères et étoffer nos commentaires.

David et Shelley allaient en faire une jaunisse, se dit Jaine. Mais ils ne l'avaient pas volé.

– T'as raison, Marci : merde à la fin ! lâcha-t-elle.

– Merde à la fin ! répondit Luna en écho.

Elles échangèrent un regard de petites friponnes, et Marci dégaina stylo et carnet.

– Il n'y a pas de temps perdre, dit-elle. Offrons-leur une histoire digne de ce nom.

T.J. secoua lentement la tête.

– C'est le coup à rameuter tous les cinglés du pays. Au fait, personne n'a reçu un appel étrange hier soir ? J'ai eu un type – à moins que ce ne soit une femme – qui chuchotait quelque chose du style : « Laquelle des quatre es-tu ? » Il voulait savoir si j'étais Mlle A.

Luna tiqua :

– On m'a fait le même coup. Et je pense que c'est la même personne qui m'a rappelée deux ou trois fois en raccrochant immédiatement. C'est vrai qu'on ne saurait dire s'il s'agit d'un homme ou d'une femme.

– Et j'ai eu environ cinq messages blancs sur mon répondeur, dit Jaine à son tour.

– Brick a fracassé le mien contre le mur pendant que j'étais sortie, confia Marci. J'en achèterai un autre en rentrant ce soir.

– Il semble que nous ayons toutes été appelées par le même type, remarqua Jaine d'un air mi-figue mi-raisin.

Elle appréciait de plus en plus d'être la voisine d'un flic.

– C'est la rançon du succès, lança T.J. pour dédramatiser.

12

Son passage par la pharmacie, où elle fit le plein de pilules pour trois mois, n'empêcha pas Jaine de rouspéter pendant le trajet du retour. Grisés à l'idée de se faire mousser gratis, les pontes leur avaient aussitôt donné carte blanche. Au nom du groupe, elle avait accepté l'invitation de *Good Morning America*, mais elle n'en demeurait pas moins dubitative ; à quoi bon évoquer la Liste dans une émission de grande écoute, où l'on serait contraint de passer sous silence ses aspects les plus salaces ? Peut-être s'agissait-il seulement de damer le pion à la concurrence. Elle comprenait que la presse écrite soit cliente – *Cosmopolitan*, par exemple, voire quelque revue masculine tendance. Mais que comptait publier *People*, sinon le portrait des quatre complices et autres fadaises sur la façon dont la Liste avait changé leur vie ?

Comme quoi le sexe faisait vendre même lorsqu'on n'en parlait pas...

Le quatuor était censé se rendre dans les locaux d'ABC sur le coup prétendument raisonnable des 4 heures du matin, pour l'enregistrement de l'interview. On leur avait demandé d'arriver habillées, coiffées et maquillées. Une correspondante de la chaîne les retrouverait sur place, préférant mener l'entretien *de visu* plutôt qu'à distance depuis New York via tout un barda de câbles, d'oreillettes et de micros. Une journaliste en chair et en os était pour sûr un grand honneur. Jaine tâchait de se sentir honorée, mais elle songeait surtout au supplice de devoir se lever à 2 heures pour se faire une beauté.

Pas de Pontiac dans l'allée voisine, et aucun signe de vie dans la maison.

Zut.

BooBoo l'accueillit avec des bouts de mousse collés dans la moustache. Jaine renonça à se rendre au salon. La seule façon de sauver ce qui lui restait de canapé consisterait à maintenir les portes fermées, mais le chat ne manquerait pas alors de s'attaquer à d'autres meubles. Le canapé étant déjà foutu, autant le lui laisser.

Une soudaine sensation suspecte suivie d'un passage par la salle de bains confirmèrent l'arrivée de ses règles, pile dans les temps. Elle soupira de soulagement. Elle serait à l'abri de son béguin pour Sam pendant plusieurs jours. Peut-être devrait-elle également remiser son rasoir ; jamais elle n'oserait entamer une liaison avec du poil aux pattes. Car elle comptait bien le faire mariner pendant au moins deux semaines, par pure malice. Juste pour rire.

Elle se rendit dans la cuisine et regarda par la fenêtre. Aucune Pontiac en vue, même s'il avait pu prendre le pick-up rouge. Mais les rideaux de sa cuisine étaient tirés.

Difficile de faire mariner un homme absent.

Une voiture apparut dans l'allée, qui s'arrêta derrière la Viper. En sortirent deux individus, un homme et une femme. L'homme portait un appareil photo et une flopée de sacs en bandoulière. Une sacoche à la main, la femme était en tailleur, malgré la chaleur.

Inutile désormais de fuir les journalistes. Mais pas question de les recevoir dans le foutoir du salon. Elle sortit par la cuisine et les accueillit sur le porche.

– Entrez donc, dit-elle d'une voix lasse. Vous désirez un café ? Je m'apprêtais justement à en faire.

Corin fixait le visage dans le miroir. Il lui arrivait de disparaître pendant des semaines ou des mois entiers, mais le voici de nouveau, réfléchi par la glace, comme s'il n'était jamais parti. Il n'avait pas eu la force de se rendre au travail aujourd'hui, craignant sa réaction s'il tombait sur elles. Les quatre garces. Comment osaient-elles le ridiculiser, l'humilier avec leur Liste ? Pour qui se prenaient-elles ? À les écouter, il n'était pas parfait. Mais qu'en savaient-elles ?
Sa mère l'avait éduqué, tout de même.

À son retour, T.J. vit que Galan était là. La peur la prit au ventre, mais elle s'interdit de flancher. Il en allait de sa dignité.
Elle referma le garage et pénétra dans la maison par le cellier, comme d'habitude. Le cellier donnait sur la cuisine, cette ravissante cuisine avec ses meubles blancs, ses appareils ménagers, et sa batterie de casseroles en cuivre suspendues au-dessus du comptoir. Cette cuisine qui semblait sortie tout droit d'un livre de décoration était sa pièce préférée, non parce qu'elle aimait cuisiner, mais pour son atmosphère. Une véranda lumineuse abritait un massif de plantes vertes, d'herbes aromatiques et de fleurs estivales qui parfumaient et rafraîchissaient l'air. Elle y avait disposé deux fauteuils et une table, ainsi qu'un repose-pieds rembourré pour se détendre les jambes. Elle adorait s'isoler ici avec un bon livre et une tasse de café, surtout en hiver quand elle regardait, calfeutrée au milieu de ses plantes, la neige recouvrir la ville de son blanc manteau.
Galan n'était pas dans la cuisine. T.J. posa son sac et ses clés sur le comptoir, quitta ses chaussures, et mit la bouilloire sur le feu.
Elle ne l'appela pas, ne partit pas à sa rencontre. Il devait être dans son bureau, devant la télé, à ruminer sa colère. Libre à lui de quitter son antre s'il souhaitait parler.

Elle passa un short et un débardeur moulant. Son corps n'avait rien perdu de ses attraits, quoique trop musclé à son goût, conséquence de ses nombreuses années de football féminin. Comme la plupart des femmes mariées, elle avait délaissé les tenues cintrées au profit de pull-overs en hiver ou de tee-shirts amples en été. Le moment était peut-être venu de remettre son physique en valeur, comme jadis lorsque Galan lui faisait la cour.

D'ordinaire elle dînait en solitaire d'une pizza livrée à domicile ou d'un barquette réchauffée au micro-ondes. Devinant que Galan n'avalerait rien même si elle préparait un vrai repas – rien que pour lui montrer comme il était fâché, na ! –, elle retourna à la cuisine et ouvrit le congélateur. Elle choisit un plat allégé, ce qui autorisait un esquimau en dessert.

Elle finissait de lécher le bâton quand Galan apparut. Il se planta devant elle sans dire un mot, comme s'il attendait les plates excuses qui lui permettraient d'entonner son refrain de reproches.

T.J. ne lui fit pas ce plaisir, se contentant de dire :

– Tu dois être souffrant, puisque tu n'es pas au travail.

Il se pinça les lèvres. C'était encore un bel homme, songea-t-elle avec détachement. Mince, bronzé, la chevelure à peine plus fine qu'à dix-huit ans, il s'habillait avec raffinement, dans des tons chics, avec chemises en soie et mocassins de marque.

– Il faut qu'on parle, dit-il sèchement.

Elle leva un sourcil interrogateur, à la manière de Jaine. Exécutée par Jaine, cette mimique s'avérait aussi convaincante qu'une hache dans les mains d'un autre.

– Il ne fallait pas laisser tomber l'usine pour ça.

Elle vit qu'elle s'était trompée de texte. Elle était censée attacher plus d'importance à leur relation – et à l'humeur de Galan.

– Tu ne sembles pas comprendre à quel point tu m'as

fait du tort, commença-t-il. J'ignore si je pourrai te pardonner un jour de m'avoir traîné dans la boue. Quoi qu'il en soit, je vais te dire une bonne chose : je ne pourrai passer l'éponge tant que tu traîneras avec ces trois pouffiasses qui se disent tes amies. Je t'interdis de les revoir, tu m'entends ?

– Nous y voilà donc. Tu comptes exploiter cette affaire pour faire le tri parmi mes amies ? Très bien. Alors voyons un peu... Si je renonce à Marci, tu peux renoncer à Jason. Pour Luna... tiens, pourquoi pas Curt ? Quant à Jaine – si j'abandonne Jaine, tu devras au moins abandonner Steve. Quoique, personnellement, je n'ai jamais apprécié Steve, aussi je crois que tu devrais en jeter un quatrième pour équilibrer la balance.

Il la regardait comme si elle s'était muée en extraterrestre. Steve Rankin était son meilleur copain depuis le collège. Ils assistaient aux matches des Tigers en été, et à ceux des Lions en hiver. Ils faisaient des tas de trucs d'hommes ensemble.

– T'es complètement cinglée !

– Parce que je te demande de renoncer à tes amis ? Voyez-vous cela. C'est donnant, donnant, mon vieux.

– Ce n'est pas moi qui bousille notre mariage avec de stupides listes pour savoir qui est l'homme parfait ! éructa-t-il.

– La question n'est pas « qui », mais « comment ». Tu sais bien, des trucs comme le respect, la loyauté.

Elle l'observa attentivement en prononçant ce dernier mot, se demandant soudain si ces deux années de froideur ne cachaient pas davantage qu'une simple usure.

Il détourna brusquement les yeux.

T.J. rassembla ses forces pour faire rempart à la douleur. Elle enferma cette dernière dans une petite boîte qu'elle enterra au plus profond d'elle-même afin de survivre aux minutes, aux jours, aux semaines à venir.

– Elle s'appelle comment ? dit-elle avec autant de désinvolture que si elle lui demandait la salière.

– Qui ça, elle ? De qui tu parles ?

– De cette fameuse maîtresse. Celle à qui tu me compares sans cesse dans ta tête.

Rougissant, il rangea ses mains dans ses poches.

– Je ne t'ai jamais trompée, murmura-t-il. Tu cherches seulement à changer de sujet.

– Même si tu ne m'as jamais trompée physiquement – ce dont je ne suis pas convaincue –, tu es attiré par une autre, n'est-ce pas ?

Il devint plus rouge encore.

T.J. sortit une tasse et un sachet de thé du placard. Elle mit le sachet dans la tasse et y versa l'eau bouillante. Au bout d'une minute, elle ajouta :

– Je crois que tu devrais chercher un hôtel pour la nuit.

– T.J....

Elle le fit taire en levant la main, sans même le regarder.

– Je n'ai pas parlé de divorce ou de séparation. Je te propose juste d'aller à l'hôtel afin que je puisse réfléchir en paix, sans que tu ne retournes la situation à ton avantage pour me jeter la pierre.

– Et cette putain de liste, t'en fais quoi ?

– La liste n'a aucune importance, dit-elle d'un revers de la main.

– Tu te fous de ma gueule ? Tous les types de la boîte me charrient avec ton goût pour les queues monstrueuses !

– Il te suffit de répondre : « Ouais, c'est vrai que je l'ai trop gâtée ! » Cette liste était un peu osée ? Et alors ? Moi, j'ai trouvé ça drôle, comme une écrasante majorité de gens. Nous passons dans *Good Morning America* demain matin, et le magazine *People* souhaite nous interviewer. Nous avons décidé de parler à tous ceux que ça chante, afin d'en finir au plus vite. Tout sera oublié dans quelques jours, mais d'ici là nous comptons bien nous amuser.

Il la dévisageait en secouant la tête.

– Tu n'es pas la femme que j'ai épousée, dit-il gravement.

– Ça tombe bien, parce que tu n'es pas l'homme que j'ai épousé.

Il quitta la cuisine. T.J. baissa les yeux sur sa tasse de thé, luttant pour contenir ses larmes. Eh bien, la voilà fixée. Pourquoi n'avait-elle rien vu venir ? Qui mieux qu'elle savait reconnaître le Galan amoureux ?

Exceptionnellement, Brick ne ronflait pas sur le canapé quand Marci rentra à la maison. Son vieux pick-up était pourtant garé dans l'allée. Elle le trouva dans la chambre, en train de fourrer ses vêtements dans un sac marin.

– Tu vas quelque part ? demanda-t-elle.

– Ouais, dit-il d'un air maussade.

Elle le regarda préparer ses affaires. Il était plutôt beau gosse, dans le style buveur de bière, avec sa tignasse brune, sa barbe de trois jours, ses traits épais, et son uniforme tee-shirt moulant, jean moulant et boots élimées. Dix ans de moins qu'elle, peu doué pour garder un job, et indifférent à tout ce qui n'avait pas trait au sport... Il fallait se rendre à l'évidence : ce n'était pas le coup du siècle. Dieu merci, elle n'était pas amoureuse de lui. Cela faisait un bail qu'elle n'avait pas aimé un homme. Elle recherchait seulement du sexe et de la compagnie. Brick lui avait offert le sexe, mais pouvait-on parler de compagnie ?

Il remonta la fermeture éclair du sac, le souleva par les poignées, et frôla Marci sur son passage.

– Tu comptes revenir ? demanda-t-elle. Ou dois-je expédier le reste de ton bazar quelque part ?

Il la fusilla du regard.

– Pourquoi tu poses la question ? Y'a quelqu'un qui

attend son tour, c'est ça ? Un type avec un machin de 25 centimètres, comme tu les aimes ?

– Pitié, Seigneur. Épargnez-moi le coup du mâle vexé.

– Tu ne peux pas comprendre, dit-il avec un léger trémolo dans sa voix rauque.

Marci resta interdite tandis qu'il claquait la porte et sautait dans son pick-up. Il sortit de l'allée en labourant le gravier avec ses pneus.

Elle n'en revenait pas. Brick, blessé ? Qui l'eût cru ?

Soit. Libre à lui de revenir ou de disparaître à jamais. C'était à lui de voir. Elle ouvrit l'emballage du nouveau répondeur et le brancha en un tournemain. Elle se demanda combien de messages Brick avait détruits en fracassant l'ancien appareil contre le mur.

Peu importe, se dit-elle. Si c'est important, ils rappelleront.

Sur ce, le téléphone sonna. Elle décrocha.

– Allô ?

– Laquelle des quatre es-tu ? siffla une voix lugubre.

13

Jaine ouvrit un œil. Le réveil émettait une suite de bips suraigus extrêmement désagréable. Comprenant enfin qu'il s'agissait de la sonnerie – après tout, elle ne l'avait jamais entendue retentir à 2 heures du matin –, elle tendit le bras pour la faire taire. Pourquoi cet engin de malheur s'était-il déclenché au beau milieu de la nuit ? se demanda-t-elle en se recroquevillant sous la couette.

Parce qu'elle le lui avait demandé, tout simplement.

– Non... gémit-elle dans le silence de la chambre noire. Je ne peux pas me lever. Ça fait à peine quatre heures que je suis couchée !

Mais elle se leva quand même. Elle avait eu la présence d'esprit de programmer la cafetière à 1 h 50. Elle se traîna jusqu'à la cuisine, guidée par l'odeur du café frais. Elle alluma le plafonnier et plissa les paupières pour s'habituer à la lumière.

– Les gens de la télé sont des Martiens, bougonna-t-elle en remplissant sa tasse. Les humains n'ont pas ce type de mœurs.

Provisoirement ravitaillée en caféine, elle parvint à gagner la salle de bains. Comme le jet d'eau aspergeait le haut de son crâne, elle se souvint qu'elle n'avait pas prévu de se laver les cheveux. Autrement dit, les calculs préalables au réglage du réveil n'ayant pas intégré la dimension shampooing brushing, elle était à la bourre.

– C'est au-dessus de mes forces, geignit-elle en s'adossant au mur carrelé.

Il lui fallut une bonne minute pour se remotiver. Elle se frictionna les cheveux et le corps en quatrième vitesse, et ressortit au bout de trois minutes. Un deuxième café brûlant à portée de main, elle se sécha les cheveux, puis appliqua une noix de gel sur ses mèches rebelles. Quand on se levait aussi tôt, le maquillage s'imposait pour masquer une mine de zombi. Elle se farda avec diligence mais précision, optant pour un look glamour très début de soirée. Le résultat fit plutôt matinée gueule de bois, mais elle refusait de se battre pour une cause perdue.

Évitez les vêtements noirs ou blancs, avait dit la dame. Présumant qu'elle parlait du haut, c'est-à-dire de la partie qui serait visible à l'antenne, Jaine enfila une longue jupe droite noire, qu'elle assortit d'un pull échancré rouge à manches trois quarts sanglé d'une ceinture noire. Elle se glissa dans des escarpins noirs en même temps qu'elle accrochait de sobres anneaux dorés à ses oreilles.

Elle consulta la pendule. 3 heures. Putain, balèze !

Elle tourna sa langue sept fois dans sa bouche, mais trop tard.

Bon, que restait-il à faire ? Donner à boire et à manger au chat, qui ne s'était pas encore manifesté. Pas fou, le BooBoo.

Cette corvée accomplie, elle mit les voiles à 3 h 05. L'allée voisine était désespérément vide, et elle n'avait entendu aucune voiture se garer durant la nuit. Sam n'était pas rentré.

Il devait avoir une copine, se dit-elle en serrant les dents. Mais oui, bien sûr ! Elle se sentit la reine des pommes. Bien sûr qu'il avait une copine. Les hommes comme Sam gardaient toujours une, deux ou trois nanas en réserve. Ne parvenant à rien avec elle, il était parti butiner ailleurs.

– Laisse tomber, se dit-elle à voix haute en traversant le lotissement endormi. N'y pense plus.

Ben voyons. Comme si elle pouvait oublier le spectacle de son joystick s'ébrouant à l'air libre !

L'idée de tirer un trait sur cette majestueuse et appétissante érection – et sans en avoir profité une seule fois – lui donna envie de pleurer. Mais elle avait sa fierté. Et elle refusait de faire le pied de grue devant sa porte, encore moins devant son lit ; elle avait passé l'âge des fans-clubs.

La seule excuse valable serait qu'il soit à l'hôpital, et trop mal en point pour l'appeler. Mais elle savait d'ores et déjà qu'il n'avait pas été abattu ou agressé. Un flic blessé ? Ils en auraient parlé aux infos. Et Mme Kulavich l'aurait prévenue si Sam avait eu un accident de voiture. Non, où qu'il soit, il était en parfaite santé. Le problème résidait dans le « où qu'il soit ».

Par acquit de conscience, elle essaya d'éprouver un soupçon d'inquiétude pour lui, mais en vain. Elle voulait seulement l'étriper.

Ne jamais se laisser envoûter par un homme. Comment avait-elle pu oublier cette règle d'or ? Quelle honte... À croire que ses fiançailles à répétition ne lui avaient rien appris sur le pouvoir de nuisance des mâles. Certes, Sam ne l'avait pas meurtrie – ou si peu –, mais il s'en était fallu d'un rien.

T'aurais quand même pu m'appeler, salopard.

Une mèche de cheveux de Sam aurait permis à Jaine de lui jeter un mauvais sort, mais elle doutait fort qu'il se laisse approcher par une paire de ciseaux.

Pour se requinquer, elle révisa son vaudou, au cas où elle parviendrait malgré tout à lui arracher quelques poils. Elle pensait notamment à ces trucs de rétrécissement. Il jouerait moins les jolis cœurs avec un manche à balai réduit en spaghetti !

D'un autre côté, elle réagissait peut-être de façon excessive. Un baiser ne faisait pas un couple. Elle n'avait aucun droit sur lui, sur son emploi du temps, ou sur ses érections.

Quoique...

Assez de rationalité. Autant laisser parler l'instinct bestial, puisqu'il prenait toute la place. Ses sentiments pour Sam ne répondaient à aucune norme, composés à parts égales de furie et de passion. Il savait la faire sortir de ses gonds comme personne. Et il n'avait pas été loin de la vérité en prétendant qu'ils finiraient à poil le jour où ils s'embrasseraient. S'il avait mieux choisi le cadre de ses assauts, jamais elle n'aurait pu se ressaisir à temps.

Quitte à jouer à la minute de vérité, autant admettre dans la foulée qu'elle raffolait de leurs disputes. Avec chacun de ses trois ex-fiancés – avec la plupart des gens, en vérité –, elle avait sans cesse dû se contenir, surveiller son langage. Elle se savait grande gueule ; Shelley et David ne loupaient jamais une occasion de le lui rappeler. Sa mère avait essayé de la modérer, avec un relatif succès : l'élève Jaine avait appris à la boucler, constatant que ses réparties cinglantes laissaient ses camarades KO, incapables de suivre le rythme de son cerveau ultrarapide. Et elle avait vite compris que sa seule franchise suffisait à blesser les autres, même quand elle ne pensait pas à mal.

Son indéfectible amitié pour Marci, T.J. et Luna tenait précisément au fait que, aussi différentes soient-elles, aucune des trois ne prenait la mouche quand Jaine lançait ses piques. Et Sam lui offrait le même sentiment de liberté, parce qu'il était aussi grande gueule qu'elle, et tout aussi vif.

Elle refusait de le perdre. Voilà, c'était dit. Dès lors, il n'y avait pas trente-six solutions : soit elle prenait ses cliques et ses claques, comme elle l'avait envisagé en premier lieu, soit elle lui faisait passer l'envie de... jouer avec ses sentiments, bordel ! S'il existait une chose avec laquelle on ne plaisantait pas, c'était les sentiments de Jaine. Bon, d'accord, il y en avait une deuxième : la Viper. Quoi qu'il en soit, Sam méritait qu'on se batte pour lui. S'il hébergeait d'autres femmes dans son cœur ou dans son lit, elle n'avait qu'à les évincer, puis lui faire payer très cher le dérangement.

Voilà. Elle se sentait mieux. Sa ligne de conduite était fixée.

Elle arriva plus tôt que prévu, en raison de l'extrême fluidité du trafic. Elle aperçut Luna, qui sortait tout juste de sa Camaro blanche et paraissait aussi fraîche et reposée à 3 heures et quelque qu'à 9 heures. Elle portait une robe-portefeuille en soie dorée qui soulignait sa peau hâlée.

– Tu trouves pas ça glauque ? demanda-t-elle en retrouvant Jaine.

Elles se dirigèrent vers la porte arrière du bâtiment, conformément aux instructions.

– C'est assez inquiétant, confirma Jaine. Aucun être humain n'est censé être opérationnel à cette heure-ci.

Luna se gondola.

– Tous ceux qu'on a croisés sur la route doivent préparer un mauvais coup, dit-elle, sinon ils ne seraient pas là.

– Tous des dealers ou des pervers.

– Des putes...

– Des cambrioleurs de banques...

– Des assassins et des maris violents...

– Des stars du petit écran...

Elles riaient encore quand Marci atteignit le parking. Ses premières paroles furent :

– Vous avez vu tous ces tarés dans les rues ? Ils attendent minuit pour sortir, ou quoi ?

– Nous avons déjà eu cette discussion, répondit Jaine en

souriant. Vous imaginez si nous étions des reines de la nuit : devoir ramper sur le trottoir aux pâles heures du matin...

– J'ai connu ça, s'amusa Marci. Puis j'en ai eu marre de me faire écrabouiller les doigts.

Elle scruta les alentours.

– Je n'arrive pas à croire que j'ai précédé T.J. Elle est toujours en avance, et je suis toujours en retard.

– Galan lui a peut-être interdit de venir, suggéra Luna.

– Dans ce cas, elle m'aurait appelée, objecta Jaine.

Elle consulta sa montre : 3 h 55.

– Allons à l'intérieur. Avec un peu de chance, ils auront du café, et je dois refaire le plein si je veux dire des choses sensées.

Jaine avait déjà mis les pieds dans un studio de télévision. Aussi ne fut-elle pas étonnée par l'étroitesse et l'obscurité des lieux, ni par les gerbes de câbles courant à même le sol. Caméras et projecteurs se dressaient autour du plateau telles des sentinelles, et les moniteurs de contrôle gardaient un œil sur tout. Des gens en jean-baskets s'affairaient autour du périmètre. Une femme vêtue d'un luxueux tailleur pêche vint à leur rencontre, un sourire très professionnel aux lèvres, la main tendue.

– Bonjour. Je suis Julia Belotti, de *GMA*. Je présume que vous êtes les prochaines sur ma Liste ?

Elle distribua ses poignées de main tout en riant de son bon mot.

– C'est moi qui vais vous interviewer. Mais vous ne deviez pas être quatre ?

– T.J. est en retard, expliqua Marci.

– T.J. Yother, c'est ça ?

Mlle Belotti était fière de montrer qu'elle avait potassé ses fiches.

– Vous, je sais que vous êtes Marci Dean. J'ai vu votre bref passage aux infos régionales.

Elle se tourna vers Jaine, en fronçant légèrement un sourcil :

– Vous êtes... ?

– Jaine Bright.

– Votre visage va crever l'écran, lui promit Mlle Belotti. Et vous, vous devez être Luna Scissum. Honnêtement, si Mlle Yother est aussi séduisante que vous trois, nous allons faire un malheur. Vous savez que votre Liste fait grand bruit à New York, n'est-ce pas ?

– Pas vraiment, dit Luna. Nous sommes les premières surprises par cette effervescence.

– N'oubliez pas de dire ça pendant l'enregistrement, commanda Mlle Belotti tout en regardant sa montre.

Un zeste d'ennui commençait de lui rider le front, quand la porte s'ouvrit et que T.J. apparut, impeccablement coiffée et maquillée, dans une robe bleu vif qui lui rehaussait le teint.

– Désolée pour le retard, dit-elle en rejoignant le groupe.

Elle n'assortit ses excuses d'aucune explication, et Jaine décela des marques de fatigue sous son fard. Vu l'heure, elles avaient toutes de quoi être crevées, mais le visage de T.J. portait également les stigmates du stress.

– Où sont les toilettes des dames ? demanda Jaine. J'aimerais me repasser un coup de rouge à lèvres, puis trouver du café si toutefois vous en avez.

Mlle Belotti gloussa.

– Il y a toujours du café dans un studio de télé. Je vais vous indiquer les toilettes.

Elle les conduisit à travers un couloir.

Sitôt la porte refermée, toutes trois se tournèrent vers T.J.

– Tu vas bien ? demanda Jaine.

– Si tu veux parler de Galan, ouais, je vais bien. Je l'ai envoyé à l'hôtel hier soir. Bien sûr, il en aura peut-être profité pour retrouver sa maîtresse, mais c'est lui que ça regarde.

– Sa maîtresse ? s'écria Luna en écarquillant les yeux.

– L'enfoiré... articula Marci.

– Après ça, il peut difficilement t'engueuler au sujet de la liste, hein ? dit Jaine.

– Et c'est bien ce qui le gêne ! répondit T.J. dans un rire nerveux.

Elle vit leurs mines inquiètes.

– Eh ! je vais bien, les filles. S'il veut tuer notre mariage, je préfère le savoir dès maintenant. Ça m'évitera de perdre mon temps à essayer de sauver les meubles.

– Ça fait longtemps qu'il te trompe ? demanda Marci.

– Il me jure qu'il a toujours été fidèle, du moins sur le plan physique. Vous trouvez ça crédible, vous ?

– Bien sûr, dit Jaine, et le soleil se lève à l'ouest, c'est bien connu.

– Il dit peut-être la vérité, risqua Luna.

– Possible, mais peu probable, dit Marci sur son ton de connaisseuse. Ce qu'ils avouent n'est jamais que la partie visible de l'iceberg. La nature humaine est ainsi faite.

T.J. vérifia son rouge à lèvres.

– De toute façon, ça ne change pas grand-chose, dit-elle. S'il en aime une autre, peu importe qu'ils aient couché ensemble ou non. Si notre mariage doit être sauvé, ce sera à lui de faire le premier pas. En attendant, je compte bien aller jusqu'au bout de cette histoire de liste. Et si on nous propose de faire un bouquin, je suis pour à 200 %. On mérite bien un peu de pognon après ce qu'on a enduré.

– Ainsi soit-il, dit Marci avant d'ajouter : Brick est parti. Il s'est senti blessé.

Cette phrase les laissa sans voix, tant elle semblait inconcevable.

– S'il ne rentre pas, je vais devoir me remettre à la drague. Dieu que cette pensée m'afflige. Sortir en boîte, me faire offrir des verres... ça me débecte.

Elles sortirent des toilettes dans l'hilarité générale.

Mlle Belotti les attendait. Elle les emmena à la machine à café, où quatre tasses avaient été disposées à leur intention.

– Nous pourrons commencer dès que le cœur vous en dira.

Manière subtile de dire : fermez-la et assises !

– Le preneur de son doit agrafer vos micros et faire la balance, et nous devons ajuster l'éclairage. Si vous voulez bien me suivre...

Débarrassées de leurs effets personnels, elles prirent place, leur tasse à la main, sur le plateau arrangé comme un petit salon douillet, avec un canapé et deux fauteuils, des plantes vertes en plastique, et une petite lampe éteinte. Un type d'une vingtaine d'années vint leur poser de minuscules micros. Mlle Belotti pinça elle-même le sien au revers de son tailleur.

Aucune des trois n'avait pensé à mettre une veste. La robe portefeuille de Luna faisait l'affaire, ainsi que celle de T.J., dont l'encolure longeait ses clavicules. Mais Marci portait un débardeur à col roulé, si bien qu'elle se retrouva avec un micro coincé sous la gorge. Au moindre mouvement de tête, elle risquait de produire d'affreux bruits de frottement.

– Aïe, dit ensuite le technicien devant le décolleté de Jaine.

Elle ouvrit sa paume en souriant.

– Laissez-moi faire. Vous le préférez sur le côté ou pile au milieu ?

Il lui rendit son sourire.

– Au milieu, merci.

– Cessez votre numéro de charme, susurra-t-elle tout en glissant le micro sous son pull. Il est trop tôt pour ça.

– Je serai sage, promit-il en clignant de l'œil.

Il brancha l'extrémité du cordon, puis regagna sa console.

– Très bien. Maintenant il faudrait que vous parliez, l'une après l'autre, pour que je fasse mes réglages.

Mlle Belotti engagea une conversation anodine, en leur demandant si elles étaient natives de la région. Quand le preneur de son et les cameramen furent prêts, elle se tourna vers son producteur, qui procéda au compte à rebours et lui fit signe de se lancer. Alors elle introduisit son sujet, à savoir cette fameuse – « ou fumeuse, c'est selon » – Liste qui faisait jaser l'Amérique tout entière, puis présenta ses quatre invitées avant de poser sa première question :

– Y a-t-il un homme parfait dans vos vies respectives ?

Elles pouffèrent. Si elle savait !

Luna fit du genou à Jaine, qui se lança :

– Personne n'est parfait. Nous avons toujours pensé que cette liste relevait de la science-fiction.

– Science-fiction ou pas, les gens la prennent très au sérieux.

– Cela n'engage qu'eux, intervint Marci à son tour. Les qualités que nous avons recensées reflètent notre propre conception de l'homme parfait. Prenez quatre autres femmes, et vous obtiendrez une tout autre liste, ou du moins dans un ordre différent.

– Vous n'êtes pas sans savoir que les ligues féministes sont scandalisées par les critères physiques et sexuels énoncés. Après avoir tant bataillé pour que l'on cesse de juger les femmes sur leur apparence ou leurs mensurations, elles considèrent que vous leur faites insulte en inversant les rôles.

Luna leva un adorable sourcil.

– Pour moi, le féminisme vise avant tout à permettre aux femmes de dire ce qu'elles pensent en toute franchise. Nous avons écrit ce que nous voulions. Nous avons été sincères.

Elle aurait pu continuer ainsi pendant des heures ; à ses yeux, le politiquement correct était une abomination, et elle ne s'en était jamais cachée.

– D'autre part, nous n'avons jamais eu l'intention de diffuser la Liste, précisa T.J. C'est arrivé par accident.

– Vous auriez fait preuve de retenue si vous aviez su qu'elle serait publiée ?

– Sûrement pas, rétorqua Jaine. Au contraire, on aurait relevé la barre.

Et puis merde, pourquoi pas se fendre la poire un bon coup, comme l'avait proposé T.J. ?

– Vous disiez ne pas connaître d'homme parfait, lui rappela gentiment Mlle Belotti. Y a-t-il au moins un homme dans votre vie ?

La façon dont elle avait glissé cette pique forçait le respect, se dit Jaine tout en se demandant si l'objet de cette interview n'était pas de les dépeindre comme trois nanas incapables de garder un mec. Ce qui, étant donné leurs situations respectives, semblait toutefois frappé au coin du bon sens. Mais si Mlle Belotti cherchait la polémique, pourquoi la priver de ce plaisir ?

– Pas vraiment, répondit Jaine. Peu d'hommes sont de taille, voyez-vous.

Marci et T.J. pouffèrent. Luna se limita à un sourire. Un bref éclat nerveux fusa hors plateau.

Mlle Belotti se tourna vers T.J.

– Je crois savoir que vous êtes la seule femme mariée du groupe, madame Yother. Comment votre époux a-t-il réagi à cette Liste ?

– Il n'a guère apprécié, reconnut T.J. sans ambages. De même que je n'appréciais guère sa façon de loucher sur les fortes poitrines.

– Œil pour œil, c'est ça ?

– Ou coup pour coup, ne put s'empêcher d'ajouter Marci, convaincue d'être censurée au montage.

– À vrai dire, enchaîna Luna, la plupart des qualités recensées vont de soi. La première de toutes est la loyauté. On doit être loyal et fidèle envers son partenaire, et ça ne se discute pas.

– Mais tout de même, quand on lit l'article accompagnant la Liste, force est de constater que votre discussion portait essentiellement sur les critères physiques.

– On s'amusait, répondit calmement Jaine. Et puis, nous ne sommes pas masos ; bien sûr que nous voulons des hommes appétissants.

Mlle Belotti jeta un œil sur ses notes.

– Cet article ne mentionne pas vos noms, dissimulés derrière les lettres A, B, C et D. Laquelle de vous est A ?

– Nous ne souhaitons pas le divulguer, dit Jaine, qui sentait Marci se raidir sur la banquette.

– Les gens sont très curieux de savoir qui a dit quoi, ajouta cette dernière. J'ai reçu des appels anonymes dans ce sens.

– Moi aussi, dit T.J. Mais nous ne céderons pas. Nous n'étions pas d'accord sur tous les points, et certaines se montraient parfois plus gourmandes que les autres. Vous comprendrez, dès lors, qu'on veuille préserver notre intimité.

Quand elles eurent fini de rire, Mlle Belotti reprit ses questions individuelles.

– Vous avez quelqu'un, actuellement ? demanda-t-elle à Luna.

– Pas qu'un seul.

Prends ça, Shamal.

– Et vous, Marci ?

– Pas en ce moment.

Prends ça, Brick.

– Autrement dit, seule Mme Yother est en couple. Doit-on en conclure que vous demandez la lune ?

– Pourquoi reverrait-on nos exigences à la baisse ? s'insurgea Jaine, suite à quoi l'interview prit rapidement fin.

– Je suis vannée ! dit T.J. entre deux bâillements lorsqu'elles quittèrent le studio à 6 h 30.

Mlle Belotti ne manquait pas de biscuits pour monter un sujet ramené à une poignée de minutes. À un moment donné, elle avait délaissé ses notes pour défendre avec passion lc point de vue des féministes. Jaine doutait qu'un émission matinale puisse diffuser une seule seconde de cet échange, mais les techniciens avaient été fascinés.

Quel que soit le résultat final, il était programmé pour le lundi suivant. D'ici là, le fièvre serait peut-être retombée. Les gens avaient d'autres chats à fouetter, et la Liste avait largement dépassé le quart d'heure de gloire qui lui était imparti.

– Ces coups de fil commencent à m'inquiéter, dit Marci dans le lumière éblouissante du jour nouveau. Les gens sont imprévisibles, et y'a toujours un glandu pour s'exciter.

Jaine connaissait un glandu qu'elle avait particulièrement envie d'exciter. Si ce qu'elle avait dit passait à l'antenne, Sam pourrait y voir un défi personnel. Et elle y comptait bien, car c'était précisément le but de l'opération.

14

– Bon, dit Marci après que la serveuse du troquet leur eut servi le café et pris les commandes du petit déjeuner. Parle-nous un peu de Galan.

– Je n'ai pas grand-chose à ajouter, répondit T.J. en haussant les épaules. Il était à la maison quand je suis rentrée hier soir. Il m'a d'abord demandé de renoncer à certaines de mes amies – je vous laisse deviner lesquelles. J'ai rétorqué que pour chaque copine que j'abandonnerais, il devrait abandonner un de ses copains. Puis soudain – ce doit être l'intuition féminine –, je me suis demandé si sa froideur des deux années passées ne cachait pas une maîtresse.

– C'est quoi, son problème ? s'emporta Luna. Il ne mesure pas la chance qu'il a de t'avoir ?

T.J. sourit.

– T'es mignonne, va. Mais je ne baisse pas les bras, vous savez. On peut encore se réconcilier, ou bien se quitter pour de bon. Quoi qu'il advienne, je serai forte. J'ai beaucoup cogité la nuit dernière, et je reconnais que les torts sont partagés. Je ne prétends pas être parfaite.

– Sauf que toi, tu n'es pas allée voir ailleurs, fit remarquer Jaine.

– Je ne dis pas que nous sommes aussi fautifs l'un que l'autre. Galan va devoir retrousser ses manches s'il espère sauver notre couple. Mais moi aussi, j'ai des choses à me faire pardonner.

– Comme quoi ? demanda Marci.

– Eh bien, j'avoue que je n'ai pas fait beaucoup d'efforts pour entretenir la flamme. Et puis, à force de me plier à ses volontés pour lui faire plaisir, j'ai dû le frustrer. Aussi contradictoire que cela puisse paraître, j'ai moi-même terni l'image qu'il avait de moi. C'est comme si j'avais enterré tout ce qui pouvait faire mon charme. Je me suis cantonnée dans le rôle de la bonne maîtresse de maison, délaissant peu à peu celui d'épouse et d'amante. Je comprends qu'il se soit lassé.

– Il vaut mieux entendre ça que d'être sourde ! s'indigna Jaine. Quoi qu'il arrive, c'est toujours à nous de culpabiliser !

Elle baissa les yeux sur son café qu'elle touillait d'une main.

– Je sais, je sais, c'est parfois nécessaire, ajouta-t-elle. Ah ! putain, comme je déteste avoir tort...

– 25 cents ! lancèrent les autres en chœur.

Elle plongea la main dans son sac, mais ne parvint à réunir que 46 cents. Alors elle aplatit un dollar sur la table.

– Débrouillez-vous avec ça. Je dois refaire le plein de liquide. Sam m'a ruinée.

Trois paires d'yeux la dévisagèrent dans un silence parfait. Luna finit par demander :

– Sam ? Qui est Sam ?

– Vous savez, Sam, mon voisin.

Marci se pinça les lèvres.

– S'agirait-il de ce même voisin qui s'avéra flic après que tu nous l'aies dépeint tour à tour comme un abruti, un ivrogne, un dealer, un connard fini et une brute épaisse qui ne s'était ni rasé ni douché depuis des siècles ?

– Ouais, ouais, c'est bien lui.

– Et vous en êtes à tu et à toi ? demanda T.J., éberluée.

Jaine piqua un fard.

– En quelque sorte...

– Regardez, les filles ! s'écria Luna. Elle devient toute rouge !

– Ça devient flippant, dit Marci.

Les trois paires d'yeux clignaient de stupeur.

Jaine se recroquevilla sur son siège, les joues en feu.

– C'est pas ma faute, gémit-elle. Il a un pick-up rouge. Quatre roues motrices.

– Voilà qui change tout, dit T.J. en levant les yeux au plafond.

– Il est moins abruti que je ne pensais, c'est tout, se défendit Jaine. C'est quand même un abruti, mais il a de bons côtés.

– Dont le meilleur se trouve dans son froc, c'est ça ? devina Marci, l'andrologue de service.

– Taisez-vous ! commanda Jaine. Il ne s'agit pas de ça.

– Ah non ? murmura T.J. en se penchant sur la table. De quoi s'agit-il, alors ?

– D'un simple baiser, grosse maligne.

– On ne rougit pas pour un simple baiser, opposa Marci. Et surtout pas toi.

– On voit bien que vous n'avez jamais embrassé Sam, répondit Jaine d'un air hautain.

– C'était si bon que ça ?

Elle ne parvint à réprimer un soupir enchanté.

– Ouais. C'était si bon que ça.

– Ça a duré combien de temps ?

– Je vous dis qu'on a pas couché ensemble ! C'était juste un baiser.

De la même façon que la Viper était juste une voiture, ou l'Everest une colline.

– Je te parle du baiser, dit Marci avec impatience. Ça a duré combien de temps ?

Jaine sécha. Elle n'avait pas chronométré, bien sûr, accaparée qu'elle était par mille autres choses, tel cet orgasme montant et hélas ! avorté.

– J'en sais rien. Cinq minutes, peut-être.

Elles n'en croyaient pas leurs oreilles.

– Cinq minutes ? répéta T.J., fébrile. Cinq minutes pour un simple baiser ?

Ce maudit fard revenait à la charge, qui lui brûlait les joues comme un grille-pain.

Subjuguée, Luna secouait lentement la tête.

– J'espère que tu prends la pilule, parce que tu as largement dépassé la cote d'alerte. Ce Sam peut frapper à tout moment.

– Et c'est bien ce qu'il se dit ! répondit Jaine. Mais rassure-toi, j'ai fait renouveler mon ordonnance hier.

– Je vois que vous êtes sur la même longueur d'onde ! ricana T.J. Dites, les filles, ça se fête, non ?

– Tu dis ça comme si j'étais un cas désespéré.

– Disons simplement que ta vie sociale craignait un max, rectifia Marci.

– Mais pas du tout !

– À quand remonte ton dernier rancard ?

Jaine se savait prise au piège, parce qu'elle était incapable de répondre tant c'était loin.

– Je sors peu, et alors ? C'est un choix personnel. Mon tableau de chasse n'est guère reluisant, dois-je vous le rappeler ?

– Et en quoi Sam le flic est-il mieux que les autres ?

– En tout, répondit-elle d'un air évasif, l'esprit traversé d'images indicibles.

Après un moment d'absence, elle retrouva le plancher des vaches.

– La moitié du temps, j'ai envie de l'étrangler.

– Et l'autre moitié ?

– De le déshabiller.

– Les conditions semblent réunies pour une parfaite relation, estima Marci. Brick et moi n'avons jamais connu une telle ferveur, et il m'a pourtant duré plus d'un an.

Jaine fut ravie de voir que l'on changeait de sujet. Car comment leur expliquer ce qu'elle-même ne comprenait pas ? Sam était infernal, ils se battaient comme des chiffonniers chaque fois qu'ils se croisaient, et il avait découché la nuit dernière. La raison commandait de prendre le large plutôt que d'ourdir des embuscades.

– Qu'a-t-il dit ? demanda-t-elle au sujet de Brick.

– Pas grand-chose, ce qui m'a étonnée. D'ordinaire, quand Brick est contrarié, on dirait un môme de deux ans à qui on refuse d'acheter un jouet.

Elle posa le menton sur ses mains croisées.

– Je dois dire qu'il m'a bien bluffée. Je prévoyais des cris et des injures, en aucun cas du chagrin.

– Peut-être qu'il tenait vraiment à toi, dit Luna sans trop y croire elle-même.

Marci fit une moue dubitative.

– Notre relation était potable, mais ce n'était pas l'idylle du siècle. Et toi, de ton côté ? Des nouvelles de Shamal ?

Marci avait manifestement autant envie d'évoquer Brick que Jaine son Sam chéri.

– Eh bien oui, j'ai des nouvelles, répondit Luna d'un air songeur. Il m'a paru... comment dire... impressionné par toute cette publicité. Comme si j'étais soudain devenue quelqu'un d'important, vous voyez le genre ? Il m'a invitée à dîner, quand d'habitude il se contente de m'annoncer qu'il passera en coup de vent.

Leur box s'emplit d'un nuage de silence. Les quatre copines échangèrent des regards gênés. Le revirement de Shamal ne leur inspirait rien de bon.

Luna demeurait songeuse.

– J'ai dit non. Si je ne n'étais pas assez bien pour lui avant, je refuse de l'être à présent.

– Sage décision, dit Jaine. Doit-on comprendre que Shamal est officiellement de l'histoire ancienne, ou que vous êtes en stand-by ?

– On est en stand-by. Mais je n'ai pas l'intention de l'appeler. S'il veut me voir, il a mon numéro.

– Mais tu l'as rembarré, pointa Marci.

– Je ne l'ai pas envoyé sur les roses ; je lui ai simplement dit : « Désolée, j'ai d'autres projets. » S'il veut du sérieux, il va falloir changer les règles du jeu. Ce qui signifie que j'aurai mon mot à dire et que je cesserai d'être un pion qu'il déplace à sa guise.

– Eh bien, on forme une sacrée bande de paumées... soupira Jaine en se réfugiant dans son café.

– On est tout à fait normales, protesta T.J.

– C'est bien ce que je dis.

Elles riaient encore quand la serveuse apporta leurs assiettes. Leurs vies sentimentales étaient en miettes, mais qu'importe... Œufs brouillés et patates sautées étaient là pour les remonter.

Fidèles à la tradition du vendredi, elle dînèrent chez Ernie. Jaine peinait à croire qu'une semaine seulement s'était écoulée depuis qu'elles avaient accouché de leur Liste. Tant de choses avaient changé en l'espace de sept jours. À commencer par l'ambiance du restaurant, où elles furent accueillies par une salve d'applaudissements mêlée à un concert de huées. Un petit groupe de femmes, quelques féministes outrées probablement, participait au second.

– Vous croyez ça, vous ? grommela T.J. au moment de s'attabler. Si on était des prophètes, ils n'hésiteraient pas à nous lapider.

– On lapidait les femmes de mauvaise vie, rectifia Luna.

– Alors on est vraiment en danger, conclut Marci d'un

sourire. Mais je n'ai pas peur. Que ceux qui ont des choses à dire viennent nous les dire en face.

Leur serveur habituel apporta leurs apéritifs habituels.

– Vous êtes de vraies stars, les filles !

Si certains articles de la Liste l'avaient contrarié, il se gardait bien de le montrer. Ou alors il n'avait pas suivi l'affaire.

– Sais-tu que c'est vendredi dernier, sur cette table-là, que la Liste a vu le jour ? lui demanda Jaine, solennelle.

– C'est vrai ? dit-il en examinant ladite table. Eh ben, quand mon patron saura ça...

– Elle va devenir un objet culte. Il devrait l'encastrer pour que personne ne la vole.

Le garçon fronça un sourcil.

– Je doute qu'il puisse faire ça. Ce n'est pas un animal.

Debout depuis 2 heures du matin, Jaine fonctionnait au ralenti. Aussi mit-elle un certain temps avant de comprendre que le serveur parlait de la *table*.

– Je n'ai pas dit « castrer » mais « encastrer ».

– Ah ! d'accord ! expira-t-il, comme délivré d'un poids. Je ne voyais pas comment faire ça à une table.

– Il suffit de quatre personnes, répondit Jaine. Chacune lui tient un pied.

T.J. enfouit sa tête dans ses bras pour étouffer son rire. Les yeux de Marci brillaient mais elle parvint, d'une voix chevrotante, à passer sa commande. Et Luna, la plus zen des quatre, attendit que le serveur soit retourné en cuisine pour porter une main devant sa bouche et se noyer dans des larmes hilares.

La soirée s'annonçait moins tranquille que de coutume. Les dîneurs défilaient à leur table pour les insulter ou les féliciter. Et quand on apporta leurs assiettes, elles comprirent que le cuistot appartenait au camp des humiliés.

– Cassons-nous, finit par dire Marci, écœurée. Quand bien même ce charbon de bois serait comestible, ces emmerdeurs ne nous laisseraient pas une seconde pour le manger.

– On paie l'addition ? demanda Luna en examinant un palet de hockey faisant office de hamburger.

– En temps normal, je dirais non, répondit Jaine. Mais ce n'est pas le moment de taper un scandale. Je n'ai pas envie de faire la une des gazettes demain matin.

Résignées, elles se levèrent en soupirant, et alignèrent les billets à côté de leurs assiettes inentamées. Il était à peine 18 heures. Dehors, le soleil n'avait pas commencé de se coucher et il faisait une chaleur à crever.

Elles retrouvèrent leurs voitures respectives. Jaine démarra la Viper et resta immobile quelques instants à savourer le ronflement racé de son puissant moteur. Elle monta la ventilation au maximum et braqua les arrivées d'air sur son visage.

Elle ne voulait pas rentrer à la maison pour se planter devant la télé, de peur que la Liste ne réapparaisse à l'écran. Au lieu de ça, elle décida de faire son plein de la semaine, ce qui libérerait son samedi d'une corvée. Elle remonta Van Dyke vers le nord, jusqu'aux abords de l'usine General Motors, et elle dut résister à la tentation de bifurquer sur la droite, où se trouvait le commissariat de Warren. À quoi bon rechercher un pick-up rouge ou une Pontiac déglinguée sur le parking des flics ? Tout ce qu'elle voulait, c'était remplir son coffre de provisions et retrouver BooBoo qui, après être resté si longtemps sans surveillance, avait dû entamer le second coussin.

Jaine n'était pas du genre à flâner dans les supermarchés. Pressée d'en finir, elle s'élança dans les rayons à la vitesse d'une formule 1, slalomant avec son Caddie qu'elle remplit de choux, de laitues et de fruits avant de se ruer du côté des viandes. Elle cuisinait peu, car le célibat ne souffrait pas ce genre de complications, mais elle aimait de temps à autre faire cuire un bon rôti, qui remplirait ses sandwiches pendant toute une semaine. Et puis il y avait la nourriture de BooBoo, ô combien indispensable...

Un bras s'enroula autour de sa taille et une grosse voix demanda :

– Je t'ai manqué ?

Si elle parvint à muer son cri en simple glapissement, elle fit un bond d'au moins trente centimètres qui faillit la projeter dans une pyramide de boîtes de Whiskas. Retrouvant l'équilibre, elle pivota, ramena prestement le Caddie entre eux deux, et dévisagea l'assaillant d'un air horrifié.

– Désolée, mais je ne vous connais pas. Vous avez dû me confondre avec quelqu'un d'autre.

Sam se renfrogna. Les clients suivaient la scène avec intérêt. Une femme semblait prête à appeler les flics au premier geste louche.

– Très drôle, grogna-t-il tout en entrouvrant sa veste afin de révéler le gros flingue noir à sa ceinture.

Son badge étant épinglé au même niveau, la tension retomba dans les allées à mesure que se propagèrent les trois mots : « C'est un flic. »

– Va-t'en, dit Jaine. Je suis occupée.

– Je vois ça. Tu t'entraînes pour le prochain Grand Prix ? Ça fait cinq minutes que je te file le train dans les allées.

– Sûrement pas, dit-elle en consultant sa montre. Ça ne fait pas cinq minutes que je suis là.

– Trois minutes, alors. J'ai vu passer un éclair rouge sur Van Dyke, et je l'ai pris en chasse, supposant que c'était toi.

– Ta bagnole est équipée d'un radar ?

– J'ai pris le pick-up, pas la Pontiac.

– Dans ce cas, tu ne peux pas prouver que j'étais en excès de vitesse.

– J'suis pas venu te foutre une contravention, merde !

Cela dit, si tu ne ralentis pas le rythme, je me ferai un plaisir d'appeler les vigiles.

– Si je comprends bien, tu es venu dans le seul but de m'énerver ?

– Non, dit-il en luttant de toutes ses forces pour garder son calme. Je suis venu parce que j'étais en déplacement, et que je m'inquiétais pour toi.

– En déplacement ? dit-elle en écarquillant les yeux.

Il serra les dents, ce qu'elle vit à la contraction de ses zygomatiques.

– Je sais, j'aurais dû t'appeler.

Les mots sortaient de sa gorge comme sous la torture.

– Vraiment ? Pourquoi ça ?

– Parce que nous sommes...

– Voisins ?

Cela devenait drôlement amusant, dans la limite autorisée par le manque de sommeil.

– À cause de ce truc entre nous deux, dit-il d'un air rageur, comme si le « truc » en question était fort ennuyeux.

– Un truc ? Je ne donne pas dans les « trucs ».

– Attends que je sorte le mien, marmonna-t-il dans sa barbe.

Mais Jaine avait tout entendu, et elle s'apprêtait à lui régler son compte quand surgit un gamin d'une huitaine d'années qui lui planta un fusil laser en plastique dans les côtes, et émit une série de rafales électroniques en s'acharnant sur la gâchette.

– T'es morte ! dit-il, triomphant.

Sa mère accourut.

– Arrête ça, Damian ! dit-elle avec une grimace qui se voulait un sourire. Laisse ces braves gens tranquilles.

– Tais-toi ! commanda-t-il. Tu vois pas que c'est des espions de Vega ?

– Veuillez m'excuser, dit la mère en tentant de neutraliser son bambin. Reviens ici, Damian, ou tu seras privé de dessert !

Jaine ne put s'empêcher de lever les yeux au ciel. Le gosse lui renfonça son arme dans les côtes.

– Aïe !

De son plus beau sourire, elle se pencha sur le petit Damian et dit, de sa plus belle voix d'extraterrestre :

– Oh ! regarde, un petit Terrien.

Puis, se redressant, elle ordonna à Sam :

– Tue-le.

Les yeux de Damian faillirent quitter leurs orbites devant le gros pistolet noir de Sam. Le môme se mit à couiner comme une alarme de voiture.

Sam grommela quelques jurons, empoigna Jaine par le bras, et la traîna d'un pas vif vers la sortie du magasin.

– Eh ! mes courses !

– Tu trouveras bien trois minutes pour les récupérer demain, dit-il en luttant pour contenir sa rage. Pour l'instant, je tâche de t'éviter une arrestation.

– Et pour quel motif ? s'insurgea-t-elle tandis qu'ils franchissaient les portes automatiques.

Des clients se retournaient sur leur passage, mais la plupart restaient captivés par les hurlements de Damian dans l'allée numéro 7.

– Que dirais-tu de « menace de mort sur un mineur et incitation à l'émeute » ?

– Je n'ai jamais menacé de le tuer ! Je t'ai juste demandé de le faire.

Elle avait du mal à suivre la cadence. Sa longue jupe n'était pas conçue pour le footing.

Ils tournèrent au coin du bâtiment, à l'abri des regards, et il la plaqua contre le mur.

– Je suis en dessous de tout, gémit-il.

Elle l'observait sans rien dire.

– J'étais à Lansing, dit-il en rapprochant son nez du sien. Je passais un entretien pour un nouveau poste.

– Tu ne me dois aucune explication.

Il se redressa et regarda le ciel, comme s'il implorait l'aide du Tout-Puissant. Elle décida de lâcher du lest.

– D'accord, je reconnais qu'un simple coup de fil ne m'aurait pas choquée.

Il grommela quelques mots incompréhensibles. Elle devinait leur teneur, mais Sam n'était pas soumis au même régime qu'elle en termes de jurons. Dommage, car elle aurait décroché le jackpot.

Elle l'attrapa par les oreilles, tira, et l'embrassa.

Il la serrait si fort qu'elle peinait à respirer, mais Dieu sait si elle avait d'autres priorités. Le sentir contre elle, le goûter... Le pistolet n'ayant pas changé de place, c'était forcément autre chose qu'elle sentait pousser contre son ventre. Elle gigota pour en avoir le cœur net. Oui, il s'agissait bien d'autre chose.

Il releva la tête, à bout de souffle.

– Tu choisis toujours les endroits les plus merdiques, dit-il en scrutant les alentours.

– Tu plaisantes ? J'étais tranquillement en train de faire mes courses quand deux maniaques – je dis bien deux – m'ont agressée !

– Tu n'aimes pas les enfants ?

– Je te demande pardon ?

– Tu n'aimes pas les enfants ? Tu voulais que j'en tue un.

– J'aime la plupart d'entre eux, mais pas celui-là. Il m'a enfoncé les côtes.

– Je t'enfonce bien le ventre...

Elle décocha un sourire tendre, de ceux qui le faisaient frissonner.

– Certes, mais pas avec un pistolet laser en plastique.

– Tirons-nous d'ici, dit-il d'un air désespéré.

15

– Je t'offre un café ? proposa Jaine en ouvrant la porte extérieure de la cuisine. Ou tu préfères un thé glacé ?

– Un thé, répondit-il, brisant aussi sec le mythe du flic dopé à la caféine.

Il promena son regard dans la cuisine.

– Comment se fait-il que cette pièce semble plus habitée que la mienne, alors que tu n'es là que depuis deux semaines ?

Elle feignit d'y réfléchir.

– Je crois qu'on appelle cela « défaire ses cartons ».

Il examina le plafond.

– Aurais-je loupé cette étape-là ? dit-il à l'adresse du plâtre, l'air à moitié convaincu.

Jaine l'observait en continu tandis qu'elle sortait deux verres du placard et les garnissait de glaçons. Elle sentit sa pression artérielle atteindre de nouveaux pics, comme chaque fois qu'ils se trouvaient ensemble. Contrariété, excitation, désir... il y avait toujours une bonne raison. Dans l'espace confiné de la petite cuisine, il paraissait encore plus grand. Ses épaules larges comme la porte et sa taille de géant reléguaient la table carrelée au rang d'accessoire pour maison de poupée.

– C'était pour quel genre de poste, cet entretien ?

– Police de l'État, brigade anticriminalité.

Elle sortit le broc de thé du frigidaire et remplit les deux verres.

– Du citron ?

– Non, nature.

Il prit le verre qu'elle lui tendait, et leurs doigts s'effleurèrent. Il n'en fallut pas plus pour attiser les seins de Jaine. Mais c'était sa bouche que Sam contemplait.

– Félicitations, dit-il.

Elle ne comprit pas.

– En quel honneur ?

Pourvu qu'il ne fasse pas allusion à cette maudite Liste. Seigneur, la Liste... Ça lui était complètement sorti de la tête. L'avait-il lue en entier, article du *Hammerhead* compris ? Bien entendu. Fallait pas rêver.

– Tu n'as pas juré une seule fois en une demi-heure. Même lorsque je t'ai délogée du supermarché.

– Vraiment ?

Elle était drôlement fière. À croire que son subconscient n'était pas insensible au système de pénalités. Les gros mots continuaient d'affluer dans son esprit, mais elle réussissait à les refouler.

Il souleva son verre et but. Fascinée, elle regarda sa pomme d'Adam à l'œuvre. Elle brûlait de se jeter sur lui pour le déshabiller. Allons bon, quoi encore ? Elle voyait des hommes boire depuis qu'elle était née, et ils n'avaient jamais produit un tel effet sur elle, pas même ses trois ex-fiancés.

– Un deuxième ? demanda-t-elle quand il reposa le verre vide.

– Non, merci.

Ses yeux de braise balayèrent le corps de Jaine, puis s'arrêtèrent sur sa poitrine.

– Tu as l'air complètement naze aujourd'hui. Il s'est passé quelque chose de particulier ?

Elle n'allait pas éviter le sujet, aussi délicat fût-il.

– On s'est fait interviewer pour *Good Morning America.* À 4 heures du matin, tu te rends compte ? J'ai dû me lever à 2 heures, et j'ai passé toute la journée dans le colletar.

– La Liste est si médiatisée que ça ?

– Hélas oui ! dit-elle d'un air morose en s'asseyant à la table.

Lui aussi prit une chaise, qu'il installa à côté de la sienne.

– Je l'ai dénichée sur le Web. Et j'avoue que tu m'as bien fait rire, Mademoiselle C.

Elle fit des yeux ronds.

– Comment t'as deviné ?

Il s'esclaffa.

– Même sur papier je sais reconnaître ta grande gueule. « Tout ce qui excède 20 centimètres ne sert qu'à tourner dans des films. »

– J'aurais dû me douter que tu ne retiendrais que les trucs de cul.

– Le cul me travaille beaucoup ces temps-ci. Mais, soit dit en passant, je ne suis pas outillé pour faire du X.

Il ne manquait pourtant pas grand-chose, songea Jaine en se délectant du souvenir de son profil.

– Ce qui me rassure, ajouta-t-il, c'est que j'ai encore moins d'avenir dans les docus sur les eunuques.

Jaine éclata de rire, se renversant sur son siège avec une telle force qu'elle se retrouva par terre. Elle resta là, assise à se tenir les côtes, qui avaient pratiquement cessé de la faire souffrir mais qui, à ce régime-là, décidèrent de remettre ça. BooBoo s'approcha prudemment, puis choisit la sécurité en se réfugiant sous la chaise de Sam. Lequel se pencha et prit le chat sur ses genoux pour caresser son petit corps. BooBoo ferma les yeux et se mit à vrombir. Sam observa Jaine en silence, jusqu'à ce que ses spasmes se muent en simples halètements.

Ses glandes lacrymales s'étaient drôlement déchaînées. Son reste de mascara avait dû finir au ruisseau, se dit-elle.

– Besoin d'aide pour te relever ? demanda Sam. Mais attention : si je pose mes mains sur toi, je ne réponds plus de rien.

– Je vais me débrouiller, merci.

Avec précaution, et non sans difficulté à cause de sa longue jupe, elle se remit sur ses jambes et s'épongea le visage avec une serviette en papier.

– Comment s'appelle-t-il déjà ? BooBoo ? Tu parles d'un nom !

– C'est à ma mère qu'il faut dire ça.

– Tout chat mérite un nom décent. Appeler un matou BooBoo, c'est comme prénommer son fils Alice. BooBoo devrait s'appeler Tiger, Roméo...

Jaine secoua la tête.

– Roméo est exclu.

– Tu veux dire qu'il est... ?

Elle hocha la tête.

– Dans ce cas, BouBoo un prénom qui lui sied à merveille, quoique Bou-Mou me semble encore plus approprié.

Jaine dut se presser les côtes très, très fort pour réprimer un nouveau fou rire.

– T'es bien un mec, toi.

– Et que voulais-tu que je sois ? Une ballerine ?

Non, elle le voulait tel quel. Personne ne l'avait jamais émoustillée à ce point, ce qui tenait du prodige, étant donné qu'une semaine plus tôt ils n'échangeaient encore que des insultes. Deux jours seulement s'étaient écoulés depuis leur premier baiser, quarante-huit heures qui avaient paru interminables, jusqu'à ce qu'elle l'empoigne par les oreilles sur le parking du supermarché.

– Comment va ton ovule ? demanda-t-il en plissant légèrement les paupières.

Elle comprit que les pensées de Sam n'étaient guère éloignées des siennes.

– Paix à son âme, répondit-elle.

– Alors, allons au pieu.

– Tu crois qu'il suffit de dire « allons au pieu » pour que je m'allonge ? s'indigna-t-elle.

– Non. J'avais prévu quelques amuse-gueule avant ça.

– Je ne m'allongerai nulle part.

– Pourquoi ça ?

– Parce que j'ai mes règles.

Tiens, elle n'avait pas souvenance d'avoir jamais dit ça à un homme, a fortiori sans éprouver la moindre gêne.

Les sourcils de Sam formèrent un V pointu.

– Tes *quoi* ? demanda-t-il en haussant le ton.

– Mes règles. Menstruations. Tu en as peut-être entendu parler. Il s'agit de...

– Avec deux sœurs, je pense avoir quelques notions sur le sujet ! Et je sais notamment que l'ovule est fécondable vers le milieu du cycle, mais sûrement pas les deux derniers jours !

Grillée.

Elle se mordit les lèvres.

– OK, j'ai menti. Mais on n'est jamais à l'abri d'un retard de calendrier, et je ne voulais prendre aucun risque, d'accord ?

Visiblement, il n'était pas d'accord du tout.

– Tu m'as repoussé, dit-il en fermant les yeux, comme accablé de douleur. J'étais au bord l'agonie, et tu m'as repoussé !

– À t'entendre, c'est comme si je t'avais trahi.

Il rouvrit ses yeux de braise.

– Et pourquoi pas maintenant ?

Il était aussi romantique qu'une pierre, pensa-t-elle en se demandant comment elle avait pu s'enticher de lui.

– J'imagine que ta conception des préliminaires se limite à la question : « T'es réveillée ? »

Il écarta cette pique d'un revers de la main.

– Pourquoi pas maintenant ? insista-t-il.

– Non.

– Quoi encore ? grogna-t-il en se renversant sur son siège. Qu'est-ce qui ne va pas, cette fois-ci ?

– Je t'ai dit que j'avais mes règles.

– Et alors ?

– Et alors... non.

– Mais pourquoi ?

– Parce que j'ai pas envie ! cria-t-elle. Lâche-moi un peu, tu veux ?

Il soupira.

– J'ai compris. Syndrome prémenstruel, c'est ça ?

– Comme son nom l'indique, le syndrome prémenstruel *précède* les règles, imbécile.

– Tu parles ! Interroge n'importe quel homme et tu verras ce qu'il en pense.

– Comme si vous étiez experts sur le sujet.

– Les seuls experts en syndrome prémenstruel sont bien les hommes, ma chérie. C'est pour ça qu'ils savent si bien faire la guerre : c'est à la maison qu'ils ont appris l'art de la fuite.

Elle voulut lui balancer une poêle à frire à la figure, mais primo BooBoo se trouvait dans le champ de tir, secundo il fallait d'abord en trouver une.

Un rictus étira les lèvres de Sam.

– Tu sais pourquoi on appelle ça le « syndrome prémenstruel » ? demanda-t-il.

– Arrête ça tout de suite. Seules les femmes ont droit de plaisanter là-dessus.

– Parce que « maladie de la vache folle » était déjà pris.

Oublions la poêle à frire. Elle se mit en quête d'un couteau.

– Sors de chez moi !

Il reposa BooBoo et se leva, manifestement paré pour la fuite.

– Calme-toi, dit-il en se protégeant derrière la chaise.

– Ferme ta gueule ! Putain, qu'est-ce que j'ai fait de mon couteau de boucher ?

Elle scrutait la pièce d'un air impuissant. Si seulement elle avait emménagé plus tôt, elle saurait où étaient rangées ses affaires.

Lâchant la chaise, il contourna la table, et captura Jaine par les poignets.

– Tu me dois 50 cents, dit-il, tout sourire, en la pressant contre lui.

– Alors là, tu peux te brosser. Tu sais que ça ne compte pas quand c'est toi qui provoques.

Elle souffla sur les mèches qui lui voilaient la vue.

Il baissa la tête et l'embrassa.

Le temps suspendit à nouveau son vol. Sam avait dû lui lâcher les poignets, car elle parvint à les nouer derrière son cou. Son parfum chaud et viril avait l'odeur du sexe, qui emplissait les poumons et transperçait la peau de Jaine. Il pressa une paluche contre ses fesses et la souleva pour parfaire l'emboîtement de leurs corps.

La longue jupe droite empêchait Jaine d'accrocher ses jambes à sa taille. Comme c'était frustrant. À en pleurer.

– On ne peut pas, murmura-t-elle quand il relâcha la pression sur ses lèvres.

– On peut faire d'autres choses, répliqua-t-il en s'asseyant pour la coucher sur ses genoux, de biais, un bras sous sa taille.

Il glissa ses doigts agiles dans l'échancrure du pull-over.

Elle ferma les yeux, transportée par l'intrusion de ses phalanges dans le bonnet du soutien-gorge. Sam expira un grand coup, puis tous deux retinrent leur souffle lorsque sa main épousa la forme de son sein, découvrant son volume, sa douceur et la texture de sa peau.

En silence, il reprit sa main et lui ôta son pull, puis dégrafa habilement le soutien-gorge et décrocha les bretelles pour le laisser tomber à terre.

Allongée sur les genoux de Sam, à demi nue et haletante, elle le regardait l'admirer. Elle-même connaissait ses seins, mais que valaient-ils sous le regard d'un homme ? Ils n'étaient pas énormes, mais fermes et fiers. Ses tétons étaient fins et bruns, et doux comme du velours comparés au doigt rugueux qu'il utilisa pour circonscrire l'un d'eux, ce qui acheva de le durcir.

Le plaisir se diffusa dans son corps, et elle dut serrer les jambes pour le contenir.

Sam la souleva, accentuant ainsi la cambrure de ses reins, et plongea son visage dans sa poitrine.

Il se montra d'une douceur infinie, aux antipodes de ses baisers voraces. Il frotta son nez contre la partie inférieure de ses seins, détailla ainsi ses courbes, et passa délicatement sa langue sur ses mamelons qui atteignirent leur stade ultime de compression. Quand il y posa enfin la bouche, avec lenteur et détermination, elle se sentit électrisée.

Lorsqu'il s'arrêta, c'était de son propre chef. Il tremblait, frémissant sous elle comme s'il grelottait, alors que sa peau était bouillante. Il redressa Jaine et colla son front contre le sien, les paupières serrées, tandis que ses mains sillonnaient ses reins et son dos nus.

– Si jamais tu me laisses entrer, lâcha-t-il comme un pénible aveu, je ne tiendrai pas plus de deux secondes.

Elle avait perdu la tête. Car comment expliquer que deux secondes de Sam soient à ce jour la perspective la plus grisante de sa vie ? Elle le fixa avec des yeux vitreux et une bouche goulue. Elle voulait ces deux secondes. Elle en bavait d'avance.

Il baissa les yeux sur ses seins et se mit à geindre comme un animal blessé. Puis il se pencha et ramassa le pull.

– Tu ferais peut-être mieux de te rhabiller.

– Peut-être bien, répondit-elle sans en penser un traître mot.

Mais ses bras semblaient paralysés, qui restaient enveloppés autour du cou de Sam.

– Soit tu remets ton pull, soit on file dans la chambre. Tu parles d'une menace. Chaque cellule de son corps criait : « Oui ! Oui ! Oui ! » Mais tant que sa langue ne s'y mettait pas, Jaine pouvait tenir bon. En revanche, son projet de le faire languir indéfiniment avait du plomb dans l'aile. Torturer Sam semblait soudain beaucoup moins drôle, car cela revenait à se torturer soi-même.

Sam enfonça les bras de Jaine dans les manches du pull, le passa autour de sa tête, et l'ajusta sur son buste. Jaine vit qu'il était retourné, avec les coutures à l'extérieur, mais quelle importance ?

– Tu cherches à me tuer, déclara-t-il. Mais je me vengerai.

– Comment ? demanda-t-elle en se blottissant contre son torse.

Sa colonne vertébrale était aussi amorphe que ses bras.

– Au lieu des trente minutes de bon temps que tu revendiques, je ne t'en offrirai que vingt-neuf.

– Je croyais que ton record s'élevait à deux secondes.

– Seulement la première fois. Après ça, on va mettre le feu.

Elle s'estima en devoir de quitter les genoux de Sam. Son pénis en érection appuyait sur sa jambe comme une barre à mine, et leur petite discussion n'arrangeait rien. Si elle était vraiment, vraiment décidée à ne pas faire l'amour sur-le-champ, il fallait qu'elle se relève. En même temps, elle avait vraiment, vraiment envie de coucher avec lui, et seule une minuscule région de son cerveau l'invitait encore à la prudence.

Mais cette minuscule région était tenace. La vie avait appris à Jaine qu'il ne fallait pas croire aux contes de fées, et qu'une attirance sexuelle, aussi extrême fût-elle, ne suffisait pas à faire un couple.

Elle se racla la gorge.

– Je devrais peut-être me lever.

– Pas de geste brusque, hein ?

– C'est si proche que ça ?

– On pourrait le surnommer Etna.

Elle descendit de ses genoux en douceur et, grimaçant, il se releva avec peine. Le haut de son pantalon tombait bizarrement, à la manière d'une toile de tente. Jaine s'efforça de détourner les yeux.

– Parle-moi de ta famille, lança-t-elle.

– Quoi ?

Avait-il loupé un épisode ?

– Ta famille. Parle-moi un peu d'elle.

– Pourquoi ?

– Pour ne plus penser à... tu sais quoi. Donc, tu disais avoir deux sœurs.

– Et quatre frères.

– Sept enfants ? La vache...

– Eh oui ! Malheureusement, ma sœur Dorothy était la troisième, et mes parents tenaient à lui offrir une petite sœur. Ils ont eu trois autres garçons avant d'y arriver.

– Et tu es le combientième ?

– Le numéro deux.

– Vous formez une famille soudée ?

– On peut dire ça. On vit tous dans le Michigan, sauf Angie, le bébé, qui est en fac à Chicago.

La diversion portait ses fruits ; il paraissait plus détendu, quoique ses yeux peinent à s'arracher de sa poitrine sans soutien-gorge. Elle décida, pour l'occuper, de lui remplir son verre.

– Tu n'as jamais été marié ?

– Si, il y a une dizaine d'années.

– Et qu'est-il arrivé ?

– T'es bien curieuse, ma grande. Elle n'aimait pas être la femme d'un flic, je n'aimais pas être le mari d'une garce.

Fin de l'histoire. Elle est partie sur la côte ouest sitôt les papiers signés. Et toi ?

– T'es bien curieux, mon grand, répliqua-t-elle avant d'être frappée d'une grave question : Tu trouves que je suis une garce ?

Dieu sait qu'elle ne lui avait pas toujours montré le meilleur d'elle-même. Ou plus exactement, elle ne lui avait *toujours pas* montré le meilleur d'elle-même.

– Non, non. T'es vraiment flippante, mais tu n'as rien d'une garce.

– Merci du fond du cœur, murmura-t-elle.

Puis d'ajouter, fair-play :

– Non, je ne me suis jamais mariée, mais j'ai été fiancée trois fois.

Il se figea, son verre à dix centimètres de ses lèvres.

– Trois fois ?

Elle acquiesça.

– Je ne suis pas fortiche pour les rapports hommes-femmes.

Il fixa de nouveau sa poitrine.

– Ne sois pas injuste avec toi-même. Je te trouve très forte dans ton genre.

– Tu dois être un mutant.

Elle haussa les épaules d'un air dépité.

– Mon second fiancé a décidé qu'il aimait toujours son ex, qui d'après moi n'était pas si ex que ça, d'ailleurs. Quant aux deux autres, je ne saurais dire au juste pourquoi ça n'a pas marché.

– Ils ont dû prendre peur, ricana-t-il.

Peur ? Sans trop savoir pourquoi, ce mot lui fit un peu mal.

– Je ne suis pas une mégère, quand même ?

– Pire que ça, dit-il avec entrain. Une vraie sorcière ! Mais rassure-toi, j'ai le balai qu'il te faut. Maintenant, si tu veux bien remettre ton pull à l'endroit, je t'invite à dîner. Que dirais-tu d'un hamburger ?

– Je préférerais un chinois, dit-elle en s'engageant dans le petit couloir menant à la chambre.

– Je l'aurais parié.

16

Corin ne pouvait pas dormir. Il se leva, alluma l'ampoule de la salle de bains, et se planta devant le miroir pour vérifier s'il était toujours là. Le visage qui le fixait appartenait à un étranger, mais les yeux étaient familiers. Ces yeux le fixaient depuis qu'il était né, sauf lorsqu'il s'éclipsait.

Une collection de flacons jaunes s'alignait par ordre de taille sur le rebord du lavabo, afin qu'il songe à prendre ses comprimés chaque matin. Mais cela faisait plusieurs jours – il ne savait plus combien au juste – qu'il n'y avait pas touché. Il pouvait à présent se voir, alors que les pilules embrumaient son esprit ainsi que son reflet dans la glace.

Il valait mieux, disaient les médecins, rester caché dans la brume. Les pilules étaient si efficaces qu'il lui arrivait même d'oublier sa propre présence. Mais il y avait toujours un hic quelque part, un petit détail qui clochait, et il en connaissait enfin la cause. Les pilules pouvaient certes le cacher, mais pas le faire disparaître.

Il n'avait pas fermé l'œil depuis sa dernière prise. Il était parfois somnolent, bien sûr, mais le vrai sommeil ne venait plus. Il éprouvait parfois une sensation d'ébranlement intérieur, mais quand il tendait les bras ses mains ne tremblaient pas. Les pilules entraînaient-elles une accoutumance ? Les toubibs lui auraient-ils menti ? Il ne voulait pas devenir toxicomane ; la dépendance est une faiblesse, lui avait bien dit sa mère. Il refusait d'être dépendant car il refusait d'être faible. Il se devait d'être fort, il se devait d'être parfait.

Dans son esprit retentit l'écho de la voix de Mère : « Mon parfait petit homme », disait-elle en lui caressant la joue.

Chaque fois qu'il lui avait manqué de respect, qu'il avait failli à son devoir de perfection, elle s'était mise dans une telle colère qu'il avait cru sentir la terre se dérober sous ses pieds. Il aurait fait n'importe quoi pour ne pas la décevoir, et pourtant il avait gardé un terrible secret : il lui était arrivé de désobéir, juste un peu, dans le seul but d'être puni. Aujourd'hui encore le souvenir de ces châtiments le faisait frissonner de plaisir. Mais ce vice honteux aurait tellement déçu sa mère qu'il avait toujours pris soin de le dissimuler.

Comme elle lui manquait parfois. Elle qui savait toujours quoi faire.

Elle saurait, par exemple, que faire de ces quatre garces qui l'humiliaient. Comme si elles savaient en quoi consistait la perfection ! Lui le savait. Sa mère l'avait su. Il avait travaillé d'arrache-pied pour devenir son parfait petit homme, son fils parfait, mais il n'y était jamais parvenu, même lorsqu'il ne commettait pas quelque bêtise volontaire dans l'espoir d'être châtié. Il avait toujours eu conscience d'être affublé d'une tare insurmontable ; d'être voué, par essence même, à décevoir éternellement sa mère.

Elles se croyaient tellement malignes, les quatre garces – il aimait la sonorité de ces trois mots : les Quatre Garces, comme quelque déité malfaisante de la Rome antique. Les Furies, les Grâces, les Garces... Pas folles, elles s'étaient abritées derrière les lettres A, B, C et D. Il y en avait une qu'il détestait particulièrement, celle qui avait dit : « Quand un homme n'est pas parfait, il doit redoubler d'efforts. » Qui étaient-elles pour déclarer de telles choses ? Savaient-elles seulement ce que c'était d'affronter une norme tellement inaccessible que seule la perfection pouvait l'atteindre, et d'échouer jour après jour ?

Savaient-elles ce qu'il avait enduré à persévérer tout en sachant en son for intérieur qu'il était condamné à l'échec, au point d'apprendre à aimer la punition car c'était le seul moyen de survivre ?

Les garces de leur espèce ne méritaient pas de vivre.

Il sentit revenir ces secousses intérieures, qu'il tenta d'atténuer en se recroquevillant, les bras croisés sur ses épaules. C'était par leur faute s'il perdait le sommeil. Elles le hantaient nuit et jour, et leurs paroles.

Laquelle était-ce ? S'agissait-il de cette blondasse platinée, Marci Dean, qui roulait des fesses devant tous les hommes comme face à une meute de chiens prêts à accourir au premier sifflet ? On racontait qu'elle couchait avec le premier venu, mais qu'elle n'hésitait pas à le rosser de coups de poing. Qu'aurait pensé Mère d'un comportement aussi abject ?

« Certaines personnes ne méritent pas de vivre. »

Il l'entendait chuchoter à son oreille, comme souvent lorsqu'il délaissait les pilules. Car il n'était pas le seul à disparaître quand il suivait leurs prescriptions ; Mère aussi disparaissait. Peut-être s'éclipsaient-ils ensemble. Il n'en savait rien, mais il l'espérait. Peut-être le punissait-elle de la tenir à distance avec les cachets. Peut-être était-ce la raison pour laquelle il les prenait, ces pilules : pour disparaître avec Mère et... Non, ce n'était pas possible. Quand il prenait ces pilules, c'était comme s'il cessait d'exister.

Il sentit cette pensée se dissiper doucement. Ce dont il était sûr, c'est qu'il avait tiré un trait sur ses comprimés. Il voulait savoir laquelle avait dit quoi. Se farcir ces garces en face. Ces mots semblaient drôles à l'oreille, alors il les répéta pour lui-même, et rit en silence. Se farcir ces garces en face. C'était bien trouvé.

Il savait où chacune d'elles habitait. Il avait trouvé leurs adresses dans leur dossier professionnel. Un jeu d'enfant quand on savait s'y prendre, et personne, bien entendu, ne lui avait posé la moindre question.

Il se rendrait chez elle pour découvrir si elle était l'auteur de cette phrase horrible. Il était presque sûr que c'était Marci. Cette garce vicieuse et stupide méritait une bonne leçon. Mère serait si fière.

Marci était une éternelle couche-tard, même en semaine. Il lui fallait peu de sommeil et, bien qu'elle sorte beaucoup moins que dans sa jeunesse, elle était rarement couchée avant une heure du matin. Elle regardait de vieux films à la télévision, lisait trois ou quatre livres par semaine, et s'adonnait aux plaisirs du tricot. Elle riait d'elle-même chaque fois qu'elle reprenait son ouvrage, tant ce hobby prouvait que la noceuse d'antan se faisait vieille. Mais rien de tel que le va-et-vient des aiguilles pour faire le vide dans sa tête. Qui maîtrisait le point de jersey se passait fort bien du yoga. Et puis, le résultat était immédiatement visible.

Par le passé, elle s'était essayée aux récréations les plus diverses – et les plus surprenantes aux yeux de ses amies. Méditation transcendantale, tai-chi-chuan, autohypnose... Au final, elle avait décidé qu'une bonne bière faisait aussi bien l'affaire, et que son karma n'aspirait à aucun lifting. Elle était comme elle était. Et ceux que ça dérangeait pouvaient aller se faire voir ailleurs.

En temps normal, elle et Brick consacraient le vendredi soir à la tournée des bars, suivie d'une virée en boîte. Brick était un excellent danseur, ce que ne laissait guère soupçonner son allure de gros dur. Il avait peu de conversation, mais il savait remuer son bassin.

Elle avait songé à sortir seule ce soir, mais sans grand enthousiasme. Après tout ce battage au sujet de cette foutue Liste, elle se sentait raplapla. Elle préférait s'allonger avec un bon bouquin. Elle pourrait toujours sortir le lendemain.

Brick lui manquait. Sa présence, du moins, à défaut de sa personnalité. Loin du plumard ou d'une piste de danse, il était assez ennuyeux. Il dormait, buvait de la bière, matait la télé, point final. Ce n'était pas non plus un amant exceptionnel, mais il mettait du cœur à l'ouvrage. Il n'était jamais trop fatigué pour ça, et il accédait volontiers à ses petits caprices.

Malgré tout, Brick était la énième preuve vivante qu'elle ne savait pas choisir les hommes. Mais bon, elle avait au moins la sagesse de ne plus les épouser. Trois fois lui suffisaient, merci bien. Jaine pouvait toujours pleurer misère avec ses trois ex ; ils ne lui avaient pas passé la bague au doigt ! Et puis, Jaine n'avait jamais trouvé chaussure à son pied. Peut-être ce flic...

Peu de chances, en vérité. La vie lui avait enseigné que les choses se passent rarement comme prévu. Il y a toujours une pierre sur la route, un bogue dans le logiciel.

Il était plus de minuit quand on sonna à la porte. Elle glissa un marque-page dans son livre et se leva. Qui pouvait bien sonner à une heure pareille ? Certainement pas Brick, car il avait la clé.

Cela lui rappela qu'il fallait changer les serrures. Elle était trop prudente pour récupérer sa clé sans soupçonner qu'il en ait fait un double. Brick n'avait jamais paru porté sur la cambriole, mais on pouvait s'attendre à tout de la part d'un homme remonté contre une femme.

Par précaution, elle jeta un œil à travers le judas. Son visage s'assombrit, et elle recula pour défaire le verrou et détacher la chaînette de sécurité.

– Salut, dit-elle en ouvrant la porte. Je peux faire quelque chose pour toi ?

– Non, répondit Corin, avant de lui frapper le crâne avec le marteau qu'il cachait derrière sa cuisse.

17

Lundi, le panneau annonçait :

LE FBI VIENT DE SIGNER UNE CONVENTION AVEC L'INDUSTRIE PHARMACEUTIQUE POUR LA PRODUCTION DE POULETS AUX HORMONES.

C'est devant une Jaine hilare que s'ouvrirent les portes de l'ascenseur. Elle se sentait d'humeur guillerette, après que Sam eut rempli son week-end. Mais rien de plus que son week-end. Elle avait entamé sa première plaquette ce matin, et sans le lui avoir dit, bien entendu. La frustration la rendait folle, mais son horizon la comblait de bonheur. Jamais elle ne s'était sentie aussi vivante, comme si toutes les cellules de son corps dansaient la farandole.

Derek Kellman sortit de la cabine en même temps qu'elle s'y engouffrait.

– Salut, Kellman, lança-t-elle, la bouche en cœur. Alors, ça boume ?

Il devint rouge comme une tomate, et sa pomme d'Adam fit un bond dans sa gorge.

– Euh... oui, bredouilla-t-il avant de disparaître.

Goguenarde, Jaine appuya sur le bouton du troisième étage. Par quel miracle Kellman avait-il eu le cran de tâter les miches de Marci ? Les employés de cet immeuble auraient payé une fortune pour voir ça.

Comme d'habitude, elle arriva la première dans le bureau ; elle aimait commencer tôt le lundi matin, avec tous ces salaires à calculer. Si elle parvenait à se concentrer un tant soit peu, elle pourrait tirer le meilleur de ces minutes de tranquillité.

Avec un peu de chance, la Liste appartenait au passé. Elles avaient satisfait toutes les demandes d'interview, hormis celle de *People*. N'ayant pas allumé la télé avant de partir, elle ignorait quelles bribes de leur passage chez ABC avaient été diffusées. Mais cela ne tarderait pas à lui revenir aux oreilles et, pour peu qu'elle eût soudain envie d'admirer le résultat, ce qui était peu probable, elle pourrait toujours emprunter la cassette à l'une de ses trois copines.

À vrai dire, cette histoire lui importait peu. Son temps et son esprit étaient phagocytés par Sam. Il était agaçant, mais drôle, sexy, et elle le voulait.

Après leur petit dîner de vendredi soir, il l'avait réveillée à 6 h 30 le lendemain matin, en arrosant la fenêtre de sa chambre, pour l'inviter à participer au lavage du pick-up. Estimant qu'elle lui devait bien ça après qu'il eut bichonné la Viper, elle s'était habillée sur-le-champ, avait mis la cafetière en route et l'avait rejoint dehors. Il n'avait pas seulement prévu de laver le pick-up, mais de briquer la carrosserie, d'astiquer les chromes, d'aspirer l'habitacle et de nettoyer les vitres. Après deux heures d'intense labeur, le véhicule brillait comme un sou neuf. Il l'avait rangé au garage avant de demander à Jaine ce qu'elle comptait lui servir au petit déjeuner.

Ils avaient passé la journée ensemble, à se chamailler et à rire devant un match de base-ball, et ils s'apprêtaient à sortir dîner quand le biper de Sam avait sonné. Il avait emprunté le téléphone de Jaine, et l'instant d'après il l'embrassait furtivement sur le perron en disant :

– J'ignore quand je rentrerai.

Eh oui, c'était un flic. Et tant qu'il le serait – c'est-à-dire longtemps, vu son plan de carrière –, il serait condamné à vivre dans l'urgence et le dérangement permanents. Les sorties annulées seraient légion. Mais elle était forte, et elle s'y ferait. Par contre, le savoir en danger... S'habituerait-elle à ça ? Travaillait-il toujours dans cette unité spéciale dont il avait parlé ? S'agissait-il d'une affectation permanente, ou procédaient-ils par roulements ? Sa culture policière était quasi nulle, mais elle ne doutait pas de combler ses lacunes au plus vite.

Il était réapparu le dimanche après-midi, épuisé, ronchon, et peu enclin à évoquer ce qui l'avait retenu. Plutôt que de l'accabler de questions, elle l'avait laissé roupiller dans le fauteuil pendant qu'elle lisait un roman, pelotonnée sur le seul coussin indemne du canapé deux-places.

Se trouver avec lui comme ça, sans rien faire sinon sentir sa présence, lui avait semblé plutôt... agréable. Le regarder dormir. L'écouter respirer. Un vrai bonheur, qu'elle n'osait toutefois assimiler au fameux mot commençant par A. C'était prématuré, et le poids du passé lui interdisait de croire que l'affaire était dans le sac. Ce même poids qui l'empêchait de coucher avec lui. Certes, c'était marrant de le faire languir et très excitant d'être déshabillée du regard, mais au fond d'elle-même elle hésitait encore à s'offrir totalement.

La semaine prochaine, peut-être.

– Salut, Jaine !

Levant les yeux, elle reconnut Dominica Flores dans l'embrasure de la porte.

– Je viens de voir un bout de votre passage à la télé. J'ai dû partir avant la fin, mais j'ai branché le magnéto. C'était trop fort ! T'étais d'enfer, vraiment d'enfer. Vous étiez toutes super, mais toi, vraiment, d'enfer.

– Je ne l'ai pas vu.

– Sans blague ? Si c'était moi qui passais sur une chaîne nationale, j'hésiterais pas à louper le taf pour me regarder.

« Tu ne dirais pas ça à ma place », pensa Jaine, qui se fendit malgré tout d'un sourire.

À 8 h 30, Luna appela.

– Tu as des nouvelles de Marci ? demanda-t-elle. Elle n'est pas arrivée, et sa ligne perso ne répond pas.

– Non, je ne lui ai pas parlé depuis vendredi.

– Ça ne lui ressemble pas.

Luna paraissait inquiète. Malgré leur grande différence d'âge, Marci et elle étaient très proches.

– Et elle n'a pas appelé pour prévenir qu'elle était en retard ou souffrante, ajouta-t-elle.

Non, ça ne ressemblait vraiment pas à Marci. On n'aurait pas confié le direction de la comptabilité à une dilettante. Jaine fronça les sourcils ; elles étaient maintenant deux à s'inquiéter.

– Tu as essayé son portable ?

– Je suis tombée sur la messagerie.

Jaine pensa aussitôt à un accident de voiture. La circulation à Detroit était redoutable aux heures de pointe.

– Je vais tâcher d'en savoir plus, dit-elle en s'efforçant de dissimuler son inquiétude.

– D'accord, répondit Luna. Tiens-moi au courant.

Après avoir raccroché, Jaine se demanda qui interroger au sujet d'un éventuel accident entre Sterling Heights et Hammerstead. Mais d'ailleurs, Marci passait-elle par Van Dyke pour rejoindre la nationale 696, ou empruntait-elle une route secondaire jusqu'à Troy et la nationale 75 ?

Sam saurait qui appeler.

Elle trouva vite le numéro du commissariat de Warren, le composa, et demanda l'inspecteur Donovan. On la mit en attente. Elle compta les secondes, puis les minutes en tapotant nerveusement son stylo sur le bureau. On finit par lui dire que l'inspecteur Donovan n'était pas disponible, mais qu'elle pouvait laisser un message.

Jaine hésita. Elle ne voulait pas le déranger pour ce qui s'avérerait sûrement une fausse alerte, mais quel autre flic prendrait sa demande en considération ? Une amie accuse une demi-heure de retard ? La belle affaire. Il en fallait davantage pour rameuter les troupes. Sam lui-même risquait de prendre cela à la légère, mais il tâcherait au moins d'en savoir plus.

– Vous avez son numéro de biper ? demanda-t-elle. C'est important.

– De quoi s'agit-il ?

Exaspérée, elle commençait à se demander s'il recevait souvent des appels de femme.

– Je suis une de ses indics.

– Alors il a dû vous laisser son numéro.

– Bon sang ! Je vous en prie ! C'est peut-être une question de vie ou de mort...

Elle se reprit à temps :

– OK, je vous dis tout. Je suis enceinte, et j'aurais aimé l'en informer.

– Vous êtes Jaine ? demanda sa correspondante, amusée.

Il leur avait parlé d'elle, le saligaud ! Son visage s'empourpra.

– Euh, oui. Désolée.

– Y'a pas de mal. Il nous a demandé de vous transmettre son numéro si jamais vous appeliez.

Très bien, très bien, mais en quels termes l'avait-il décrite ? Elle garda cette question pour elle et nota le numéro qu'on lui dictait.

– Merci.

– À votre service. Au fait, pour cette histoire de grossesse...

– J'ai menti, dit-elle en simulant un brin de honte.

C'était sûrement peu convaincant, car la femme se mit à rire.

– Bien joué, ma belle, dit cette dernière avant de raccrocher, laissant à Jaine le soin d'interpréter ces paroles.

Jaine composa le numéro qu'elle venait de noter. S'agissant d'un biper à chiffres, elle pianota ceux de sa ligne à Hammerstead. Sam ne les reconnaîtrait pas, alors elle se demanda combien de temps il mettrait à la rappeler. En attendant, elle joignit la comptabilité.

– Marci est arrivée ?

– Non, répondit une petite voix. Nous sommes sans nouvelles.

– C'est Jaine à l'appareil, poste 36 21. Pouvez-vous lui dire de m'appeler dès qu'elle arrive ?

– Ce sera fait.

Son téléphone sonna peu après 9 h 30. Elle se jeta sur le combiné, espérant que Marci avait enfin donné signe de vie.

– Jaine Bright.

– J'ai appris que nous allions être parents, murmura la voix grave de Sam.

« Moi et ma grande gueule ! » se dit Jaine.

– Il fallait bien trouver quelque chose. Le coup de l'indic n'a pas marché.

– J'avais bien fait de les mettre en garde, répondit-il. Alors, quoi de neuf ?

– Rien, j'espère. Mon amie Marci...

– Marci Dean, de la « fumeuse » Liste ?

Elle aurait dû deviner qu'il les connaissait toutes les quatre.

– Elle n'est pas venue travailler, n'a pas appelé, et ne répond ni à son portable ni à son fixe. J'ai peur qu'elle ait eu un pépin sur la route, et je ne sais pas à qui m'adresser. Tu pourrais m'orienter vers le bon service ?

– Mieux que ça : je vais contacter nos patrouilleurs et

leur demander de vérifier les rapports. Voyons voir, elle habite à Sterling Heights, n'est-ce pas ?

– Tout à fait.

Jaine lui dicta l'adresse exacte, avant d'être frappée d'un terrible pressentiment.

– Attends, Sam... Son petit copain n'a pas digéré le coup de la Liste. Il l'a quittée jeudi soir, mais il est peut-être revenu.

Il y eut un court silence, puis Sam reprit la parole sur un ton vif et méthodique :

– Écoute, je vais appeler le bureau du shérif ainsi que le commissariat de Sterling Heights pour qu'ils fassent un tour chez elle. Il n'y a sûrement rien de grave, mais ça ne coûte rien de vérifier.

– Je te remercie, articula-t-elle faiblement.

Sam avait suffisamment roulé sa bosse pour savoir que les craintes de Jaine étaient tout sauf fantaisistes. Un compagnon furax – pire : blessé dans son amour-propre, à cause de cette foutue Liste – et une femme disparue formaient hélas ! un schéma récurrent dans les affaires de violence. Mlle Dean avait peut-être embouti sa voiture, mais peut-être pas. Jaine n'était pas du genre à paniquer sans raison, et elle paraissait vraiment inquiète.

Fallait-il mettre cela sur le compte de la légendaire intuition féminine ? Il n'avait pas oublié comment sa mère, jadis, flairait systématiquement les bêtises que lui et ses frères croyaient commettre en cachette. Oui, l'intuition féminine existait ; il l'avait rencontrée.

Il passa deux coups de fil, le premier au commissariat de Sterling Heights, le second à un pote de la circulation qui avait accès aux signalements de victimes. Le sergent de Sterling Heights s'étant engagé à dépêcher une voiture au domicile de Mlle Dean, Sam n'eut pas à joindre le bureau du shérif. Il laissa son numéro de portable à ses deux interlocuteurs.

Son copain de la circulation fut le premier au rapport :

– Aucun accident majeur ce matin. Quelques pare-chocs enfoncés, et une chute en moto au milieu de Gratiot Avenue, mais ça s'arrête là.

– Merci du tuyau, dit Sam.

– À ton service.

Son portable resonna à 10 h 15. C'était le sergent de Sterling Heights.

– Vous aviez vu juste, inspecteur, dit-il d'un voix lasse.

– Elle est morte ?

– Ouais. Et c'est pas beau à voir. Vous auriez le nom du fiancé ? Aucun voisin n'était là pour nous renseigner, mais je crois qu'une petite conversation avec lui s'impose.

– Je peux trouver ça. Ma copine est – était – la meilleure amie de Mlle Dean.

– J'apprécie votre aide.

Sam avait conscience de marcher sur les plates-bandes d'un autre, mais vu qu'il était à l'origine de cette macabre découverte, le sergent lui devait bien une petite faveur.

– Vous pouvez m'en dire plus ?

Le sergent sembla hésiter.

– Quel type de portable utilisez-vous ?

– Digital.

– Sécurisé ?

– Tant que des pirates n'ont pas choppé le signal.

– Bon, d'accord. Il l'a frappée avec un marteau, retrouvé sur place. Nous cherchons des empreintes.

Sam tressaillit. Un marteau était une arme redoutable.

– Il ne reste plus grand chose de son visage. Ajoutez à cela plusieurs coups de couteau, et une agression sexuelle.

– Pas de sperme ?

– Trop tôt pour le dire. On attend l'arrivée des experts. Il l'a... comment dirais-je... violée avec le marteau.

Seigneur.

– Très bien. Merci, sergent.

– Merci à vous. Dites, votre petite amie, c'est elle qui connaît le nom du fiancé ?

– Ouais. Elle m'a appelé parce qu'elle s'inquiétait de l'absence de Mlle Dean au bureau.

– Demandez-lui le nom du fiancé, mais motus pour le reste, d'accord ?

Sam soupira.

– On voit que vous ne la connaissez pas.

– Elle est du genre coriace, hein ? Bon, dans ce cas, qu'elle tienne sa langue. Tout indique qu'il s'agit bien de Mlle Dean, mais nous devons procéder à l'identification du corps, et nous n'avons pas encore contacté la famille.

– J'attendrai qu'elle ait quitté son lieu de travail. Ça va lui faire un sacré choc...

– Une dernière chose, inspecteur : au cas où sa famille ne se trouverait pas dans les parages, nous devrons peut-être demander à votre amie d'identifier le corps.

– Vous savez où me joindre.

Sam resta immobile après avoir raccroché. Il n'avait pas besoin d'imaginer les détails sanglants ; il avait vu des scènes de meurtres plus souvent qu'à son tour. Il savait comment un marteau ou une batte de base-ball pouvait pulvériser un crâne. Il savait à quoi ressemblait un corps poignardé. Et lui comme le sergent savaient, vu la nature de l'agression, que l'assassin connaissait sa victime ; il l'avait frappée au visage, et les multiples coups de couteau étaient synonymes de colère. Compte tenu que la plupart des victimes de sexe féminin étaient assassinées par un proche, généralement le mari, le compagnon, ou un ex quelconque, tout désignait le fiancé comme le tueur de Mlle Dean.

Il prit son courage à deux mains et rappela Jaine.

– Connais-tu le nom du petit ami de Marci ? demanda-t-il d'emblée.

– Elle va bien ? souffla-t-elle.

– Je n'en sais encore rien. Dis-moi, son petit ami...

– Oui, pardon. Il s'appelle Brick Geurin.

Elle lui épela le nom.

– Brick est son vrai prénom ?

– Je ne lui en connais pas d'autre.

– Bon, ça devrait suffire. Je te rappelle si j'ai du nouveau. Au fait, tu aimerais qu'on déjeune ensemble ?

– Volontiers. Où ça ?

Son angoisse était perceptible, mais elle luttait pour rester forte, comme il s'y attendait.

– Je passe te prendre, si tu obtiens qu'on me laisse franchir la barrière.

– Sans problème. On dit midi ?

Il consulta sa montre. 10 h 35.

– Je préférerais plus tôt. Vers 11 h 15, par exemple ?

Elle venait peut-être de comprendre.

– On se retrouve à l'entrée, dit-elle.

Jaine l'attendait devant le bâtiment quand le gardien ouvrit à Sam. Elle portait une de ces longues jupes étroites qui lui donnaient l'allure d'un top model, ce qui signifiait qu'il faudrait l'aider à se hisser à bord du pick-up. Il descendit et fit le tour du véhicule pour lui ouvrir la portière. Elle l'observait d'un air anxieux, blêmissant devant son masque inexpressif de flic.

Il l'aida à grimper en la soulevant par la taille, puis refit le tour du pick-up pour reprendre le volant.

Une larme coula sur la joue de Jaine.

– Je veux savoir, dit-elle d'une voix tremblante.

Il la prit dans ses bras.

– Je suis vraiment désolé, murmura-t-il dans sa chevelure.

Elle agrippa sa chemise. Il resserra son étreinte sur ses sanglots.

– Elle est morte, n'est-ce pas ? dit-elle d'une voix suffocante.

18

Jaine avait les yeux bouffis. Sam s'était contenté de la serrer contre lui pendant cette première ondée de larmes, à l'arrêt sur le parking de Hammerstead. Au bout de quelques instants il demanda :

– Tu te sens capable d'avaler quelque chose ?

Elle secoua la tête.

– Non. Je dois prévenir les autres. Luna, T.J....

– Pas maintenant, chérie. Dès qu'elles sauront, la nouvelle se répandra dans tout l'immeuble, et il y aura forcément quelqu'un pour avertir les médias. Sa famille n'est pas au courant, et elle ne doit pas l'apprendre par ce biais-là.

– Elle a très peu de famille, tu sais.

Jaine piocha un mouchoir dans son sac, s'essuya le visage et se moucha.

– Elle a une sœur à Saginaw, et un vieille tante en Floride, je crois. Ce sont les seules personnes qu'elle ait jamais évoquées.

– Tu connais le nom de sa sœur ?

– Seulement son prénom : Cheryl.

– Elle doit figurer dans le carnet d'adresses de Marci. Je vais leur dire de chercher une Cheryl habitant à Saginaw.

Il composa un numéro sur son portable, et dicta ses instructions à mi-voix.

– Je vais rentrer chez moi, dit Jaine en regardant à travers le pare-brise.

Sam bloqua son bras quand elle voulut ouvrir la portière.

– Pas question que tu conduises, dit-il. Si tu veux rentrer, je te raccompagne.

– Mais ma voiture...

– N'ira nulle part. Elle est en sécurité ici. Où que tu veuilles aller, c'est moi qui conduis.

– Et si tu dois repartir ?

– Je me débrouillerai. Mais tu ne conduiras pas.

En d'autres circonstances, cela aurait tourné au pugilat, mais les larmes coulaient de nouveau, qui de toute façon auraient empêché Jaine de distinguer la route. Elle ne pouvait davantage retourner à l'intérieur du bâtiment, incapable d'affronter les regards et de répondre aux inévitables questions sans s'effondrer.

– Je dois signaler mon départ à mes supérieurs.

– Tu préfères que je m'en charge ?

– Laisse-moi faire, bredouilla-t-elle. Mais... plus tard.

– Très bien. Alors boucle ta ceinture.

Elle obéit. Sam fit une longue marche arrière et s'inséra dans le trafic. Il conduisit en silence, pour ne pas la perturber tandis qu'elle tâchait d'accepter la disparition de Marci.

– Tu... tu penses que c'est Brick le coupable, n'est-ce pas ?

– Ils vont l'interroger, dit Sam sur un ton neutre.

Pour l'heure, Geurin était le suspect numéro un, mais cela résisterait-il à l'épreuve des faits ? Quoi qu'en disent les lois de probabilités, aucune hypothèse n'était à exclure. Celle d'un autre homme dans la vie de Mlle Dean, par exemple.

Jaine se remit à pleurer. Elle se cacha derrière ses mains et se pelotonna sur son siège, secouée par les sanglots.

– Je n'arrive pas y croire, parvint-elle à articuler, en

même temps qu'elle se demandait combien de millions de personnes prononçaient ces mots dans la détresse.

– Je sais, chérie.

Elle devinait qu'il disait vrai. Ce type de situation devait ponctuer le quotidien de flic.

– Comment a-t-il... Je veux dire, que s'est-il passé ?

Sam hésitait à lui révéler que Marci avait été à la fois défigurée et poignardée. Il ignorait la cause exacte du décès ; il ne s'était pas rendu sur le lieu du crime, et ne savait pas si elle avait succombé aux coups de marteau ou de couteau.

– Je n'ai pas tous les détails. Je sais qu'elle a été poignardée. Je ne connais même pas l'heure du décès.

Ces trois affirmations étaient exactes, quoique largement incomplètes.

– Poignardée ? répéta Jaine en fermant les yeux pour se représenter la scène.

Elle tenta d'ajouter quelque chose, mais de nouveaux sanglots bloquèrent les paroles dans sa gorge. Elle se tut jusqu'à Warren.

Elle traversa les deux allées voisines d'un pas languide, réfugiée sous le bras de Sam, qui l'aida à monter les marches du perron. Elle appréciait vraiment de l'avoir à ses côtés. BooBoo l'accueillit en miaulant et en remuant la queue, comme intrigué par ce retour précoce. Elle se baissa pour le gratter derrière les oreilles, et puiser quelque réconfort dans la chaleur de son petit corps et la douceur de son pelage.

Elle posa son sac à main sur la table et se laissa tomber sur une chaise de la cuisine, avec le matou sur les genoux, tandis que Sam, à l'écart, s'entretenait avec son sergent au téléphone. Elle s'efforça de ne pas penser à Marci. Pas encore. Pas maintenant. Elle songea à T.J. et à Luna, et à l'anxiété qu'elles devaient éprouver. Elle espérait que la sœur de Marci serait vite contactée, car ses amies ne manqueraient pas de s'alarmer en apprenant que Jaine était rentrée pour la journée. Et que leur dirait-elle si elles venaient aux nouvelles ? Parviendrait-elle à leur parler ?

Sam lui servit un verre de thé.

– Bois ça, dit-il. Tu risques la déshydratation avec toutes ces émotions.

Il lui arracha un sourire humide. Il l'embrassa sur le front, et s'assit à côté d'elle avec son propre verre.

Elle reposa BooBoo, renifla, et s'essuya les yeux.

– Je serais curieuse de savoir ce que tu as raconté sur moi à tes collègues, dit-elle pour se distraire l'esprit.

Il se composa un air innocent, auquel son visage ne se prêtait guère.

– Pas grand-chose, en fait. Je leur ai juste dit de te laisser mes coordonnées si jamais tu appelais. J'aurais dû penser à te donner mon numéro de biper.

– Bien essayé.

– Ça n'a pas marché ?

– Pas du tout.

– Bon, d'accord. Je leur ai dit que tu jurais comme un charretier...

– C'est faux !

– ... qu'on ne trouvait plus bel arrière-train à l'ouest des Rocheuses, et de me prévenir toutes affaires cessantes si jamais tu appelais, parce que j'essayais désespérément de d'attirer dans mon lit et que tu voudrais peut-être m'annoncer que c'était oui.

« Il essaie de me dérider », songea-t-elle, et son menton de recommencer à trembler.

– C'est très mignon... répondit-elle in extremis avant de fondre en larmes.

Ce fut une crise violente mais brève, comme si son cerveau limitait son temps d'exposition à la douleur.

Sam la prit sur ses genoux et pressa sa tête contre son épaule.

– Je leur ai dit que tu comptais énormément pour moi, chuchota-t-il, et que tu devais pouvoir me joindre à tout moment.

Elle présuma que c'était encore un mensonge, mais aussi mignon que le précédent. Elle déglutit et demanda :

– Même si tu es pris par ton unité spéciale ?

Il fit la moue.

– Là, je promets rien.

Malgré un début de migraine et des bouffées de chaleur, elle brûlait de demander à Sam de la prendre sur-le-champ. Mais elle n'en fit rien. Aussi pressant que fût son besoin de partage, de tendresse – de célébration de la vie, en somme –, sa conscience lui interdisait de consommer leur idylle sous de tels auspices. Alors elle se contenta des effluves rassurantes de son parfum.

– En quoi consistent les unités spéciales, au juste ?

– Ça dépend. Il y en a de toutes sortes.

– Mais à quoi sert la tienne ?

– Il s'agit d'une unité spécialisée dans l'appréhension de criminels violents.

Ces mots ne la rassuraient guère. Elle préférait l'imaginer arrivant après la bataille, posant tranquillement ses questions en remplissant un petit carnet – bref, jouant les inspecteurs. Mais dans « appréhension de criminels violents », elle entendait des choses terrifiantes comme enfoncer des portes et affronter de sales types armés jusqu'aux dents.

– J'aurai plusieurs questions à te poser à ce sujet, dit-elle en relevant la tête pour lui montrer sa méfiance. Mais pas maintenant. Plus tard.

Il soupira, soulagé.

Sans quitter les genoux de Sam ni la chaleur de ses bras, elle appela le bureau pour signaler son absence. Elle parvint à maîtriser sa voix en dépit des innombrables questions de Gina, qui lui apprit que Luna et T.J. tentaient désespérément de la joindre.

– Je vais les rappeler, promit Jaine avant de raccrocher.

Abattue, elle reposa sa tête sur l'épaule de Sam.

– Combien de temps vais-je devoir les éviter ?

– Au moins jusqu'à ce qu'elles aient quitté le travail. Je vais demander au sergent de Sterling Heights s'ils ont pu contacter sa sœur. En attendant, ne réponds pas au téléphone. Les gens qui doivent me joindre le feront via mon biper ou mon portable.

Elle se résolut à abandonner Sam pour se rafraîchir à la salle de bains. Le miroir lui révéla des yeux rouges et des traits gonflés. Une mine épouvantable. Mais elle n'en avait que faire. Elle se déshabilla avec peine, enfila un jean et un tee-shirt, et avala deux aspirines.

Elle était assise au bord du lit quand la grande carcasse de Sam se dessina dans l'embrasure. Il s'assit à côté d'elle, tout à son aise dans l'intimité de cet espace féminin.

– Tu as l'air épuisé, dit-il. Une bonne sieste te ferait du bien.

Elle était exténuée, en effet, mais elle doutait de pouvoir fermer l'œil.

– Allonge-toi quand même, ajouta-t-il comme s'il lisait dans ses pensées. Et ne t'inquiète pas ; je te réveille dès que j'ai du nouveau.

– Parole de scout ?

– Parole de scout.

– Tu as été scout, au moins ?

– Tu plaisantes ! J'étais trop occupé à m'attirer des ennuis.

Il se montrait si adorable qu'elle avait envie de le croquer. Elle s'en tint à un simple baiser.

– Merci, Sam. Je ne sais pas ce que j'aurais fait sans toi.

– Tu aurais tenu le coup d'une façon ou d'une autre.

Il lui rendit un baiser savoureux, qu'il eut la sagesse d'abréger.

– Essaie de dormir, dit-il avant de refermer la porte.

Elle s'étendit et ferma ses paupières éprouvées. L'aspirine finit par faire effet, et elle rouvrit les yeux dans une lumière déclinante. Étonnée, elle vit à son réveil que trois heures s'étaient écoulées. Elle avait réussi à dormir malgré tout.

Elle sortit du tiroir de la table de chevet deux patchs astringents qu'elle appliqua sur ses paupières, puis resta allongée quelques minutes encore, cherchant la force d'affronter les jours à venir. Quand elle se redressa et ôta les patchs, elle se découvrit une mine autrement présentable. Elle se brossa dents et cheveux, puis remonta le couloir. Sam regardait la télé avec BooBoo endormi sur ses genoux.

– Rien de nouveau ? demanda-t-elle.

Il disposait d'une foultitude de détails supplémentaires, mais peu dont il souhaitait lui faire part.

– La sœur a été prévenue, et les médias connaissent l'identité de la victime. Ils en parleront sans doute au journal du soir.

La tristesse plomba le visage de Jaine.

– Et Luna ? T.J. ?

– J'ai éteint les téléphones pour te laisser dormir, mais elles ont laissé quelques messages sur ton répondeur.

Elle vérifia l'heure une nouvelle fois.

– Elles doivent être sur la route. J'essaierai de les joindre chez elles d'ici quelques minutes. Je m'en voudrais si elles l'apprenaient par la télévision.

À peine avait-elle prononcé ces mots que deux voitures surgissaient dans l'allée : la Camaro de Luna et la Buick de T.J. Jaine ferma les yeux un bref instant, pour se préparer à ce qui allait suivre, puis sortit pieds nus sur le perron, suivie par Sam.

– Que se passe-t-il ? s'écria T.J., son joli minois durci par la tension. Marci est introuvable, tu te sauves comme une voleuse et tu ne réponds pas au téléphone... C'est quoi ce cirque ?

Jaine sentit son visage se décomposer. Elle se couvrit la bouche d'une main, luttant pour contenir les sanglots qui s'amoncelaient dans sa poitrine.

Luna se figea, le regard humide.

– Jaine ? dit-elle d'une voix chevrotante. Il est arrivé quelque chose ?

Jaine inspira longuement, plusieurs fois de suite, pour reprendre le contrôle de ses nerfs.

– C'est... c'est Marci, balbutia-t-elle.

T.J. s'immobilisa, un pied sur la première marche du porche. Elle serra les poings, et pleurait déjà en demandant :

– Qu'est-ce qu'elle a ? Elle est blessée ?

Jaine secoua la tête.

– Non. Elle... elle est morte. Quelqu'un l'a tuée.

Luna et T.J. se ruèrent dans les bras de Jaine, et toutes trois pleurèrent l'amie chère qu'elles venaient de perdre.

Rivé à son écran, Corin se balançait d'avant en arrière dans une interminable attente. Trois jours qu'il surveillait les infos, mais jusqu'ici aucune nouvelle de sa victime. Il bouillonnait. Il voulait que le monde entier sache que la première des quatre garces était morte.

Mais Corin n'était pas sûr d'avoir tué la bonne. Il ignorait s'il s'agissait de A, de B, de C ou de D. Il espérait que c'était C, celle qui avait osé dire qu'il fallait redoubler d'efforts pour être parfait. Des quatre, c'était bien C qui méritait le plus de mourir.

Mais comment savoir ? Il les avait appelées chez elle, mais l'une ne décrochait jamais, et les trois autres avaient refusé de lui dire quoi que ce soit.

Au moins, il s'était débarrassé de la première. Il n'était plus qu'à trois points du match.

Voilà !

Le présentateur, ô combien solennel, annonça :

– L'une des quatre étoiles montantes de la région victime d'un meurtre abominable à Sterling Heights. Les détails dans un instant.

Enfin ! Il se sentit délivré. Le monde saurait, désormais, qu'on ne devait pas dénigrer le parfait petit homme de Mère.

Il reprit son balancement, en chantonnant pour lui-même :

– Trois points du match, trois points du match...

19

Mettre la main sur Meldon Geurin, dit « Brick », fut une simple formalité. Quelques questions menèrent à son bar préféré, qui conduisit à une petite liste d'amis, laquelle déboucha sur l'affirmation suivante :

– Ouais, ouais, Brick... euh... lui et sa vieille peau se sont... comment dire... euh... disputés, et j'ai entendu dire qu'il créchait chez... euh... Victor.

– Quel est le nom de famille de Victor ? demanda l'inspecteur Roger Bernsen en redoublant de gentillesse.

Mais même posées gentiment, ses questions passaient pour des menaces, car l'inspecteur Bernsen formait une masse de quelque 120 kilos agglutinés sur un squelette de 1,90 mètre, avec 50 centimètres de tour de col, une voix de crapaud et un visage annonciateur d'un déluge imminent. Il n'avait pas choisi sa voix, se moquait de son poids, et cultivait sa mine patibulaire.

– Euh... Ables. Victor Ables.

– Une petite idée d'où il habite ?

– En ville, m'sieur.

Alors l'inspecteur de Sterling Heights contacta le commissariat central de Detroit, et Meldon « Brick » Geurin fut embarqué pour un petit interrogatoire.

Les yeux injectés de sang, une haleine d'alcoolique au réveil, M. Geurin paraissait d'humeur maussade quand Bernsen s'assit en face de lui.

– Monsieur Geurin, dit l'inspecteur d'un ton affable qui fit néanmoins blêmir l'intéressé, quand avez-vous vu Mlle Marci Dean pour la dernière fois ?

La tête de M. Geurin se redressa d'un coup, un geste qu'il sembla regretter. Quand il parvint à aligner deux mots, il grogna :

– Jeudi soir.

– Jeudi soir ? Vous en êtes sûr ?

– Ouais, pourquoi ? Elle prétend que j'ai volé quelque chose ? Elle était là quand je suis parti, alors si elle prétend que je lui ai volé un truc, c'est qu'elle ment.

L'inspecteur Bernsen ne répondit rien, préférant demander :

– Où êtes-vous allé depuis jeudi soir ?

– En prison, confessa M. Geurin d'un air encore plus maussade.

L'inspecteur Bernsen se renversa sur son dossier, seul signe extérieur de son étonnement.

– Où étiez-vous incarcéré ?

– À Detroit.

– Quand avez-vous été arrêté ?

– Dans la nuit de jeudi à vendredi.

– Et quand vous a-t-on relâché ?

– Hier après-midi.

– Si je comprends bien, vous avez passé trois jours comme hôte de la ville de Detroit ?

M. Geurin eut un sourire amer.

– Comme hôte. C'est ça, ouais.

– Quelles étaient les charges retenues contre vous ?

– Conduite en état d'ivresse, et ils disent que j'ai résisté.

Tout cela était facilement vérifiable. L'inspecteur Bernsen proposa un café à M. Geurin, sans s'étonner de son refus. Puis il laissa le suspect seul dans la pièce, le temps de passer un coup de fil au commissariat de Detroit.

Les faits étaient tels que M. Geurin les avait présentés. De 23 h 34 le jeudi à 15 h 41 le dimanche, il avait croupi sous les verrous.

C'était ce qu'on appelait un alibi béton.

Mlle Dean avait été aperçue vivante pour la dernière fois le vendredi soir, alors qu'elle quittait l'établissement Ernie en compagnie de ses trois amies. Étant donné l'aspect et la rigidité du cadavre, ainsi que la température relevée dans son pavillon climatisé, Mlle Dean était décédée vendredi soir ou samedi matin.

M. Geurin, cependant, n'était pas l'assassin.

Cette évidence corsait sensiblement l'énigme. Si M. Geurin n'avait pas fait le coup, qui l'avait fait ? Jusqu'ici, on n'avait découvert aucune liaison parallèle dans l'existence de Mlle Dean, aucun amant indisposé par son refus de quitter M. Geurin. Une théorie caduque, de toute façon, puisque Mlle Dean et M. Geurin avaient rompu dès le jeudi soir.

Il s'agissait pourtant d'une agression personnalisée, qui exprimait la rage, l'acharnement et la volonté d'anéantir l'identité de la victime. Les coups de couteau étaient postérieurs au décès ; le marteau avait suffi à la tuer, mais le meurtrier avait continué au poignard pour assouvir sa furie. Les plaies avaient très peu saigné, ce qui signifiait qu'elles avaient succédé à l'arrêt du cœur. Le viol aussi était post mortem.

Marci Dean connaissait son tueur et l'avait sans doute invité à entrer, vu l'absence de traces d'effraction. Mais avec M. Geurin hors de cause, l'inspecteur était revenu à la case départ.

Il ne lui restait plus qu'à reconstituer l'emploi du temps de la victime depuis vendredi soir, à partir de la sortie du restaurant. Où s'était-elle rendue ensuite ? Avait-elle pris un verre dans un bar, avait-elle ramené un type chez elle ?

Les sourcils froncés, Bernsen s'en alla retrouver M. Geurin. Avachi dans son fauteuil, les yeux fermés, ce dernier se redressa quand le policier rentra dans la pièce.

– Merci pour votre coopération, dit poliment l'inspecteur. Je peux vous faire raccompagner en voiture si vous le souhaitez.

– C'est tout ? C'est tout ce que vous vouliez savoir ? Mais que se passe-t-il au juste ?

L'inspecteur Bernsen hésita. S'il détestait une chose, c'était bien annoncer les décès. Mais M. Geurin ayant été mêlé à cette affaire, il avait bien droit à une explication.

– Mlle Dean a été agressée à son domicile...

– Marci ?

M. Geurin se raidit, alarmé, métamorphosé.

– Elle est blessée ? Elle va bien ?

L'inspecteur Bernsen hésita de nouveau, redoutant ce qui allait suivre.

– Je suis navré, dit-il aussi doucement que possible, convaincu que M. Geurin serait plus remué que prévu. Mlle Dean n'a pas survécu à l'agression.

– N'a pas survécu ? Vous voulez dire... qu'elle est morte ?

– Je suis navré, répéta l'inspecteur.

D'abord tétanisé, Brick Geurin se décomposa. Il enfouit son visage mal rasé dans ses mains et fondit en larmes.

Il n'était pas 7 heures lorsque Shelley frappa au carreau de la cuisine le lendemain matin.

– Je voulais te trouver avant que tu ne sois partie, dit-elle d'emblée quand Jaine lui ouvrit.

– Je ne bosse pas aujourd'hui.

Jaine remplit machinalement une deuxième tasse de café, qu'elle tendit à sa sœur. Qu'est-ce qu'elle voulait, encore ? Le jour était mal choisi pour se crêper le chignon.

Shelley posa la tasse sur la table et prit Jaine dans ses bras.

– Je viens d'apprendre pour Marci en regardant les infos du matin, et je suis venue aussitôt. Ça va aller ?

Jaine sentit ses yeux la picoter, elle qui pensait avoir épuisé ses réserves lacrymales.

– Ça va aller, dit-elle.

Elle avait peu dormi, peu mangé, et l'impression de tourner au ralenti, mais elle faisait face. Aussi douloureuse que fût la mort de Marci, elle savait qu'elle tiendrait le coup.

Sans lâcher les épaules de Jaine, Shelley recula d'un pas pour examiner son teint blafard et ses yeux congestionnés.

– J'ai apporté un concombre. Assieds-toi.

Un concombre ?

– Pourquoi ? demanda-t-elle, intriguée. Qu'est-ce que tu comptes en faire ?

– Coller des rondelles sur tes yeux, bêtasse, fit-elle d'un air agacé.

Elle lui parlait souvent d'un air agacé.

– Ça les fera dégonfler.

– J'ai des patchs pour ça, tu sais.

– Rien ne vaut le concombre. Assieds-toi.

De guerre lasse, Jaine obtempéra. Shelley sortit un énorme concombre de son cabas, qu'elle passa sous l'eau en demandant :

– Où sont rangés les couteaux ?

– Je ne sais pas. Dans un tiroir.

– Tu ne sais pas où tu ranges tes couteaux ?

– Pitié, Shelley... Ça ne fait pas un mois que je suis ici. Vous avez mis combien de temps, Al et toi, à défaire les cartons après votre déménagement ?

– Voyons voir... Nous avons déménagé il y a huit ans... Alors on a mis huit ans.

Fière de son bon mot, Shelley se mit à fouiller méthodiquement les tiroirs.

Elles entendirent frapper à la porte, qui s'ouvrit avant même que Jaine ait le temps de se lever. Sam pénétra dans la cuisine.

– J'ai vu une voiture bizarre, alors j'ai voulu m'assurer que tu n'étais pas emmerdée par les journaleux.

Ces derniers n'avaient cessé d'appeler la veille au soir, y compris ceux des grandes chaînes nationales.

Shelley se retourna, son énorme concombre à la main.

– Qui êtes-vous ? demanda-t-elle sèchement.

– Son voisin le flic, répondit Sam.

Il fixa le concombre.

– Je viens de rater quelque chose ?

Jaine voulut le frapper, mais l'énergie lui manquait. En même temps, elle se sentit ragaillardie par sa présence.

– Elle veut me le mettre sur les yeux.

Il lui lança un regard oblique, comme s'il la soupçonnait de se payer sa tête.

– Mais... il va rouler par terre.

Elle se promit de le frapper tout de même. Plus tard.

– Des rondelles, imbécile.

Le visage de Sam devint carrément sceptique, comme s'il attendait de le voir pour le croire. Il avança jusqu'au placard, prit une tasse, et se versa un café. Puis il s'adossa au meuble, les chevilles croisées, et attendit.

Interdite, Shelley se tourna vers Jaine.

– C'est qui, ce type ?

– Mon voisin. Shelley, je te présente Sam Donovan. Sam, ma sœur Shelley.

Il tendit la main.

– Enchanté.

Shelley serra la paume qu'on lui offrait, visiblement à contrecœur. Elle se remit aussitôt en quête d'un couteau.

– Tu es là depuis trois semaines à peine, et tu as déjà un voisin qui entre sans frapper et sait où trouver les tasses ?

– Je suis inspecteur de police, répliqua Sam en souriant. Trouver les choses est mon métier.

Jaine voulait sauter au cou de Sam, pour le remercier de lui mettre du baume au cœur. Que serait-elle devenue sans lui hier ? Il s'était montré intraitable face à leurs adversaires, s'érigeant en rempart entre elle et les médias, et quand Sam disait à quelqu'un de cesser d'appeler, sa voix prenait un timbre diablement convaincant.

Mais il ne serait pas là aujourd'hui, comprit-elle en remarquant le pantalon beige, la belle chemise blanche, le biper à la ceinture et le pistolet contre son rein droit. Shelley le dévisageait en silence, comme en présence d'une espèce exotique, au détriment de ses efforts pour dénicher un couteau de cuisine.

Elle finit toutefois par tomber sur le bon tiroir, dont elle sortit un économe.

– Ah ! fit Jaine sans conviction, c'est donc là qu'ils se trouvent...

Shelley se tourna face à Sam, le couteau dans une main et le concombre dans l'autre.

– Vous couchez ensemble ? demanda-t-elle d'un ton sévère.

– Shelley ! s'exclama Jaine.

– Pas encore, répondit Sam avec une parfaite assurance.

Le silence s'abattit sur la cuisine. Shelley attaqua le concombre par petits coups agressifs.

– On ne penserait pas que vous êtes sœurs, poursuivit-il comme si de rien n'était.

Elles entendaient cela depuis qu'elles étaient nées.

– Shelley est le portrait de papa avec les cheveux de maman, et je suis le portrait de maman avec les cheveux de papa, psalmodia Jaine.

Maigre et blonde, Shelley dépassait Jaine d'une bonne dizaine de centimètres. Sa blondeur n'était plus d'origine, mais elle soulignait à ravir ses yeux noisette.

– Vous allez passer la journée ensemble ? demanda Sam à Shelley.

– Je n'ai pas besoin de compagnie, dit Jaine.

– Oui, répondit néanmoins Shelley.

– Alors filtrez les appels et protégez votre sœur des journalistes, d'accord ?

– Je n'ai pas besoin de compagnie, répéta Jaine.

– Entendu, dit Shelley à Sam.

– Je rêve, fit Jaine. Je suis ici chez moi, et personne ne m'écoute.

Shelley trancha deux rondelles de concombre.

– Renverse ta tête et ferme les yeux.

Jaine obéit.

– Je pensais devoir m'allonger.

– Trop tard, dit Shelley en plaquant les rondelles froides sur les paupières gonflées.

Mmm... Dieu que c'était bon. Frais, humide et incroyablement apaisant. Jaine songea qu'il lui faudrait plusieurs kilos de concombres pour tenir jusqu'à l'enterrement de Marci, et cette pensée suffit à raviver la douleur que Sam et Shelley avaient su tenir en respect.

– L'inspecteur chargé de l'enquête m'a appelé, déclara Sam. Le petit copain de Marci, Brick, était derrière les barreaux entre jeudi soir et dimanche après-midi. Il est donc hors de cause.

– Un inconnu se serait introduit chez elle ? demanda Jaine en soulevant ses œillères de concombre.

– Il n'y a aucune trace d'effraction.

C'était aussi ce que rapportait le journal du matin.

– Tu en sais plus que tu ne veux bien le dire, n'est-ce pas ?

Il haussa les épaules.

– Les flics en savent toujours plus.

Et à en juger par la façon dont son visage se ferma, il comptait bien garder les détails pour lui. Jaine tâcha de ne pas les imaginer.

Il finit son café, rinça la tasse et la reposa sur l'égouttoir. Puis il se pencha et donna à Jaine un baiser tendre mais bref.

– Tu as mes numéros de biper et de portable, alors n'hésite pas à m'appeler.

– Ça va aller, dit-elle, et elle était sincère. Au fait, sais-tu si la sœur de Marci est dans le coin ?

Il secoua la tête.

– Elle est repartie à Saginaw. Il n'y a rien qu'elle puisse faire dans l'immédiat. La maison est toujours sous scellés, et tout meurtre donne lieu à une autopsie. Ce sera plus ou moins long, selon la charge de travail des médecins légistes. L'enterrement n'aura peut-être pas lieu avant le week-end prochain.

Encore un détail qu'elle préférait occulter : le corps de Marci en attente dans un casier réfrigéré.

– Dans ce cas, dit-elle, je reprendrai le travail demain. J'aimerais aider sa sœur à accomplir toutes les démarches, si elle le souhaite, mais puisqu'il est trop tôt...

Sam l'embrassa de nouveau, puis lui ramena les mains sur les yeux.

– Garde tes rondelles. Ça te donne un look d'enfer.

– Merci du compliment !

Elle l'entendit s'éloigner en se bidonnant.

Un ange passa. Puis Shelley rouvrit la bouche :

– Je le trouve différent.

Comprendre : différent des trois ex-fiancés. Sans blague...

– C'est vrai, dit Jaine.

– Et puis ça semble sérieux. Vous vous connaissez depuis peu, pourtant.

Si elle savait, la pauvre... Que dirait-elle en apprenant que pendant les deux premières semaines, Jaine avait pris son voisin pour un poivrot ou un dealer ?

– Je ne sais pas si c'est vraiment sérieux, répondit Jaine en toute mauvaise foi. J'évite de m'emballer.

Pour sa part, la situation ne pouvait être plus sérieuse ; elle était amoureuse du gros abruti. La seule petite zone d'ombre concernait ses sentiments à lui.

– C'est une bonne chose, estima Shelley. Tu as assez donné dans les fiançailles ratées.

Jaine eût volontiers dispensé Shelley d'un tel commentaire, mais cette dernière ne s'était, il est vrai, jamais distinguée par son tact. Et puis, Jaine n'avait jamais douté de l'amour que lui vouait sa sœur, alors cela valait bien un peu d'indulgence.

Le téléphone sonna. Jaine ôta ses lunettes vertes et empoigna le sans-fil en même temps que Shelley.

– Sam a dit que c'est moi qui réponds, fit sœurette à mi-voix, comme si le correspondant risquait d'entendre.

Dring.

– Et depuis quand tu suis les ordres d'un mec dont je suis censée me méfier ?

Dring.

– Je n'ai pas vraiment dit qu'il fallait se méfier de lui...

Dring.

Consciente que cette prise de bec pouvait durer des plombes, Jaine décrocha avant que le répondeur ne s'en charge.

– Allô ?

– Laquelle des quatre es-tu ?

– Quoi ?

– Laquelle des quatre es-tu ?

Elle coupa la communication et reposa l'appareil d'un air contrarié.

– Qui était-ce ? demanda Shelley.

– Un appel anonyme. Marci, T.J. et Luna ont reçu le même depuis que la Liste a été publiée.

Sa voix s'était légèrement grippée sur le premier prénom.

– C'est toujours le même type, et toujours les mêmes mots, précisa-t-elle.

– Vous avez prévenu la compagnie de téléphone que vous receviez ces appels obscènes ?

– Ils n'ont rien d'obscène. Il dit juste : « Laquelle des quatre es-tu ? » en chuchotant bizarrement. On suppose que c'est un homme, mais ce n'est pas évident.

Shelley roula des yeux.

– Un coup de fil anonyme en rapport avec la Liste ? Tu peux être sûre que c'est un homme. Al dit que tous les types de sa boîte ont tiqué sur certaines parties. Je te laisse deviner lesquelles.

– Les parties concernant leurs parties ? demanda Jaine, comme si cela n'allait pas de soi.

– Les hommes sont si prévisibles, tu ne trouves pas ?

Shelley se mit à fouiller la pièce, ouvrant tiroirs et placards les uns après les autres.

– Qu'est-ce que tu fabriques encore ?

– Je repère l'emplacement du matériel avant de me mettre au boulot.

– Au boulot ? De quoi tu parles ?

L'espace d'un instant, Jaine se demanda si Shelley n'avait pas apporté de quoi confectionner son repas familial du soir. Après l'avoir vue extraire une cucurbitacée de son sac à main, elle s'attendait à tout.

– Je parle du petit déjeuner, annonça fièrement Shelley. Pour nous deux. Et je te promets que tu vas manger.

À vrai dire, Jaine se sentait affamée, vu qu'elle avait sauté le dîner la veille.

– J'essaierai, répondit-elle avec fausse modestie, avant

de remettre ses rondelles tandis que sa sœur s'attelait à la confection de crêpes maison.

Corin contemplait le téléphone. Son dépit lui nouait l'estomac, l'élançait par vagues. Elle non plus n'avait rien dit. Mais au moins ne l'avait-elle pas rabroué comme les trois autres. Persuadé du contraire, il avait préparé sa réplique avant de l'appeler. Car cette garce avait la langue bien pendue, comme aurait dit Mère. Et il réprouvait la façon dont elle s'exprimait au bureau, avec tous ces gros mots. Mère n'aurait jamais supporté.

Que faire à présent ? Tuer la première garce avait été si... jouissif. Il n'avait pas prévu cet accès de plaisir violent, enfiévré, à la limite de l'extase. Il avait savouré cet instant, avant de prendre peur. Que ferait Mère en apprenant qu'il avait aimé ça ? Il avait toujours redouté qu'elle ne découvre son goût pour la punition.

Mais ce meurtre... Ah ! ce meurtre. Il ferma les yeux et reprit son balancement, en repassant le film dans sa tête, image par image. L'effroi dans les yeux de la garce une fraction de seconde avant que le marteau ne lui défonce le visage, le bruit sourd et sec de l'impact, puis la joie qui afflua dans ses veines et cette sensation de toute-puissance, la conviction qu'elle ne pourrait l'arrêter tellement il était fort. Il en avait les larmes aux yeux, parce que ce bonheur était maintenant derrière lui.

Il n'avait jamais autant exulté depuis le jour où il avait tué Mère.

Non, n'y pense pas. Les toubibs l'avaient interdit. Cela dit, ils lui avaient aussi prescrit les pilules, et c'était une belle erreur, n'est-ce pas ? Car les pilules le faisaient disparaître. Alors peut-être fallait-il penser à Mère, tout compte fait.

Il retourna à la salle de bains pour une petite vérification. Oui, il était toujours là.

Il avait prélevé un tube de rouge à lèvres chez la garce. Sans raison particulière. Après qu'elle eut rendu l'âme, il s'était promené dans la maison, par simple curiosité, et lorsqu'il s'était rendu à la salle de bains pour interroger le miroir, il avait été frappé par l'abondance de produits de beauté qui recouvraient chaque surface plane. Ainsi la garce aimait se faire belle, hein ? Eh bien, ce serait désormais inutile, s'était-il dit en glissant le rouge à lèvres dans sa poche. Depuis cette nuit-là, le tube reposait sur le placard du lavabo.

Il ôta le capuchon et tourna la petite molette. Décalottée, l'obscène ogive cramoisie se dressa tel le pénis d'un chien. Il connaissait l'aspect du pénis canin, car il avait... Non, n'y pense pas.

Penché en avant, il se colora méticuleusement la bouche, puis recula pour admirer le résultat. Révélant ses dents entre ses lèvres rouge vif, il sourit et dit :

– Bonjour, Mère.

20

Jaine fut saisie par le contraste entre sa propre affliction et l'indifférence de ses collègues face au décès de Marci. Bien sûr, Luna et T.J. étaient aussi meurtries qu'elle, et le personnel de la compta oscillait entre stupeur et tristesse, mais la plupart de ceux qu'elle croisa s'en tenaient soit au silence, soit aux poncifs du style : « Affreux, n'est-ce pas ? »

Les fêlés de la bécane, à l'évidence, réservaient leurs émotions pour les gigaoctets. Le panneau du jour indiquait :

COMMUNIQUÉ DE L'AGENCE DE SÉCURITÉ ALIMENTAIRE : LA VIANDE ROUGE EST SANS DANGER. UNE ÉTUDE RÉVÈLE QUE C'EST LA VIANDE VERTE QUI EST NOCIVE.

La viande verdâtre devant être la principale denrée dans le frigo du fêlé moyen, cette note devait leur parler au cœur, maugréa Jaine intérieurement. En temps normal, elle aurait ri. Mais aujourd'hui elle ne concéda pas même un sourire.

Comme elle, T.J. et Luna n'avaient pas travaillé la veille. Peu après 8 heures du matin, les yeux aussi boursouflés que les siens, elles s'étaient présentées chez Jaine où Shelley les avait maternées, à grand renfort de concombre et de crêpes.

Bien qu'elle n'ait jamais connu Marci, Shelley avait tenu à les écouter évoquer sa mémoire, ce qui avait rempli leur journée. Elles avaient beaucoup pleuré, un peu ri, et émis toutes sortes de théories pour expliquer le meurtre. À défaut de percer la vérité, ce qu'aucune n'avait escompté, cette discussion leur avait rendu quelques forces. La mort de Marci semblait tellement inconcevable que la seule façon de l'accepter consistait à parler jusqu'à plus soif.

Exceptionnellement, Jaine n'était pas en avance. M. deWynter la guettait, qui la convoqua immédiatement dans son bureau.

Jaine soupira. Son poste de responsable de la paye était une succession de contraintes. En partant précipitamment lundi pour ne revenir que le surlendemain, elle avait pris ses collègues de court, et deWynter avait dû suer sang et eau pour que le travail soit bouclé dans les temps ; les gens perdaient vite la raison quand leur chèque accusait du retard.

Convaincue d'essuyer des reproches, elle tomba de haut lorsqu'il déclara :

– Je tenais à vous présenter mes condoléances pour la perte de votre amie. C'est un drame effroyable.

Elle s'était juré de ne pas pleurer au bureau, mais cette sollicitude inattendue faillit la faire flancher. Elle cligna des yeux pour refouler ses larmes.

– Merci, monsieur. Effroyable est bien le mot, en effet. Mais je tiens à m'excuser de vous avoir fait faux bond lundi.

Il secoua la tête.

– Ce n'est rien. Nous avons fait quelques heures supplémentaires, mais personne ne s'est plaint. L'enterrement est prévu pour quand ?

– Il est trop tôt pour le dire. L'autopsie, vous comprenez...

– Bien sûr, bien sûr. Mais prévenez-moi dès que vous connaîtrez la date. De nombreux collègues aimeraient y assister.

Jaine acquiesça, puis s'éclipsa dans son bureau où l'attendait un monceau de travail en retard.

Elle qui avait prévu une journée éprouvante ne fut pas déçue. Gina et les autres du service se firent un devoir de lui manifester leur sympathie, ce qui faillit lui arracher de nouveaux sanglots. N'ayant pas de concombre sous la main, elle dut lutter contre les larmes toute la journée.

Sans s'être donné le mot, T.J. et Luna convergèrent sur son bureau à l'heure du déjeuner.

– Railroad Pizza ? proposa T.J.

Et les trois amies de s'engouffrer dans sa voiture.

On venait d'apporter les pizzas végétariennes lorsque Jaine se souvint du coup de fil anonyme de la veille.

– Au fait, dit-elle, j'ai reçu le même appel que vous. Vous savez : « Laquelle des quatre es-tu ? »

– Ça donne la chair de poule, hein ? dit Luna en mordant à belles dents dans sa pizza.

Sa frimousse d'ange semblait avoir pris dix ans. Elle ajouta :

– Ça m'étonne qu'il ait mis si longtemps à te trouver, parce qu'il n'a pas cessé de nous appeler, nous autres.

– En fait, j'ai trouvé plusieurs messages blancs sur mon répondeur. Mais je supposais qu'il s'agissait de journalistes.

– Et Dieu sait s'ils nous ont poursuivis, ceux-là ! dit T.J. avant de se frotter les tempes. Bon sang ! J'ai mal au crâne. Je crois que je n'ai pris conscience du décès de Marci qu'hier soir, en rentrant à la maison. J'ai pleuré à m'en rendre malade. Et Galan...

Jaine releva les yeux.

– Oui, où en es-tu avec Galan ? Il campe toujours à l'hôtel ?

– Non. Il était à l'usine quand la nouvelle est tombée. Il m'a laissé plusieurs messages, et il a dormi à la maison. Vous pensez bien que je n'avais pas la tête à nos problèmes conjugaux. Galan s'est montré discret, mais néanmoins... attentionné. Il espère peut-être que je vais oublier.

– Je suppose qu'il se fourre le doigt dans l'œil, dit Jaine d'un ton sévère, ce qui amusa Luna.

– Et comment ! répondit T.J. Mais parlons de choses plus intéressantes. De Sam, par exemple.

Ses yeux brillaient d'une étincelle vicieuse.

– Comment peut-on prendre un mec aussi canon pour un dealer alcoolique ? demanda-t-elle.

Jaine se découvrit, elle aussi, capable de rire.

– Que veux-tu que je te dise ? Il sait soigner son apparence, voilà tout. Vous devriez le voir dans ses loques cradingues, quand il n'est pas rasé et qu'il s'est levé du pied gauche.

– Mais ces yeux noirs, Seigneur ! lança Luna en s'éventant. Et vous avez remarqué ces épaules ?

Jaine évita de répondre qu'aucun détail se son corps ne lui avait échappé. Elle préférait garder pour elle l'épisode du strip-tease. Elle avait bien régalé ses copines du temps où Sam n'était qu'un abruti, mais dès que les choses prenaient un tour sentimental, il n'y avait plus personne.

– Lui aussi t'a dans la peau, affirma T.J. Crois-moi, cet homme en pince grave pour tes fesses.

– Possible, dit Jaine d'un air détaché.

Inutile d'avouer combien les fesses en question en pinçaient pour lui...

– Pas besoin d'avoir fait psycho pour le deviner, dit Luna à T.J. D'ailleurs, Sam est le premier à le reconnaître.

T.J. se mit à rire.

– Eh bien... Monsieur n'est pas un grand timide, à ce que je vois.

Ça, on pouvait dire que Sam et la timidité faisaient deux. Insolent, suffisant, arrogant, futé, sexy, charmeur... les adjectifs ne manquaient pas pour le définir. Mais Dame Nature avait oublié le gène timide dans le lot, et tout compte fait ce n'était pas plus mal.

Le portable de T.J. sonna.

– Ce doit être Galan, dit-elle d'une voix lasse en plongeant la main dans son sac.

Elle déplia l'appareil et enfonça la touche centrale.

– Allô ?

Jaine la vit rougir en un clin d'œil.

– Qui vous a donné ce numéro ? tonna-t-elle.

N'obtenant aucune réponse, elle raccrocha.

– Salopard ! fulmina-t-elle en rangeant son portable.

– Mon petit doigt me dit que ce n'était pas Galan, fit Jaine.

– C'était l'autre enfoiré, répondit-elle, bouillante de colère. Je me demande bien comment il s'est procuré mon numéro. J'évite de le donner, en général.

– Il existe peut-être un annuaire des portables, suggéra Luna.

– Mais l'abonnement est au nom de Galan, alors comment savait-il que je répondrais ?

– Qu'a-t-il dit ? demanda Jaine.

– La rengaine habituelle : « Laquelle des quatre es-tu ? » Puis il a ajouté : « Marci. » Rien de plus, juste son prénom. Ce mec est vraiment ignoble.

Jaine reposa sa part de pizza, sentant soudain son sang se glacer. Mon Dieu, et si les appels anonymes étaient liés au meurtre de Marci ? Et si cette crapule n'avait rien d'un petit plaisantin, mais tout d'un taré fini révolté par la Liste, et qui s'était juré de les liquider une à une...

Elle peinait à reprendre son souffle. Ses deux amies l'observaient avec de grands yeux.

– Tu te sens mal ? demanda Luna.

– Je viens d'avoir une vision d'horreur : et si c'était lui l'assassin de Marci ? Et s'il en avait après nous toutes ?

Les deux visages pâlirent d'effroi.

– Impossible, objecta Luna.

– Pourquoi ça ?

– Tu n'y penses pas, voyons. Ce genre de choses n'arrive

jamais. Aux célébrités, à la rigueur, mais pas aux gens ordinaires.

– Et le meurtre de Marci, lui demanda Jaine d'une voix morne, tu trouves ça normal ? Je n'avais jamais prêté attention à ces appels, mais tu as raison, T.J. : comment s'est-il procuré ton numéro ? Ce n'est pas à la portée du premier venu. Vous croyez qu'il nous suit à la trace ?

Les deux autres rouvrirent de grands yeux.

– Maintenant j'ai peur, dit Luna au bout de quelques instants. Tu vis seule, je vis seule, Galan rentre à minuit, et Marci se trouvait seule ce soir-là...

– D'ailleurs, comment le savait-il ? s'interrogea T.J. La veille encore, Brick habitait chez elle.

Une deuxième réflexion frappa Jaine comme un coup de massue.

– Vous avez lu le journal comme moi : « Aucune trace d'effraction. » J'ai entendu Sam en parler au téléphone ; les flics pensaient à Brick, parce qu'il était son compagnon et qu'il avait les clés. Brick est désormais hors de cause, mais ils restent persuadés que Marci connaissait le meurtrier. Elle l'aurait laissé entrer avant qu'il ne la tue.

Elle déglutit, et conclut :

– Nous connaissons toutes le meurtrier.

– Oh ! mon Dieu ! glapit Luna en se couvrant la bouche.

T.J. laissa tomber son bout de pizza, livide. Elle tenta une pirouette :

– On dirait des gamines qui se racontent des histoires de fantômes autour d'un feu de camp ! On s'amuse à se faire peur, c'est tout.

– Je ne demande qu'à te croire, dit Jaine. Mais au moins la peur nous incitera à la prudence. J'appellerai Sam dès notre retour au bureau.

T.J. rouvrit son sac à main.

– Tiens, dit-elle à Jaine en lui tendant son téléphone. Appelle-le tout de suite.

Jaine retrouva le morceau de papier où figuraient ses deux numéros. Ses doigts tremblaient quand elle composa celui du portable. La connexion s'établit et elle entendit une première sonnerie électronique. Puis une deuxième. Une troisième...

– Donovan.

Elle crispa ses dix doigts sur le petit appareil.

– C'est Jaine. On a très peur, Sam. On a toutes reçu des appels anonymes depuis que la Liste est parue, mais je ne t'avais rien dit parce qu'ils ne paraissaient pas menaçants... C'est un mec qui nous demande simplement laquelle des quatre on est. Tu sais : A, B, C ou D. Figure-toi qu'il vient d'appeler T.J. sur son portable et qu'il a prononcé le nom de Marci. Mais comment a-t-il trouvé le numéro de T.J. ? Le portable est au nom de Galan, alors comment a-t-il su que c'est elle qui l'utilise ? Je t'ai entendu dire que Marci devait connaître son meurtrier et qu'elle l'avait laissé entrer chez elle, or la personne qui vient d'appeler connaît forcément T.J., sans quoi elle n'aurait pas son numéro, et je sais que j'ai l'air complètement hystérique, mais j'ai les jetons et je voudrais que tu me dises que mon imagination me joue des tours...

– Où êtes-vous ? demanda-t-il calmement.

– Chez Railroad Pizza. Je t'en prie, dis-moi que mon imagination me joue des tours...

– Je pense que tu devrais te doter d'un identificateur d'appels, dit-il sur un ton neutre. Pareil pour T.J. et Luna si ce n'est déjà fait. Dès aujourd'hui. Appelez la compagnie de téléphone au plus vite pour vous abonner au service, et achetez les boîtiers en sortant du boulot.

Elle prit une longue inspiration.

– Identificateurs d'appels. C'est noté.

– Luna et toi avez un portable ?

– Non. Seulement T.J.

– Vous devez absolument vous en procurer un, que vous

garderez avec vous en permanence. Et quand je dis « garder avec vous », j'entends dans la poche, pas dans le sac à main ou la boîte à gants, d'accord ?

– Téléphones portables. Entendu.

Ça ferait de sacrées dépenses, songea Jaine.

– Vous n'avez rien décelé de familier dans la voix du type ?

– Non. Il chuchote, mais ce chuchotement paraît amplifié. C'est très étrange.

– Aucun bruit de fond que vous puissiez identifier ?

Elle transmit la question à ses deux copines, qui secouèrent la tête.

– Non, aucun.

– D'accord. Où habitent T.J. et Luna ?

Elle dicta leurs adresses. T.J. vivait à Mount Clemens, et Luna à Royal Oak, deux bourgades situées au nord de Detroit.

Sam Poussa un juron.

– Royal Oak se trouve dans le comté d'Oakland ! Ça fait donc quatre commissariats et deux comtés à mettre sur le coup !

– Tu étais censé me dire que j'étais folle, lui rappela Jaine d'une voix étranglée.

– Marci est morte, rétorqua-t-il, et vous avez toutes reçu les mêmes appels. Tu veux parier ta vie sur une coïncidence ?

Vu sous cet angle, Jaine semblait loin d'être folle.

– Que doit-on faire ? demanda-t-elle.

– Dis à T.J. et à Luna que tant qu'on n'a pas démasqué cette crapule, elles ne doivent ouvrir à personne en dehors de leur famille, et ne monter en voiture qu'avec leurs proches, même si elles sont en panne au bord de la route. Qu'elles verrouillent portes et fenêtres et, si elles ont un garage automatique, qu'elles s'assurent que personne ne s'infiltre quand elles rangent ou sortent la voiture.

– Combien de temps faudra-t-il pour l'arrêter ?

– Ça dépend. Si c'est juste un petit con qui s'amuse, l'identificateur suffira peut-être à le coincer. Sinon, nous devrons mettre vos lignes sur écoute.

– Mais si c'est un petit c...

Elle se reprit à temps :

– Si c'est un petit rigolo, comment s'est-il procuré le numéro de T.J. ?

– Tu le disais toi-même : il la connaît.

T.J. coupa son moteur, et elles restèrent quelques instants assises dans la voiture, au pied du grand immeuble de brique.

– C'est sûrement quelqu'un d'ici, dit Jaine.

– Ouais, un crétin qui veut nous faire flipper, tempéra Luna.

– Sam refuse de croire à une coïncidence, rappela Jaine. Alors jusqu'à nouvel ordre, mieux vaut considérer que l'auteur de ces coups de fil est bien le meurtrier de Marci.

– Je ne peux pas croire qu'on bosse avec un tueur, articula T.J. C'est tellement... invraisemblable. Par contre, c'est pas les crétins qui manquent. Tenez, prenez Bennett Trotter. Marci ne pouvait pas l'encadrer.

– Personne ne peut l'encadrer, renchérit Jaine.

Bennett était le type le plus répugnant de la boîte. Mais ce nom eut le mérite de rafraîchir la mémoire de Jaine :

– Dites, le soir où on a écrit la Liste... Vous vous souvenez quand Marci nous a raconté les exploits de Kellman ? N'est-ce pas Bennett qui y est allé de son petit commentaire ?

– C'est possible, répondit T.J., mais je n'en suis pas certaine.

– Moi, si, déclara Luna. En gros, Bennett se proposait de remplacer Kellman si Marci était vraiment en manque.

– D'accord, c'est peut-être un gros dégueulasse, mais c'est pas le genre à tuer quelqu'un, fit T.J. en secouant la tête.

– Écoute, vu qu'on ne sait rien du tout, la seule solution c'est d'imaginer que tout le monde est coupable. Quand Sam aura démasqué la crapule, on pourra souffler. Mais en attendant, on est seules contre tous, d'accord ?

Jaine voulait secouer les puces de T.J., qui ne semblait pas mesurer la gravité de la situation. L'appel anonyme d'aujourd'hui ne lui avait donc pas suffi ? D'un côté, Jaine comprenait le point de vue de son amie : c'était un scénario invraisemblable, abracadabrant, une pure affabulation. Mais de l'autre – le côté de la raison –, Jaine se souvenait que Marci était morte assassinée, et que le meurtrier courait encore.

Elle tenta une autre approche :

– Si Sam nous dit de redoubler de prudence, il n'y a pas à tergiverser. Il sait de quoi il parle.

– C'est sûr, dit T.J. Il ne s'inquiéterait pas sans raison. Alors mieux vaut l'écouter.

Jaine n'en revenait pas. Il avait suffi d'une rencontre avec Sam pour que T.J., Luna et même Shelley se découvrent un nouveau messie ! Mais bon, l'important était le résultat.

Elles regagnèrent ensemble le hall de l'immeuble, puis se dispersèrent vers leurs services respectifs. Conformément aux instructions de Sam, Jaine appela la compagnie de téléphone et souscrit au service d'identification du numéro, ainsi qu'à deux ou trois gadgets dont le transfert d'appel. Il pourrait s'avérer utile de recevoir ses coups de fil chez un tiers. Au hasard, chez Sam.

Sam appela l'inspecteur Bernsen.

– Roger, j'ai comme l'impression que c'est plus grave qu'on ne le pensait.

– Je t'écoute.

– Tu sais que Mlle Dean faisait partie des quatre « Listeuses », n'est-ce pas ?

– Ouais, mais sauf à occuper les journalistes, je ne vois pas en quoi cette info est utile.

– Il se trouve que les quatre ont reçu les mêmes appels anonymes. Le type cherche à savoir qui est qui.

– Qui est qui ?

– C'est bien ça. Tu l'as lue, cette Liste ?

– Je n'ai pas eu ce plaisir. Mais ma femme m'en a cité quelques extraits, à mon grand regret.

– Les quatre femmes sont identifiées par les lettres A, B, C et D. Et le type semble décidé à mettre un nom derrière chaque lettre. Aujourd'hui encore, pendant qu'elles déjeunaient, il a appelé T.J. sur son portable et lui a posé sa question rituelle, puis il a prononcé le prénom de Mlle Dean. Aucune menace, juste un prénom.

– Je vois, fit Roger, ce qui signifiait qu'il réfléchissait.

– Seulement voilà : le portable de T.J. est répertorié au nom de son mari. Question : comment le type a-t-il su qu'il tomberait sur T.J. en composant ce numéro ?

– Soit il connaît bien les nanas, soit il connaît le mari.

– Pourquoi veux-tu qu'un mari donne le numéro de sa femme à un autre homme ?

– En effet. Donc, le type connaît les nanas. Je vois.

– Or, tout laisse à penser que Marci Dean connaissait le tueur. Elle ouvre sa porte et le fait entrer. Jusqu'ici on est d'accord ?

– On est d'accord. La porte était munie d'un judas. Elle pouvait voir son visiteur avant d'ouvrir.

– Le mec qui les harcèle maquille sa voix, ne s'exprime que par chuchotements.

– De peur qu'elles le reconnaissent, sûrement. Tu penses que le tueur et le mec du téléphone ne font qu'un ?

– À moins d'une grosse coïncidence.

– Le salopard...

En bon flic, Roger ne croyait pas aux coïncidences.

– Comment se fait-il qu'il les connaisse toutes ? Elles bossent au même endroit ?

– Ouais, chez Hammerstead Technology, à Southfield. Lui aussi doit bosser là-bas.

– Et il a accès à des renseignements confidentiels. Ça réduit déjà le nombre de suspects.

– Sauf que Hammerstead produit de la technologie informatique. Autrement dit, ils doivent être nombreux à savoir forcer les fichiers du personnel.

– Ça aurait été trop simple, hein...

– À mon avis, cette Liste l'a mis hors de lui, et il compte s'en prendre aux trois autres.

– Mmm... Tu pourrais bien avoir raison. Tu as leurs noms et leurs adresses ?

– T.J. Yother, Mount Clemens, prénom du mari : Galan. Luna Scissum, Royal Oak, célibataire et vivant seule.

Il dicta les adresses, puis ajouta :

– La troisième, Jaine Bright, est ma voisine. Elle aussi est célibataire.

– Je vois. C'est elle, ta copine ?

– Ouais.

– Alors comme ça tu sors avec une Listeuse ? Eh bien, il en faut dans le froc, non ?

– T'as pas idée, répondit Sam.

Il sourit béatement en songeant à Jaine, au petit pli de son menton opiniâtre, aux fossettes de ses joues et à ses yeux bleus pétillants. Jaine ne vivait pas la vie, elle la prenait d'assaut ; il ne connaissait pas plus frondeuse, drôle, et sagace qu'elle. Il nourrissait de grand projets pour Jaine, le plus urgent étant de l'attirer dans son lit. Et il ne laisserait personne lui faire du mal, dût-il rendre son badge et devenir garde du corps à temps plein.

– Bon, si on suit ton raisonnement, dit Roger, redevenu

sérieux, on dispose d'un point de départ : Hammerstead Technology. Je vais me pencher sur cette histoire de dossiers et voir où ça nous mène, mais si tu dis que cette boîte grouille d'informaticiens, ça ne va pas être de la tarte. Officiellement, je ne sais pas comment assurer la sécurité de ces dames. Cela ne concerne pas moins de quatre villes...

– Et deux comtés, je sais.

Question procédures, ce serait en effet le parcours du combattant. Sam avait mal au crâne rien que d'y penser.

– Cela dit, officieusement, on peut toujours s'arranger. On va solliciter quelques faveurs à gauche à droite, et y'aura peut-être des volontaires pour planquer devant chez elles. J'imagine que tu leur as dit d'être vigilantes ?

– Elles sont censées se doter d'un identificateur d'appels et d'un portable dès aujourd'hui. Avec un peu de chance, on pourra le coincer quand il rappellera. Et je leur ai dit de n'ouvrir à personne en dehors de leur famille, et de ne jamais monter en voiture avec un étranger. Il faut à tout prix empêcher ce fils de pute de les approcher.

21

Cet après-midi-là, Jaine se surprit à étudier chaque homme qu'elle croisait. Mais ces mâles paraissaient aussi normaux les uns que les autres, en tout cas pour des employés de l'industrie informatique. Bien entendu, elle avait ses chouchous et ses bêtes noires, mais aucun ne présentait le profil d'un tueur. Il y en avait beaucoup, notamment au rez-de-chaussée et au premier, qu'elle connaissait seulement de vue. Marci aurait-elle compté quelques sympathies dans ce vivier ?

Jaine se demanda ce qu'elle ferait si un visage familier frappait à sa porte en pleine nuit, prétextant par exemple une panne de voiture. Hier encore, elle aurait ouvert sans hésiter, prête à se rendre utile. Mais le tueur, quel qu'il soit, lui interdisait à jamais cette insouciance. Jaine s'était toujours crue responsable et prévoyante, mais combien de fois avait-elle ouvert au premier coup de sonnette sans même demander qui était là ? Cette seule question la fit tressaillir.

Sa porte d'entrée n'était même pas munie d'un judas. Pour découvrir l'identité d'un visiteur, elle devait grimper sur le canapé, écarter le rideau, puis s'étirer vers la droite. Qui plus est, la porte extérieure de la cuisine était vitrée dans sa moitié supérieure ; il suffisait de briser l'un des neuf petits carreaux pour l'ouvrir. Et elle n'avait pas d'alarme, aucun moyen de défense, rien du tout ! Le mieux qu'elle puisse faire, en cas d'attaque, c'était s'enfuir par la fenêtre, à supposer qu'elle parvienne à l'atteindre. Elle avait du pain sur la planche si elle voulait vivre dans une maison sûre.

Elle resta une demi-heure au-delà de l'horaire habituel, afin de démaigrir sa corbeille à courrier.

En traversant les allées clairsemées du parking désert, elle prit conscience de son extrême vulnérabilité. La prudence commandait d'arriver et de repartir aux heures d'affluence, car la foule était encore la meilleure des protections. Elle n'avait même pas averti T.J. et Luna de son départ tardif.

Il y avait tant de paramètres à considérer, tant de menaces quotidiennes qu'elle n'avait jamais envisagées...

– Jaine !

Perdue dans ses pensées, elle mit du temps à saisir qu'on l'interpellait, elle, et pour la seconde fois au moins. Elle se retourna, et aperçut Leah Street qui se hâtait de la rejoindre.

– Excuse-moi, dit-elle tout en se demandant ce que Leah lui voulait. J'avais la tête ailleurs. Quelque chose ne va pas ?

Leah s'arrêta, le visage empreint de gêne, ses doigts graciles agités.

– Je voulais... Je voulais juste te dire combien je suis navrée pour Marci. L'enterrement est prévu pour quand ?

– Je ne sais pas encore.

Jaine n'avait aucune envie de réitérer le couplet de l'autopsie.

– La sœur de Marci s'occupe de régler les détails.

Leah hocha la tête convulsivement.

– Tu me tiendras au courant ? J'aimerais y assister.

– Oui, bien sûr.

Leah parut vouloir ajouter quelque chose, ou bien cherchait-elle au contraire comment meubler la conversation ? Elle finit par prendre congé d'un signe de tête et fila vers sa voiture, les jambes noyées dans sa longue robe. Cette dernière était tout à fait désolante, dans un ton lavande qui lui desservait le teint, avec un col en fraise. On aurait dit un rebut de friperie. Leah touchait pourtant un bon salaire – que Jaine connaissait au centime près –, et fréquentait sans doute les boutiques à la mode. Elle était seulement dénuée de sens vestimentaire.

– Quant à moi, songea Jaine en ouvrant la Viper, je suis dénuée de sens relationnel.

Car comment expliquer que les marques d'affection les plus touchantes qu'elle ait reçues proviennent justement des deux personnes – M. deWynter et Leah Street – qu'elle croyait incapables de la moindre humanité ?

Elle mit le cap sur un magasin d'électroménager, où elle acheta un afficheur de numéro, sélectionna un opérateur de téléphonie mobile, remplit toute la paperasse afférente, avant de choisir l'appareil lui-même. Ce n'était pas une décision à prendre à la légère. En voulait-elle un pliable ou monobloc ? Elle opta pour le monobloc, estimant que, coursée par un tueur, elle apprécierait de ne pas avoir à le déplier avant de pianoter.

Restait à choisir le coloris. Elle exclut d'emblée le noir, trop classique. Jaune fluo ? Elle le retrouverait facilement. Mais le bleu était mignon et assez original. En même temps, il n'y avait rien de tel que le rouge.

Son choix arrêté, il fallut encore que le vendeur programme la puce. Lorsqu'elle ressortit du magasin, le soleil était pratiquement couché, les nuages affluaient du sud-ouest, et elle mourait de faim.

Parce que ces nuages étaient accompagnés d'une brise annonciatrice de pluie, et qu'il lui restait deux étapes avant de regagner la maison, elle se restaura d'un hamburger et d'un soda à emporter.

Elle fit halte chez un vendeur de systèmes d'alarme, où elle posa moult questions, choisit un équipement, et signa un gros chèque. L'installateur passerait chez elle samedi en huit.

– Mais ça fait dix jours ! protesta Jaine.

Le vendeur grassouillet feuilleta son agenda.

– Désolé, mais je n'ai pas mieux à vous offrir.

Elle se pencha par-dessus le comptoir et récupéra son chèque.

– Je vais voir si vos concurrents ont une solution plus rapide. Désolée de vous avoir fait perdre votre temps.

– Attendez, attendez, dit-il avec empressement. Il y a vraiment urgence ? Quand un client est en danger, nous le faisons passer en priorité. Vous auriez dû nous le dire.

– C'est un cas d'urgence, affirma-t-elle.

– Bon, je vais voir ce que je peux faire.

Il reprit son agenda, se gratta le front, tapota son crayon et annonça :

– Va pour samedi prochain, si c'est vraiment urgent.

Tout en veillant à ne pas trahir son sentiment de victoire, elle rendit le chèque au vendeur.

– Merci beaucoup, dit-elle en toute sincérité.

Elle alla ensuite dans un magasin de bricolage. C'était un endroit gigantesque, avec tout ce qu'il fallait pour monter et équiper sa maison. Elle acheta un judas pour la porte d'entrée – l'emballage indiquait : « facile à installer » –, une porte pleine pour la cuisine, et deux verrous de sûreté. Après avoir négocié pour se faire livrer la porte samedi, moyennant une rallonge de quelques dollars, elle poussa un long soupir et prit le chemin de la maison.

La pluie s'abattit sur son pare-brise alors qu'elle débouchait dans sa rue. La nuit était tombée, alourdie par la couverture nuageuse. Un éclair fendit le ciel à l'ouest, révélant la masse orageuse, et le tonnerre se mit à gronder.

La maison était plongée dans le noir. Étant d'ordinaire rentrée bien avant le crépuscule, Jaine ne laissait aucune lumière allumée. Et si en temps normal l'idée de pénétrer dans un maison obscure ne lui faisait pas peur, elle eut soudain la chair de poule. Elle était à cran, obnubilée par le danger.

Elle resta un moment dans sa voiture, rechignant à couper le moteur pour sortir. L'allée de Sam était vide, mais sa cuisine éclairée ; était-il rentré ?

Elle venait d'éteindre phares et moteur quand elle perçut un mouvement sur la gauche. Son cœur fit un bond, puis elle reconnut Sam qui descendait du porche.

Ses muscles crispés se relâchèrent. Elle prit son sac à main, rassembla ses achats et sortit de la voiture.

– Qu'est-ce que t'as foutu, bon sang ? hurla Sam en fondant sur elle tandis qu'elle verrouillait sa portière.

Surprise par une telle réaction, elle lâcha un sac plastique.

– Merde ! pesta-t-elle en se baissant pour le ramasser. C'est ton nouveau métier, de m'effrayer ?

– Il faut bien que quelqu'un s'en charge.

Il l'empoigna et la retourna face à lui, le nez dans ses pectoraux. Il était torse nu.

– Il est 20 heures, tu as peut-être un tueur au cul, et il ne te viendrait pas à l'idée de téléphoner pour dire où tu te trouves ! Tu mérites bien plus qu'une grosse frayeur !

Elle était fatiguée, tendue, la pluie s'intensifiait et elle n'était pas d'humeur à se faire sermonner. Elle leva la tête pour le regarder, le visage détrempé.

– C'est toi qui m'as dit d'acheter un boîtier et un portable, alors c'est ta faute si je suis en retard !

– Et il t'a fallu trois heures pour faire ce qu'une personne normalement constituée expédierait en une demi-heure ?

Insinuait-il qu'elle n'était pas normale ? Outrée, elle plaqua les mains sur le torse nu et poussa de toutes ses forces.

– Depuis quand je te parle, à toi ?

Il recula d'environ deux centimètres.

– Depuis une semaine ! vociféra-t-il.

Et sur ce, l'embrassa.

La bouche de Sam était ferme et agressive, et son cœur battait la chamade sous la paume de Jaine. Comme chaque fois qu'il l'embrassait, elle eut l'impression que le temps s'arrêtait. Le goût salé de Sam la submergea ; sa peau était brûlante malgré les trombes d'eau qui les douchaient tous deux. Il verrouilla son étreinte jusqu'à presque lui couper la respiration, et elle sentit de nouveau poindre son érection.

Il tremblotait, et soudain elle comprit combien il s'était inquiété. Ce grand gaillard solide comme un roc et fort comme un taureau voyait au quotidien, et sans flancher, des choses à vous faire pâlir d'horreur. Mais ce soir, il avait eu peur. Peur pour elle.

Elle éprouva une soudaine douleur dans la poitrine, comme si son cœur se comprimait. Les jambes flageolantes, elle se laissa tomber contre Sam, comme pour se couler sur sa peau, et se dressa sur ses orteils pour répondre à son baiser avec la même ardeur, la même passion que lui. Il émit un râle bestial, et de fougueux le baiser devint affamé. Puis il plongea une main dans sa chevelure et lui tordit le cou pour lui dévorer la gorge. Le visage martelé par la pluie, elle ferma les yeux, abandonnée aux bras d'acier qu'elle ne voulait quitter pour rien au monde.

Après la surcharge émotionnelle des trois derniers jours, elle aspirait à se réfugier dans la chair, à refouler sa peine et son angoisse pour se laisser posséder corps et âme par Sam. Il la souleva dans les airs pour l'emmener, et elle ne protesta que lorsqu'il cessa de l'embrasser, ne se débattit que pour mieux l'étreindre.

– Tu vas te tenir tranquille, bordel ? grommela-t-il en l'écartant sur le côté tandis qu'il gravissait les marches de son perron.

– Pourquoi ? souffla-t-elle d'une voix vaporeuse, possédée.

– Parce que je ne vais pas tenir longtemps avec tes conneries ! répliqua-t-il vertement.

Jaine considéra le problème le temps d'une pulsation cardiaque. Le seul moyen qu'elle connût de ne pas l'exciter consistait à rompre tout contact physique, ce qui revenait à se punir soi-même.

– Souffre ! dit-elle.

– *Souffre ?*

Il parut scandalisé. Il ouvrit violemment la porte et la conduisit à l'intérieur. La salon était sombre, révélé par la faible lueur de la cuisine. Sam embaumait la chaleur, la pluie et le cheveu mouillé. Voulant caresser ses larges épaules, Jaine fut retenue par ses multiples sacs. Elle les jeta à terre, puis happa son corps telle une sangsue.

Dans une débauche de jurons, il effectua quelques pas et l'épingla au mur. D'une main brouillonne, il fit sauter le bouton et éventra la fermeture éclair de Jaine. Le pantalon s'effondra à ses chevilles. Elle se débarrassa de ses chaussures à la force du mollet, et Sam la souleva du périmètre de tissu froissé. Elle noua aussitôt ses jambes autour de sa taille, et serra de toutes ses forces, comme pour fusionner leurs deux corps et maîtriser l'incendie qui couvait en elle.

– Attends !

Haletant, il pressa de tout son poids pour maintenir Jaine au mur tandis qu'il la décrochait de sa taille. La cage thoracique écrasée, elle parvint tout juste à protester d'un geignement avant qu'il n'attrape l'élastique de sa culotte et la fasse glisser le long de ses jambes nues.

Ah ! d'accord.

Elle se demanda pourquoi elle avait décidé de le faire languir au moins deux semaines, voire un cycle menstruel entier. Mais aucune raison valable ne lui vint à l'esprit, primo parce qu'à ce jeu-là elle serait aussi frustrée que lui, deuzio parce qu'elle avait une peur bleue d'être la prochaine victime du tueur et qu'elle s'en voudrait terriblement de mourir sans avoir fait l'amour avec Sam.

Jaine fit voler son slip d'un coup de pied, Sam fit redécoller Jaine, et Jainc releva les genoux. Il avança une main tatillonne entre ses jambes tandis qu'elle lui déboutonnait le jean, qui chuta aussitôt. Elle retint son souffle lorsque, ce dernier obstacle levé, elle sentit son pénis rigide, nu et bouillant arpenter ses cuisses. Une vague de plaisir l'électrisa, attisant chacune de ses terminaisons nerveuses. D'instinct, elle se cambra. Elle en voulait plus, il lui en fallait plus.

Fulminant, il rehaussa Jaine de quelques millimètres. D'abord rétif, le corps de Jaine admit son visiteur petit à petit, centimètre par centimètre. Elle sentit ses entrailles se contracter sous une irrépressible sensation de...

Sam stoppa net, le souffle court, ses joues en feu plongées dans le cou de Jaine. D'une voix étouffée, il demanda crûment :

– Tu es sous pilule ?

Elle planta ses ongles dans les épaules de Sam, et faillit pleurer de rage. Comment pouvait-il s'arrêter maintenant ? Seule l'extrémité de son pénis était entrée, et ça ne suffisait pas, loin de là. Ses muscles vaginaux se démenaient pour l'aspirer quand Sam hurla :

– Tu es sous pilule, oui ou merde ?

– Oui, parvint-elle enfin à répondre, avec la même rage dans la voix.

Il la plaqua contre le mur et, d'un unique coup de rein, s'introduisit en entier.

Elle s'entendit pousser un cri, mais lointain, détaché. Chaque cellule de con corps était suspendue aux va-et-vient qu'il imprimait, intenses et rapides, tout comme l'orgasme qui s'ensuivit. Ce fut une immense explosion intérieure, et elle se tortilla contre lui, tremblante et gémissante au gré de ses spasmes pelviens. Le monde alentour avait cessé d'exister.

Il jouit la seconde d'après, s'enfonçant en elle avec une force quasi animale. Jaine tamponnait le mur à chaque poussée, s'affaissant délibérément pour gagner encore en profondeur. Orgasme numéro deux.

Sam retomba lourdement, moite de sueur et de pluie, gonflant et dégonflant le torse en quête d'oxygène. La maison baignait dans un silence que seuls rompaient le roulement de la pluie sur le toit et le sifflement de leurs poumons exténués. Le mur était froid dans le dos de Jaine, mais trop ferme pour être confortable.

Elle aurait aimé dire quelque chose d'intelligent, mais son esprit faisait grève. Et la situation était trop sérieuse, trop grave pour les quolibets. Alors elle ferma les yeux et se reposa sur l'épaule de Sam, le temps que son cœur retrouve un rythme raisonnable, et que ses muscles finissent de se détendre.

Dans un murmure inintelligible, il resserra son étreinte, un bras dans le dos de Jaine et l'autre sous ses fesses, et prit le chemin de la chambre.

La pièce était sombre et fraîche, le lit immense. Sam libéra Jaine de son chemisier et de son soutien-gorge, qui finirent en boule sur la moquette.

Elle constata, surprise, que son propre corps était prêt à remettre le couvert. Elle noua ses jambes à celles de Sam et souleva son bassin pour savourer ses ondulations, l'attirer le plus loin possible, et le bouquet final s'avéra plus fort encore que les précédents. Jaine tremblait toujours quand il s'abandonna dans un grondement guttural.

Bien plus tard, quand les pouls furent stabilisés, la sueur asséchée, et les forces à demi recouvrées, il roula sur le côté et ramena un avant-bras sur ses yeux.

– Saloperie, lâcha-t-il dans un souffle.

Le silence de la pièce permit à Jaine de l'entendre. Un zeste d'agacement lui pinça les lèvres. Vu qu'elle se sentait aussi vive qu'un mollusque, ce zeste était déjà énorme.

– Comme c'est romantique, persifla-t-elle.

Ce type ne cessait de la peloter depuis une semaine, et maintenant qu'ils étaient passés à l'acte, le seul commentaire qui lui venait aux lèvres était « saloperie », comme s'il regrettait déjà.

Il découvrit ses yeux et se tourna vers Jaine.

– J'ai tout de suite deviné que tu serais une source de complications.

– Non mais dis donc ! s'insurgea-t-elle en se redressant. Je ne complique la vie de personne. Je suis quelqu'un de très bien, quand je n'ai pas affaire à un abruti !

– Tu représentes la pire des complications qui soit : le mariage.

Étant donné que trois hommes avaient déjà trouvé mieux à faire que d'épouser Jaine, ce commentaire n'était pas des plus délicats. Surtout venant d'un homme qui venait de lui donner trois orgasmes explosifs. Elle empoigna l'oreiller et lui fouetta le visage avant de sauter du lit.

– Compte sur moi pour t'épargner cette peine, dit-elle en cherchant frénétiquement son soutien-gorge et son chemisier.

Où était l'interrupteur, bordel ?

– Puisque je suis une source d'emmerdements, je vais rester sagement de mon côté de l'allée et tu resteras sagement du tien ! dit-elle en haussant le ton à chaque syllabe.

Ah ! Cette forme blanche devait être son soutien-gorge. Elle se baissa pour le ramasser, et pêcha une chaussette. Sale, qu'elle lui balança au visage. Il l'écarta et sauta du lit à son tour.

– Qu'est-ce que t'as fait de mes putains de fringues ? hurla-t-elle en rejetant la main qu'il lui tendait. Et où se trouve ce putain d'interrupteur ?

– Tu veux bien te calmer ? dit-il d'une voix suspecte.

Mais il riait, le salaud ! Il se moquait d'elle ! Les yeux de Jaine se mirent à picoter.

– Va te faire foutre, tonna-t-elle en se dirigeant vers la porte. Et tu peux garder ces putains de fringues, parce que je préfère rentrer chez moi à poil que de rester un seconde de plus avec un abruti sans cœur...

Un bras herculéen l'enserra par la taille, bloquant toute expiration. Elle agita les bras, et rebondit sur le lit. « Whoof ! » fit l'air en quittant ses poumons.

Elle eut juste le temps d'inspirer avant que Sam ne s'écrase sur elle. Il riait, tout en l'immobilisant avec une facilité déconcertante ; cinq petites secondes plus tard, elle ne pouvait plus rien remuer.

Stupeur et colère ! Il bandait à nouveau. Son engin se dressait à la commissure des cuisses serrées de Jaine. S'il se figurait qu'elle allait les écarter après ce qu'il...

Il se déhancha et glissa un genou expert entre ses jambes, qui s'ouvrirent illico. Un deuxième déhanchement et il s'introduisit en douceur, et elle voulut crier parce que c'était si bon et elle l'aimait et c'était un abruti ! Un nouveau chapitre s'écrivait dans ses déboires avec les hommes.

Elle fondit en larmes.

– Pleure pas, bébé, murmura-t-il en s'activant tout en douceur.

– Si je veux, geignit-elle en se cambrant.

– Je t'aime, Jaine Bright. Veux-tu être ma femme ?

– Plutôt crever !

– Tu n'as pas le choix. Après tous les gros mots que tu viens de lâcher, tu me dois un bon mois de salaire. Mais la dette s'efface si tu deviens ma femme.

– Cette règle n'existe pas.

– Je viens de l'inventer.

Il ramena ses grandes mains sur les joues de Jaine, et passa le pouce sur ses pommettes pour essuyer les larmes.

– Tu as dit « saloperie ».

– Et que dire d'autre quand on voit ses glorieuses années de célibat partir en fumée ?

– Tu as déjà été marié.

– Ouais, mais ça ne compte pas. J'étais trop jeune pour savoir ce que je faisais. Je confondais baiser et faire l'amour.

Elle aurait aimé que ce soit toujours le cas. Comment pouvait-il mener une telle conversation tout en poursuivant sa besogne ? Non, en fait elle aurait aimé qu'il la boucle et qu'il continue exactement comme ça. En plus vite, peut-être. Et plus dur, aussi.

Il lui embrassa les tempes, les pommettes, puis le petit pli de son menton.

– On m'a toujours dit que le sexe était différent dans les bras d'une femme qu'on aime. Mais je n'y croyais pas. Pour moi, le sexe était le sexe. Et puis il y a eu toi, et c'était comme me brancher à une prise.

– Ah ! c'était donc ça ces gesticulations et ces bruits de fauve ?

Elle renifla.

– Ouais, grosse maligne, c'était donc ça. Cela dit, tu n'étais pas en reste question bruitage. C'était si différent, tu comprends ? Plus chaud. Plus fort. Et c'était à peine fini que j'avais déjà envie de remettre ça.

– Et tu ne t'es pas gêné.

– C'est bien la preuve de ce que j'avance. Sérieusement, comment t'expliques que je sois encore d'attaque après avoir joui deux fois ? C'est soit un miracle, soit de l'amour.

Il l'embrassa et ajouta :

– Tes crises de nerfs m'ont toujours excité.

– Je t'en ferai, des crises de nerfs ! Quand un homme est furax, on dit que môssieur est fâché, mais dès que c'est une femme, c'est tout de suite de l'hystérie...

Elle s'interrompit, frappée par ce qu'il venait de dire :

– Toujours ?

– Toujours. Comme la fois où tu as renversé ma poubelle, avant de m'aboyer dessus et de planter ton index sur mon torse.

– Tu bandais ? demanda-t-elle, sciée.

– Comme un cheval.

– Ben mon con... combre.

– Maintenant réponds à ma question, insista-t-il.

Elle ouvrit la bouche pour dire « oui », mais elle se ravisa :

– Les fiançailles ne m'ont jamais réussi. Ça laisse trop de temps au mec pour réfléchir.

– Je saute cette étape-là. On ne va pas se fiancer, juste se marier.

– Dans ce cas, oui, je veux bien être ta femme.

Sur ces mots, elle replongea dans le cou de Sam pour inhaler la senteur musquée de son corps, songeant que le premier parfumeur qui parviendrait à mettre ce truc en bouteille rendrait marteau la moitié de l'humanité.

– Parce que tu m'aimes ? demanda-t-il comme un enfant inquiet.

Il sentit sur sa peau se fendre les lèvres de Jaine. Elle souriait.

– Je suis follement, sauvagement, éperdument, atrocement amoureuse de toi.

– Alors marions-nous la semaine prochaine.

– Impossible ! s'écria-t-elle en le repoussant pour voir son visage tandis qu'il allait et venait, allait et venait, avec lenteur et régularité, comme une algue ballottée par le clapotis des vagues.

– Je peux savoir pourquoi ?

– Parce que mes parents ne rentreront de voyage que dans... je ne sais plus au juste. Trois semaines, quelque chose comme ça.

– Ils ne peuvent pas rentrer plus tôt ? Où sont-ils, d'abord ?

– Ils visitent l'Europe. Et c'est un voyage capital pour maman, parce que papa est atteint de la maladie de Parkinson et, bien que son traitement donne de bons résultats, son état s'est légèrement dégradé ces derniers temps, et maman craignait que ce voyage en amoureux ne soit le dernier. Et comme papa n'avait jamais le temps de partir aussi longtemps avant sa retraite, ce voyage représente énormément pour tous les deux, tu comprends ?

– D'accord, d'accord. On remet ça au lendemain de leur retour.

– Maman n'aura même pas défait les valises !

– De toute façon, vu qu'on fait l'impasse sur les fiançailles, ça exclut l'église et tout le tralala.

– Dieu merci ! lâcha-t-elle comme un cri du cœur.

Le tralala, elle connaissait, pour l'avoir emmanché avec ce salopard de numéro deux ; des tonnes de dépenses, d'organisation et de soucis, pour finalement se retrouver le bec dans l'eau.

Sam poussa un ouf ! de soulagement, comme s'il avait redouté qu'elle y tienne, au tralala.

– On s'occupera de tout. Tes parents n'auront qu'à montrer le bout de leur nez.

Jusque-là, Jaine avait réussi l'exploit de rester concentrée sur leur conversation pendant qu'il faisait ce qu'il était en train de lui faire, tout en étant saisie d'admiration devant ses facultés de concentration à lui. Elle finit néanmoins par atteindre le point de non-retour, qui l'aspira sans prévenir, lui arrachant un cri et lui secouant les hanches.

– On parlera plus tard ! mugit-elle avant de l'empoigner pour l'amener au plus profond d'elle-même.

Ils ne soufflèrent mot pendant un bon moment.

Jaine s'étira en bâillant. Elle aurait aimé passer le nuit dans les bras de Sam, mais une pensée l'avait rappelée à l'ordre :

– BooBoo !

Sam émit un son à mi-chemin entre le grognement et le ronronnement.

– Quoi ?

– BooBoo. Il doit être mort de faim ! Comment ai-je pu l'oublier ?

Elle s'extirpa du lit.

– Où est l'interrupteur ? Et pourquoi n'as-tu pas de lampe de chevet ?

– À côté de la porte, à droite. Que ferais-je d'une lampe de chevet ?

– Je sais pas, moi. Lire.

Elle longea le mur à tâtons, trouva l'interrupteur et le pressa.

Une lumière crue envahit la pièce.

Sam se cacha les yeux d'une main, puis se retourna sur le ventre.

– Je lis au salon.

Quand, au bout d'une minute, les pupilles de Jaine se furent adaptées à la luminosité, elle écarquilla les yeux devant l'état du lit. Les couvertures pendaient en vrille, les oreillers étaient – où étaient-ils ? – par terre, et le drap housse s'était décroché d'un coin du matelas.

– Nom d'un chien... s'exclama-t-elle, puis s'ébroua et se mit en quête de ses vêtements.

Sam se dressa sur un coude pour l'observer, ses yeux de braise à la fois somnolents et intenses. Elle retrouva son chemisier entortillé dans les couvertures, puis s'agenouilla pour chercher son soutien-gorge sous le lit. Sam se rapprocha dare-dare pour admirer le gigotement de son postérieur.

– Comment diable a-t-il pu se retrouver là ? pesta-t-elle en récupérant l'objet.

– En rampant ? suggéra Sam.

Elle sourit puis scruta de nouveau la pièce.

– Et mon pantalon se trouve... ?

– Au salon.

Elle se rendit donc au salon, alluma le lampadaire, et commença de défriper son pantalon quand Sam la rejoignit, nu comme un ver, une paire de baskets à la main. Renonçant au soutien-gorge, Jaine enfila culotte, chemisier et pantalon. Sam posa les pieds dans son jean et le déroula sur ses jambes, puis s'assit et mit les baskets.

– Où tu vas ? demanda-t-elle.

– Je te raccompagne.

Elle s'apprêtait à répondre que ce n'était pas nécessaire, quand elle se souvint du contraire. Elle glissa dans ses chaussures, fourra le soutien-gorge dans son sac à main, puis ramassa ses emplettes. Sam dégaina son pistolet, qu'il garda dans sa main droite.

– Donne-moi tes clés et reste derrière moi, dit-il.

Elle sortit son trousseau, isola la bonne clé, et la tendit à Sam.

La pluie avait cessé, laissant une nuit tiède et humide. Les grillons stridulaient, et le réverbère au coin de la rue était auréolé d'un halo brumeux. Sam et Jaine traversèrent les deux allées voisines et montèrent les marches menant à la cuisine. Sam rangea le pistolet dans sa ceinture le temps de tourner la clé dans la serrure, puis rendit le trousseau à Jaine et reprit son arme. Il ouvrit la porte, pénétra dans la cuisine, et alluma la lumière.

Il poussa un indicible juron. Jaine cligna des yeux devant le spectacle apocalyptique révélé par l'ampoule du plafond, avant de hurler :

– BooBoo !

Et d'essayer de doubler Sam, qui la refoula vivement avant de bloquer l'entrée avec son corps.

– Cours chez moi et appelle les flics, commanda-t-il. Tout de suite !

– Mais BooBoo !

– Cours ! hurla-t-il en la poussant si fort qu'elle faillit quitter le porche en vol plané. Puis il pivota et s'avança dans la maison.

Il était flic ; elle devait lui faire confiance. Claquant des dents, elle rebroussa chemin au pas de course, jusqu'à la cuisine de Sam qu'elle savait équipée d'un sans-fil. Elle empoigna l'appareil, enfonça la touche de connexion et composa le 911.

– D'où appelez-vous ? demanda une voix désinvolte, presque blasée.

– D'à côté ! De chez mon voisin, je veux dire. Ma maison vient d'être saccagée.

Elle déclina sa propre adresse.

– Mon voisin est flic, et il inspecte la maison en ce moment même.

Elle emporta le téléphone sur le perron, d'où elle vit deux fenêtres éclairées chez elle. Puis une troisième, celle de la chambre.

– Il est armé.

– Qui ça ? s'émut sa correspondante.

– Mon voisin ! Dites à vos agents qu'ils évitent de tirer sur un homme à moitié nu avec un flingue, car c'est un des leurs !

Elle reprit son souffle. Son cœur battait si fort qu'elle en avait la nausée.

– Je retourne là-bas, ajouta-t-elle.

– Non, madame ! Vous n'allez nulle part. Si votre voisin est policier, il n'a pas besoin de vous. Vous êtes toujours là, madame ?

– Je suis là.

Sa main tremblait, faisant claqueter le téléphone contre ses dents.

– Restez en ligne, madame, afin que je puisse informer nos hommes de l'évolution de la situation. Des unités viennent d'être dépêchées à votre adresse ; elles seront là d'ici quelques minutes. Un peu de patience, c'est tout ce que je vous demande.

À défaut de patience, Jaine avait un minimum de jugeote. Alors elle demeura sagement sur le porche, à fixer sa maison sans ciller, laissant les larmes couler jusque dans son cou, tandis que Sam risquait sa vie au détour de chaque pièce. Quant à BooBoo, elle n'osait même pas y penser. Sa correspondante rouvrit la bouche mais Jaine ne l'écoutait plus. Elle confirma sa présence d'une onomatopée. Au loin, des sirènes percèrent le silence de la nuit.

Sam réapparut sur le porche, portant BooBoo dans son bras gauche.

– BooBoo !

Jaine lâcha le téléphone et courut à leur rencontre. Sam lui confia le chat, puis rangea le pistolet dans sa ceinture.

– Le coupable n'est plus dans les parages, dit-il en lui faisait rebrousser chemin.

Elle freina des talons.

– Je veux voir...

– Pas maintenant. Laissons faire les enquêteurs. Un indice permettra peut-être de retrouver cet enfoiré.

– Tu es bien entré, toi...

– Et j'ai veillé à ne rien déplacer, rétorqua-t-il. Allons nous asseoir. Les gars seront là dans une minute.

Elle se rappela avoir jeté le téléphone, qu'elle ramassa et tendit à Sam.

– Les flics sont toujours en ligne.

Il porta l'appareil à son oreille, dressa un bref compte-rendu de la situation et raccrocha. Puis il serra Jaine – et BooBoo – dans ses bras.

– Où l'as-tu retrouvé ? demanda-t-elle.

– Il se cachait sous les étagères du couloir.

Elle caressa le crâne de l'animal, et faillit pleurer de le savoir en vie. Sa mère ne lui pardonnerait jamais s'il arrivait quoi que ce soit à BooBoo.

– Tu penses que c'est le même type ? demanda-t-elle d'une voix blanche.

Sam ne répondit pas immédiatement. Les sirènes approchaient à grands pas, et deux véhicules débouchaient au coin de la rue lorsqu'il dit enfin :

– J'aurais tort de croire le contraire.

22

Les maisons de la rue s'illuminaient et les têtes émergeaient quand Sam et Jaine accueillirent les patrouilleurs.

– Inspecteur Donovan ! dit l'un d'eux d'un air moqueur. C'est donc vous l'homme à moitié nu qu'on nous a dit d'épargner.

Sam fusilla Jaine du regard. Elle pressa BooBoo contre sa poitrine.

– Tu portais une arme, expliqua-t-elle. Je ne voulais pas qu'ils te tirent dessus par erreur.

Sadie et Georges Kulavich, en robe de chambre, descendirent leur allée et se figèrent dans la lueur des gyrophares. M. Kulavich portait des pantoufles, son épouse des bottes en caoutchouc. Cette dernière s'étira le cou puis remonta le trottoir. De l'autre côté de la rue, Jaine vit Mme Holland sortir à son tour.

Sam soupira.

J'ai vérifié la maison, dit-il aux patrouilleurs. Elle est dévastée, mais il n'y a personne à l'intérieur. Je vous laisse prendre le relais pendant que j'enfile une chemise.

Mme Kulavich s'était suffisamment approchée pour l'entendre.

– Ne vous dérangez pas pour moi, lui dit-elle, l'œil pétillant.

– Sadie ! la reprit M. Kulavich.

– Oh ! ça va, Georges ! Je suis vieille, mais pas morte !

– Compte sur moi pour te le rappeler quand je voudrais regarder Playboy Channel, maugréa-t-il.

Sam toussa et s'éclipsa, dissimulant son arme derrière sa cuisse pour ne pas affoler ses vieux voisins aux yeux de lynx.

À la façon dont ceux-ci la dévisageaient, Jaine comprit qu'ils avaient compris. Elle se souvint avoir remisé son soutien-gorge, ce que son chemisier en soie pouvait difficilement cacher. Elle s'abstint de le vérifier, préférant maintenir BooBoo fermement plaqué contre sa poitrine. De même qu'elle s'abstint de palper sa chevelure, qu'elle devinait effrayante. Entre la pluie, les galipettes et le lit, ce devait être un champ d'épis. Ajoutez à cela la semi-nudité de Sam, et les voisins avaient de quoi tirer des conclusions diablement pertinentes.

Il était plus facile de penser à ses voisins qu'à sa maison.

Vu comment un simple coup d'œil dans la cuisine l'avait traumatisée, elle n'était pas sûre de vouloir découvrir le reste. Un tel coup dur, quelques jours à peine après la mort de Marci, c'était presque trop lourd pour ses épaules. Alors elle se concentra sur d'autres choses, comme le clin d'œil que lui adressa Mme Kulavich quand Sam réapparut, vêtu d'une chemise neuve rentrée dans son pantalon, son badge fixé à la ceinture. Jaine se demanda s'il portait un caleçon.

– Tu es en service ? demanda-t-elle en remarquant son badge.

– On peut dire ça. Je suis sur le lieu du crime, et on est d'astreinte après 23 heures.

Elle ouvrit de grand yeux.

– 23 heures ? Quelle heure est-il ?

– Presque minuit.

– Pauvre BooBoo, gémit-elle. Pourrais-tu me trouver une de ses boîtes, pour que je puisse le nourrir ?

Elle lut dans le regard de Sam qu'il comprenait son besoin de penser à autre chose.

– D'accord, dit-il. Je vais tâcher de trouver ça.

Puis, se tournant vers Mme Kulavich :

– Dites-moi, Sadie, que diriez-vous d'emmener Jaine et Eleanor chez moi pour vous faire du café ?

– Volontiers, mon chou.

Flanquée de Mme Kulavich et de Mme Holland, Jaine regagna la cuisine de Sam. Elle reposa BooBoo et examina la pièce avec intérêt, puisqu'elle la découvrait pour la première fois. Elle et Sam n'ayant pris la peine d'allumer qu'au moment de se rhabiller, elle ne connaissait que la chambre et le salon, au mobilier minimaliste. À l'instar de celle de Jaine, la cuisine contenait une petite table entourée de quatre chaises et un poêle datant d'une bonne vingtaine d'années. Le réfrigérateur, en revanche, semblait récent, ainsi que la cafetière. Sam avait ses priorités.

Mme Kulavich s'attelait à la préparation du café quand Jaine fut prise d'un besoin urgent.

– Euh... Savez-vous où se trouve la salle de bains ?

– Bien sûr, mon cœur, répondit Mme Holland. Prenez la deuxième porte à gauche pour la salle de bains principale, ou bien la chambre de Sam qui donne sur une petite salle d'eau.

Elle trouva cocasse qu'Eleanor sache cela mieux qu'elle, mais comment visiter une maison quand on est alitée sous un homme de cent kilos ?

Elle opta pour la grande salle de bains, la plus proche, et récupéra son sac à main sur le trajet. En toute vitesse, elle se dévêtit, passa aux toilettes, puis trouva un gant pour effacer les traces laissées par quatre heures de sexe. Elle utilisa le déodorant de Sam, se peigna les cheveux – qui étaient en effet dressés dans tous les sens – et se rhabilla sans omettre son soutien-gorge.

Ragaillardie par cet époussetage, elle retourna dans la cuisine pour un café bien mérité.

– Je suis navrée pour votre maison, mon cœur, dit Mme Holland, mais ravie pour vous et Sam. J'imagine que les félicitations sont de mise ?

– Eleanor ! gronda Mme Kulavich. Les temps ont changé, tu sais. Les jeunes gens ne se marient plus au seul motif qu'ils ont fait zizi pan-pan.

– Ce n'est pas une raison pour s'en priver, répondit Mme Holland d'un ton sévère.

Jaine se racla la gorge. Les événements s'étaient enchaînés à une telle vitesse qu'elle peinait à y voir clair. Néanmoins, les heures passées dans le lit de Sam se détachaient clairement du reste.

– En effet, il m'a demandé en mariage, avoua-t-elle. Et j'ai dit oui.

Elle avait évité se prononcer le mot tabou – « fiançailles ».

– Mon Dieu ! s'écria Mme Kulavich. C'est formidable ! Vous avez choisi une date ?

– Dans trois semaines environ, dès que mes parents seront rentrés de voyage.

N'écoutant que son cœur, elle prit les devants :

– Et toute la rue est invitée !

Leur petite fête prenait de l'ampleur, et alors ?

– Il faut une liste de mariage, dit Mme Holland. Vite, un stylo et du papier. Il faut préparer ça.

– Mais je n'ai pas besoin... commença Jaine, avant de s'interrompre devant leurs mines réjouies.

En outre, elle songea après-coup qu'une liste de mariage serait bel et bien nécessaire, ne serait-ce que pour remplacer tout ce qu'elle venait de perdre.

Son menton se remit à trembler. Elle le stabilisa vite fait lorsqu'un policier apparut dans la cuisine avec deux boîtes pour chat.

– De la part de l'inspecteur Donovan, fit-il.

Bénissant le ciel pour cette diversion, Jaine partit à la recherche de BooBoo. Perturbé par ce nouvel environnement hostile, il devait se cacher quelque part. Elle connaissait ses planques préférées chez elle, mais où se réfugierait-il ici ?

Pour l'appâter, elle ouvrit une boîte qu'elle promena sur le plancher en l'appelant d'une voix douce. Elle le trouva tapi derrière le canapé, mais malgré l'appel du ventre le matou résista un bon quart d'heure. Il finit par sortir et entama lentement son repas. Elle le caressa tendrement, autant pour se réconforter elle-même que lui.

Il fallait le confier à Shelley, décida-t-elle. Le garder ici devenait trop dangereux.

Elle baissa la tête pour masquer de nouvelles larmes. Constatant son absence, le maniaque avait passé sa colère sur ce qu'elle possédait. Par chance, elle était dans le lit de Sam à ce moment-là, mais elle était aussi responsable de BooBoo et de la voiture de papa.

La voiture... Mon Dieu, la voiture !

Elle se leva d'un bond, effrayant BooBoo qui détala derrière le canapé.

– Je reviens tout de suite ! lança-t-elle à l'adresse de ses deux chaperonnes.

– Sam ! cria-t-elle. La voiture ! Tu as vérifié la voiture ?

Sa pelouse et celle de Sam étaient bondées de voisins, qui furent surpris pas cette question étant donné que la Viper se trouvait au milieu de l'allée. Elle n'avait pas pensé à l'examiner mais, quel que soit son attachement pour son bolide cerise, la voiture de papa valait au bas mot cinq fois plus, et elle était irremplaçable.

Sam apparut sur le porche, sauta la rambarde, et tous deux se précipitèrent vers le garage.

Les cadenas n'avaient pas bougé.

– Il n'a pas pu s'y introduire, dis-moi ? demanda Jaine.

– Avec ta voiture dans l'allée, il a dû supposer que le garage était vide. Il y a un autre accès ?

– Aucun, à moins de percer le mur.

– Alors la voiture n'a rien, dit-il en l'enlaçant pour la ramener vers la maison. Tu ne voudrais pas ouvrir le garage devant tout ce monde, n'est-ce pas ?

Elle secoua la tête d'un air entendu.

– Je dois la virer de là, dit-elle en prévision du futur. David devra la prendre. Et Shelley prendra BooBoo. Papa et maman comprendront, vu les circonstances.

– On peut ranger la voiture dans mon garage, si tu veux.

Elle considéra cette possibilité. Cela permettrait au moins de la garder à portée de main.

– D'accord, dit-elle. Nous la déplacerons quand ce petit monde sera parti.

Elle s'arrêta au niveau de la Viper, mais sans la regarder, préférant fixer les gyrophares bleus coiffant les véhicules de police. Elle demanda à Sam :

– Ma voiture va bien ? Je n'ose pas vérifier moi-même.

– Rien à signaler. Je ne vois pas de rayures, et rien n'a l'air cassé.

Délivrée, elle se blottit dans les bras de Sam, qui la câlina avant de la renvoyer auprès de Sadie et d'Eleanor.

L'aube naissait quand Jaine fut autorisée à entrer chez elle. Elle était surprise qu'on accorde autant d'attention à un simple acte de vandalisme. Sauf que Sam, bien entendu, y voyait plus que ça.

Et elle aussi.

La première chose qu'elle remarqua en découvrant son intérieur dévasté, fut le caractère personnel, personnalisé de l'agression. On n'avait pas touché au téléviseur – qui valait pourtant cher –, mais ses robes et sa lingerie avaient été lacérées, tandis que les pantalons étaient intacts.

Dans la chambre, les draps étaient en lambeaux, les oreillers et le matelas éventrés, ses flacons de parfum brisés.

Dans la cuisine, tous les objets en verre gisaient en miettes : assiettes, bols, verres, tasses, jusqu'aux plateaux en cristal qu'elle n'avait jamais utilisés. Et dans la salle de bains, le linge de toilette était intact, mais ses produits de maquillage atomisés. Tubes de rouge brisés, poudriers renversés, palettes de fard morcelées...

– Il a détruit tout ce qui est féminin, chuchota-t-elle.

Le cadre du lit était neutre, mais ses parures plutôt féminines, dans des tons pastel et bordées de dentelle.

– Il hait les femmes, confirma Sam d'un air sinistre. Ce type serait une mine d'or pour les psychiatres.

Elle soupira, exténuée par le manque de sommeil et l'ampleur du travail qui l'attendait. Elle se tourna vers Sam, qui avait aussi peu dormi qu'elle, c'est-à-dire le temps de deux courtes siestes.

– Tu vas travailler aujourd'hui ? demanda-t-elle.

Il parut surpris par la question.

– Bien sûr. Je dois informer l'inspecteur qui planche sur le meurtre de Marci.

– Moi, je ne vais même pas essayer de bosser. Il va falloir une semaine pour venir à bout de ce bazar.

– Sûrement pas. Appelle une entreprise de nettoyage.

Il lui souleva le menton du bout du pouce et examina ses cernes.

– Puis va te coucher, dans mon lit, et laisse Mme Kulavich superviser le nettoyage. Elle sera ravie.

– Si tu dis vrai, c'est qu'elle ne tourne pas rond ! dit-elle en promenant à nouveau son regard sur les décombres de ce qui était autrefois sa maison.

Elle bâilla.

– Je dois aussi faire du shopping, pour remplacer mes fringues et mon maquillage.

Il sourit.

– La vaisselle peut attendre, c'est ça ?

– Que veux-tu, chacun ses priorités...

Elle se blottit contre lui et passa les bras autour de sa taille. Elle savoura cette liberté de mouvement, ainsi que la façon dont Sam l'imita instantanément.

Elle se raidit tout à coup. Comment avait-elle pu oublier ses deux amies ?

– Je dois appeler Luna et T.J. ! Seigneur, j'aurais dû les prévenir immédiatement...

– C'est fait, répondit Sam. Je les ai appelées hier soir de mon portable. Elles vont bien, si ce n'est qu'elles s'inquiètent pour toi.

Elle bâilla de nouveau. La tête calée sur l'épaule de Sam, elle entendait battre son cœur. Malgré l'épuisement, elle était traversée de mille pensées, qui tournoyaient dans sa tête comme une volée de buses au-dessus d'une charogne. Il fallait y mettre un terme si elle voulait fermer l'œil.

– Que dirais-tu d'un peu de sexe curatif ? proposa-t-elle à Sam.

La curiosité raviva ses yeux de braise.

– C'est un traitement par voie orale ?

– Pas tout de suite, répondit-elle en riant. Peut-être plus tard. Le but à court terme est de me détendre pour que je puisse dormir. Tu es preneur ?

Pour toute réponse, il plaqua la paume de Jaine sur sa braguette. Elle discerna un relief long et épais, qu'elle longea du bout des doigts en ronronnant de plaisir, ce qui provoqua de minuscules et involontaires contractions dans le corps de Sam.

– T'es vraiment un mec facile, dit-elle.

– J'ai toujours eu un faible pour la voie orale.

Main dans la main, ils regagnèrent le pavillon de Sam, où il la détendit.

– Les experts n'ont relevé aucune empreinte digitale exploitable, apprit Sam à Roger Bernsen trois heures plus tard. Mais ils ont trouvé un bout d'empreinte de semelle. À première vue, il s'agirait d'une chaussure de sport. J'essaie de deviner la marque d'après la disposition des crampons.

L'inspecteur Bernsen énonça ce que Sam savait déjà :

– Il s'est introduit chez elle avec l'intention de la tuer et, voyant qu'elle n'était pas là, il s'est mis à tout casser. Tu as une indication sur l'horaire présumé ?

– Entre 20 heures et minuit.

Mme Holland, qui gardait toujours un œil sur la rue en journée, n'avait rien remarqué d'inhabituel avant que Sam ne rentre du travail. Mais ensuite, à la nuit tombée, les gens tiraient leurs rideaux.

– C'est une chance qu'elle ne se soit pas trouvée chez elle.

– Comme tu dis.

Sam ne préférait pas imaginer ce qui serait arrivé alors.

– Il est grand temps de s'intéresser au personnel de Hammerstead, reprit Bernsen.

– J'allais justement appeler leur P-dg. Personne ne doit apprendre qu'on consulte ses dossiers. Lui pourra les copier sans devoir rendre de comptes. Peut-être même qu'il pourra nous les envoyer par e-mail, ce qui nous éviterait d'être vus là-bas.

Roger approuva d'un grognement, et d'ajouter :

– Au fait, le médecin légiste en a fini avec le corps de Mlle Dean. J'ai contacté sa sœur.

– Merci. Nous devrons charger quelqu'un de filmer les obsèques.

– Tu crois qu'il y sera ?

– J'en mettrais ma main au feu.

23

Corin n'avait pas réussi à dormir, mais il ne se sentait pas fatigué. La frustration le tenaillait. *Où était-elle passée ?*

Elle le lui aurait dit, pensait-il. Souvent, la plupart du temps même, il ne l'appréciait pas du tout, mais parfois elle se montrait gentille. Si elle avait été d'humeur avenante, elle le lui aurait dit.

Il ne savait sur quel pied danser. Au contraire de Marci, Jaine ne s'habillait pas comme une putain, mais cela n'empêchait pas les hommes de se retourner sur son passage, même lorsqu'elle portait un pantalon. Et quand elle se montrait gentille, il l'appréciait, mais quand elle démolissait les gens avec sa langue de vipère, il voulait la frapper, la frapper et la frapper encore jusqu'à ce que son crâne devienne tout mou et qu'elle ne puisse plus lui nuire... À moins qu'il ne confonde avec Mère ? Il fronça les sourcils en fouillant dans sa mémoire. Tout était si confus par moments. Les pilules devaient encore faire effet.

Les hommes reluquaient également Luna. Elle était toujours aimable avec lui, mais elle se maquillait beaucoup trop et Mère trouvait ses jupes trop courtes. Les minijupes donnaient de vilaines idées aux hommes, disait Mère. Une femme vertueuse n'exhibait pas ses cuisses.

La douceur de Luna n'était peut-être qu'une couverture. Peut-être était-elle vraiment mauvaise. Et si c'était elle qui avait dit ces choses humiliantes, et poussé Mère à le corriger ?

Il ferma les yeux pour revoir la façon dont Mère l'avait corrigé, et un frisson d'excitation le parcourut. Il descendit sa main le long de son ventre, conscient de braver un interdit, mais c'était si bon qu'il désobéissait de temps à autre.

Non. C'était mal. Et quand Mère l'avait corrigé, elle lui avait précisément montré à quel point cette chose-là était mauvaise. Il n'était pas censé l'apprécier.

Cette nuit n'avait pas été complètement perdue : il avait gagné un nouveau rouge à lèvres. Il le déboucha et fit sortir le petit bâton obscène. Il n'était pas rouge vif comme celui de Marci, mais plutôt rose, et ça lui plaisait moins. Il l'appliqua sur ses lèvres, grimaça devant le reflet du miroir et, dégoûté, se frotta vigoureusement la bouche.

Les autres auraient peut-être un coloris plus à son goût.

Laurence Strawn, le P-dg de Hammerstead Technology, possédait un rire tonitruant et une prédisposition naturelle aux vues d'ensemble. Ce n'était pas un homme de détails, mais sa fonction n'en demandait pas tant.

Ce matin-là, il avait reçu un coup de fil d'un inspecteur de Warren nommé Donovan. L'inspecteur Donovan s'était montré très persuasif. Non, il n'avait aucun mandat pour consulter les dossiers du personnel de Hammerstead, mais il préférait agir avec diligence et discrétion. Il sollicitait sa coopération pour coincer un meurtrier qui menaçait de récidiver d'un moment à l'autre, et dont tout portait à croire qu'il travaillait chez Hammerstead.

Et pourquoi cela ? demanda M. Strawn avant d'apprendre que T.J. avait reçu un appel anonyme sur son portable, et que seul un individu très bien informé pouvait savoir qu'il tomberait sur elle. Puisqu'en outre il semblait acquis que Marci Dean connaissait son assassin et que ce dernier était également l'auteur du coup de fil à T.J., il s'ensuivait qu'elles le connaissaient toutes les deux, et par déduction toutes les quatre. En d'autres termes, l'hypothèse d'un collègue de travail était hautement probable.

Première réaction de M. Strawn : éviter les fuites vers la presse. On n'était pas P-dg pour rien. Seconde réaction, plus réfléchie : faire tout son possible pour empêcher ce maniaque de décimer ses employés.

– Qu'attendez-vous de moi ? demanda-t-il.

– Au besoin, nous viendrons à Hammerstead pour consulter vos fichiers, mais nous préférerions procéder incognito. Pouvez-vous compiler les dossiers professionnels et nous les transmettre par e-mail ?

– Ces dossiers se trouvent sur un système indépendant du réseau de l'entreprise. Je vais en demander une copie sur CD-Rom, que je pourrai alors vous transmettre. Quelle est votre adresse ?

À la différence de nombreux P-dg ou présidents de groupe, Laurence Strawn savait manier un ordinateur. Bien obligé, s'il voulait comprendre ce que fabriquaient les frappadingues d'en bas.

– T.J. Yother travaille aux ressources humaines, précisa-t-il pendant qu'il notait l'adresse électronique de l'inspecteur Donovan (c'était un autre de ses talents : faire deux choses simultanément). C'est à elle que je vais confier cette tâche. Nous éviterons ainsi que cela ne s'ébruite.

– Bonne idée, répondit Sam.

Cette première démarche accomplie avec une étonnante facilité – il devinait que Strawn et lui allaient bien s'entendre –, Sam réfléchit à l'empreinte de semelle retrouvée dans la salle de bains sur une purée de cosmétiques. Il espérait qu'elle leur révèle un modèle précis de chaussure, ce qui permettrait peut-être de confondre cet enfoiré. L'idéal serait même de déceler des restes de maquillage entre les crampons.

Il passa l'essentiel de la matinée au téléphone. Qui avait dit que le boulot d'inspecteur n'était ni dangereux, ni excitant ?

À vrai dire, question sueurs froides, il avait eu son compte la nuit dernière. Et lui qui n'était guère friand des « et si... » ne put s'empêcher d'en émettre. Et si on l'avait appelé pour une mission ? Et si Jaine n'était pas rentrée si tard, qu'il ne s'était pas inquiété, et qu'ils ne s'étaient pas disputés ? Ils auraient pu se quitter sur un simple baiser, avant de regagner leurs pénates respectifs. Vu l'état dans lequel ils avaient retrouvé la maison, il n'osait imaginer ce qui serait advenu alors. Marci Dean était plus grande et plus forte que Jaine, et malgré ça elle n'avait pas pu neutraliser son agresseur. Autant dire que Jaine n'aurait pas eu l'ombre d'une chance.

Il se renversa sur son dossier et noua ses doigts derrière sa nuque en fixant le plafond. Il sentait qu'il y avait un hic quelque part, mais il n'arrivait pas à mettre le doigt dessus. Ce n'était toutefois qu'une question de temps, parce qu'il ne cesserait de s'inquiéter qu'une fois la réponse trouvée. Sa sœur Doro aimait à le décrire comme le croisement entre un piranha et un bull-terrier ; une fois qu'il avait planté ses crocs, il ne lâchait jamais prise. Ce qui, dans la bouche de Doro, n'avait rien d'un compliment.

Partant de Doro, il pensa au reste de sa famille, et à l'événement qu'il devait annoncer. Il inscrivit sur son bloc-notes : *Parler de Jaine à maman.* La surprise serait de taille car il n'avait pas présenté à sa mère de nouvelle conquête depuis des lustres. Il avait sauté cette étape-là, comme il sauterait les fiançailles, pour se rendre directement à la case mariage, ce qui était sûrement le meilleur moyen d'y amener Jaine.

Mais les affaires familiales devraient attendre. Pour l'heure, il avait deux priorités : attraper un tueur, et protéger Jaine. Deux impératifs qui ne laissaient aucune place au reste.

Jaine se réveilla dans les draps de Sam peu après 13 heures. À défaut d'avoir dormi tout son soûl, elle avait au moins rechargé ses batteries et se sentait prête à affronter la prochaine crise. Après avoir passé un jean et un tee-shirt, elle rentra chez elle pour constater l'avancement du nettoyage. Elle y retrouva Mme Kulavich, qui passait de chambre en chambre en jouant les contremaîtres. Les deux employées semblaient toutefois prendre cette ingérence avec philosophie.

La chambre et la salle de bains étaient nettes, le matelas et le sommier enlevés, les lambeaux de tissu rassemblés dans des sacs-poubelle amoncelés sur le porche. Avant de se coucher, elle avait appelé son assureur et appris que son nouveau contrat de propriétaire couvrirait en partie les frais de remplacement de ses objets domestiques. Les vêtements, en revanche, ne donneraient lieu à aucune indemnisation.

– Votre agent d'assurance est venu il y a moins d'une heure, dit Mme Kulavich. Il a fait le tour de la maison et pris des photos, puis il est parti au commissariat pour obtenir la copie du procès-verbal. Il a dit que tout devrait bien se passer.

Enfin une bonne nouvelle. Après tout ce qu'elle avait dépensé ces derniers temps, son compte avait fondu comme neige au soleil.

Le téléphone sonna. L'appareil était intact, puisque dépourvu d'attributs féminins. N'ayant pas eu l'occasion d'installer l'identificateur d'appels, Jaine frémit à l'idée de répondre à l'aveugle.

Mais ce pouvait être Sam. Alors elle décrocha et porta l'écouteur à son oreille.

– Allô ?

– Je suis bien chez Jaine ? Jaine Bright ?

C'était une voix de femme, vaguement familière.

Soulagée, elle répondit :

– Oui, c'est moi.

– Je suis Cheryl... Cheryl Lobello, la sœur de Marci.

Ces mots déclenchèrent une décharge de douleur. Voilà pourquoi cette voix lui semblait si familière ; elle lui rappelait celle de Marci, l'éraillement tabagique en moins. Jaine crispa ses doigts sur le téléphone.

– Marci me parlait souvent de vous, dit-elle en clignotant des yeux pour contenir les larmes qui, depuis lundi dernier, n'étaient jamais bien loin.

– J'allais vous dire la même chose, répondit Cheryl d'un petit rire triste. Elle m'appelait régulièrement pour me rapporter vos dernières plaisanteries. Elle évoquait souvent Luna, également. Bon sang, c'est surréaliste, vous ne trouvez pas ?

– Si, souffla Jaine.

Après un soupir étranglé, Cheryl rassembla ses forces et dit :

– Quoi qu'il en soit, le médecin légiste a mis le... le corps à ma disposition, et je dois organiser les obsèques. Nos parents sont inhumés à Taylor, et je pense qu'elle aurait aimé être enterrée auprès d'eux, vous ne croyez pas ?

J'en suis sûre

Tout compte fait, cette voix n'était pas celle de Marci ; trop de larmes.

– J'ai obtenu que l'enterrement ait lieu samedi à 11 heures.

Cheryl lui indiqua le nom de la maison mortuaire et l'itinéraire pour se rendre au cimetière. Taylor se trouvait au sud de la capitale, à l'est de l'aéroport Detroit Metro. Jaine connaissait peu ce secteur, mais elle savait bien se repérer sur un plan et demander son chemin.

Elle chercha une phrase susceptible d'alléger la douleur de Cheryl, mais que dire quand on est soi-même inconsolable ?

Puis elle eut un déclic, une idée que Marci aurait adorée :

– Nous allons tenir une veillée, lança-t-elle. Vous aimeriez vous joindre à nous ?

– Une veillée ? s'étonna Cheryl. Comme le font les Irlandais ?

– En quelque sorte, bien qu'aucune de nous ne soit irlandaise. Nous nous réunirons pour lever quelques choppes à sa mémoire et partager nos meilleurs souvenirs de Marci.

N'ayant pas encore soumis le projet à Luna et à T.J., Jaine ne pouvait annoncer de rendez-vous précis, mais ce serait forcément vendredi.

– Nous ferons ça demain soir, dit-elle. Je vous rappellerai pour vous donner le lieu et l'horaire exacts – à moins que la maison mortuaire accepte de nous accueillir.

– Je ne pense pas, non, dit Cheryl d'un ton récalcitrant.

Ses intonations étaient si proches de celles de Marci...

Après avoir noté les coordonnées de Cheryl, Jaine fit un saut chez Sam pour récupérer le sac contenant l'identificateur d'appel et le portable qu'elle n'avait pas encore allumé.

Elle s'installa dans la cuisine, lut attentivement les notices, puis les jeta à la poubelle.

– Ça peut pas être sorcier, murmura-t-elle. J'imagine qu'il suffit de mettre ce truc entre la prise et le bigophone.

Vu sous cet angle, c'était enfantin, en effet. Elle débrancha son téléphone, relia le cordon du boîtier à la prise murale, connecta le téléphone sur le boîtier, et le tour était joué ! Puis elle retourna chez Sam et composa son propre numéro pour vérifier son installation.

Affirmatif. En enfonçant la touche « journal », elle vit s'inscrire le nom de Sam, suivi de son numéro. On n'arrête pas le progrès.

Elle avait plusieurs coups de fil à passer, à commencer par Shelley.

– Je dois te confier BooBoo jusqu'au retour des parents, dit-elle tout de go.

– En quel honneur ? répondit Shelley d'un ton qui fleurait bon la vexation.

– Parce que ma maison vient d'être saccagée et que j'ai peur pour BooBoo.

– Quoi ? glapit Shelley. Quelqu'un s'est introduit chez toi ? Où étais-tu ? Que s'est-il passé ?

– J'étais avec Sam, répondit-elle sans plus de détails. Et j'ai retrouvé la baraque sens dessus dessous.

– Dieu merci, tu n'étais pas chez toi !

Puis Shelley se tut, et Jaine pouvait entendre mouliner sa matière grise. Sa sœur était une rapide.

– Attends un peu. Ta maison vient d'être saccagée mais BooBoo n'a rien, n'est-ce pas ?

– Certes, mais j'ai peur pour la suite.

– Parce que tu penses qu'ils vont remettre ça ? glapit-elle de nouveau. C'est cette Liste, avoue ! Tu t'es attiré les foudres d'une bande de cinglés !

– Un seul, en fait, précisa Jaine d'une petite voix.

– Seigneur ! Tu crois que c'est l'assassin de Marci qui a fait ça ? Tu en es même convaincue, n'est-ce pas ? Mon Dieu, Jaine, qu'est-ce qu'on va faire ? Tire-toi de là au plus vite. Viens chez moi. File à l'hôtel. Fais quelque chose !

– Merci pour ton offre, mais Sam t'a devancée, et je me sens en sécurité avec lui. Il a un flingue. Un gros.

– Merci, je l'ai vu.

Shelley se tut à nouveau.

– J'ai peur, dit-elle.

– Moi aussi, confia Jaine. Mais Sam est sur le coup, et il a quelques pistes. Au fait, on va se marier.

Shelley se remit à glapir, et Jaine éloigna l'écouteur de son oreille. Le calme revenu, elle ajouta :

– Pour l'instant, on fixe ça au lendemain du retour de papa et maman.

– Mais c'est dans trois semaines à peine ! On ne sera jamais prêt ! Et l'église ? Et la réception ? Et ta robe !

– Pas d'église, pas de réception, dit Jaine avec fermeté. Et pour la robe, j'irai dans une boutique de prêt-à-porter. J'ai du shopping en perspective, de toute façon, vu que le cinglé a lacéré toutes mes fringues.

De nouveaux glapissements. Jaine laissa passer l'orage.

– À part ça, je viens d'acheter un portable. Tu seras la première à connaître le numéro.

– Ah oui ? demanda Shelley que toutes ces émotions semblaient avoir épuisée. Et Sam, alors ?

– Même lui ne l'a pas.

– Eh bien, très flattée. Tu as oublié de le lui donner, c'est ça ?

– Ouais.

– OK. Laisse-moi trouver un stylo.

Elle l'entendit trifouiller à l'autre bout de la ligne.

– Où est-ce que j'ai mis ça ?

Elle trifouilla de plus belle.

– C'est bon. Je t'écoute.

– Tu as trouvé un stylo ?

– Non, mais j'ai un tube de lait concentré. Je recopierai plus tard.

Jaine récita son numéro, et Shelley de barbouiller son comptoir avec des bruits peu ragoûtants.

– Tu es chez toi, ou au boulot ?

– Chez moi.

– Je passe prendre BooBoo tout de suite.

– Merci beaucoup, dit Jaine, qui se voyait libérée d'un souci.

Elle appela ensuite Luna et T.J. au travail, en mode « audioconférence ». Elles aussi lui piaillèrent aux oreilles, et Jaine devina à leur voix qu'elles se savaient en sursis. Comme prévu, elles furent conquises par l'idée d'une veillée pour Marci. Luna offrit aussitôt son appartement, et elles fixèrent une heure. Jaine leur communiqua son nouveau numéro.

– Je dois vous parler d'un truc, dit T.J. à mi-voix. Mais pas ici.

– Passe me voir en sortant du travail. Toi aussi, Luna, si tu n'as rien de prévu.

– Sans problème. Shamal a rappelé, mais je n'ai pas le cœur à sortir alors que Marci...

Elle se tut pour déglutir.

– Tu dois à tout prix éviter Shamal, lui rappela Jaine. Sam est formel sur ce point : uniquement la famille.

– Mais Shamal n'est pas... Bon sang, c'est un cauchemar. Je ne puis être sûre de rien, pas vrai ?

– Non, tu ne peux être sûre de rien, répondit T.J. Personne n'est sûr de rien.

À peine Jaine eut-elle raccroché que le téléphone sonna. Le nom et le numéro d'Al s'affichèrent sur l'écran du boîtier.

– Salut, Shelley.

– Je vois que tu as enfin acheté un identificateur d'appel. Écoute, je pense qu'on devrait prévenir les parents.

– Si c'est pour leur annoncer mon mariage, d'accord, bien que je préfère m'en occuper moi-même. Mais ne t'avise surtout pas de les affoler avec cette histoire de cinglé !

– Ce cinglé est un tueur, et il veut te faire la peau ! Tu ne crois pas qu'ils aimeraient être à tes côtés ?

– Que pourraient-ils faire ? Et puis je n'ai pas l'intention de me laisser attraper, tu sais. J'ai commandé un système d'alarme, et je dors chez Sam. Papa et maman se feraient du mouron inutilement, et Dieu sait combien ils ont rêvé de ce voyage.

– Leur place est ici, insista Shelley.

– Pas d'accord. Laisse-les s'amuser, et dis-toi que celui qui m'empêchera de me marier n'est pas né. Je ne laisserai passer cette occasion pour rien au monde, dussé-je me traîner jusqu'à l'autel avec un taré agrippé à mes chevilles. Enfin, tu m'as comprise...

L'espace d'un instant, elle avait omis d'exclure l'église du dispositif.

– Tu cherches à faire diversion, mais ça ne marche pas. Je veux appeler papa et maman.

– Je ne cherche rien du tout, et il s'agit de ma vie, d'abord. Alors c'est moi qui décide.

– Je vais en parler à David.

– Parles-en à David si tu veux, mais personne, je dis bien personne, ne doit en parler aux parents. Promets-le moi, Shel. Personne dans ta famille, personne chez David, aucun ami ou ennemi ne devra en parler aux parents. Ni les prévenir par courrier. Ni par télégramme, ni par e-mail, ni par aucun autre moyen de communication, y compris les signaux de fumée. Je n'oublie rien ?

– Hélas non, répondit Shelley.

– Très bien. Laissons-les profiter de leur séjour. Je serai prudente. Parole d'honneur.

Sam reçut un appel de Laurence Strawn en début d'après-midi.

– J'aurais bien envie de porter plainte pour abus de pouvoir, déclara-t-il. Mais une injonction du juge prendrait un temps fou et risquerait d'alerter le type, alors on ne va pas chicaner. Si ça vous permet de le coincer, ça vaut toutes les poursuites du monde.

Sam appréciait vraiment ce type.

– Vous avez du courrier, poursuivit Strawn. C'est une sacrée bestiole que je vous envoie, alors ne vous étonnez pas si c'est long à charger.

– Vous avez fait vite.

– Mlle Yother est une collaboratrice efficace, conclut-il avant de raccrocher.

Sam se tourna vers son ordinateur et ouvrit sa boîte de réception. Il écarquilla les yeux devant le nombre de kilo-octets annoncés.

– Pourvu que Titine ait suffisamment de mémoire, murmura-t-il en cliquant sur le fichier joint.

Trente minutes plus tard, Titine pédalait encore. Sam avait eu le temps de prendre un café, d'expédier un peu de paperasse, de prévenir Bernsen que le colis était arrivé, et de reprendre un café. Bernsen était en route pour se faire remettre une copie, et Sam espérait que ce foutu fichier serait prêt à son arrivée.

L'écran s'éclaircit enfin. Sam inséra du papier dans l'imprimante et lança l'impression. Puis remit du papier et relança l'impression. La vache, il faudrait des lustres pour éplucher cette liste, même si Bernsen et lui n'avaient pas d'autre affaire en cours. Les nuits à venir promettaient d'être studieuses.

L'imprimante tomba en rupture de toner. Dans un concert de jurons, il dénicha une cartouche et se débattit avec la machine jusqu'à ce qu'un subalterne pris de pitié abrège son supplice. L'imprimante rentama son débit au moment où Bernsen arrivait.

– Ça me fatigue d'avance, dit-il en découvrant l'épaisseur de la liasse.

– Chacun en prendra une moitié, dit Sam. On va rentrer les noms dans nos bécanes pour voir s'ils sont fichés.

– Heureusement qu'on ne fait que les mecs.

– Ne te réjouis pas trop vite. L'informatique demeure un

univers masculin. La plupart de ces dossiers concernent des hommes.

Bernsen soupira.

– Et moi qui comptais regarder le base-ball à la télé...

Un ange passa.

– J'ai reçu le rapport d'autopsie de Mlle Dean, reprit Bernsen. Aucune trace de sperme.

Sam n'était guère surpris. On en retrouvait rarement dans les cas d'agression sexuelle, soit parce que le violeur avait mis un préservatif – ce n'était pas si rare –, soit parce qu'il n'avait pas éjaculé. Dommage ; un échantillon d'ADN était toujours précieux.

– Par contre, le médecin légiste a retrouvé un cheveu qui n'appartenait pas à Mlle Dean. Et c'est du bon boulot, parce que ce type est aussi blond que sa victime.

Un sourire vorace poussa sur le visage de Sam. Un cheveu. Un simple cheveu, qui leur offrirait l'ADN tant convoité. L'enquête progressait peu à peu. Une empreinte partielle de semelle, un cheveu isolé ; ce n'était pas le Pérou, mais cela permettait de commencer le puzzle.

24

Sam rentra en fin d'après-midi, juste au moment où T.J. et Luna franchissaient le seuil de son domicile. Ainsi Jaine avait choisi de rester chez lui, et c'était tant mieux. Il espérait qu'elle s'y sente à l'aise, car il excluait de la laisser dormir chez elle tant qu'il n'aurait pas attrapé le tueur de Marci. Voire au-delà. Il aimait trop sa compagnie pour y renoncer facilement, fût-ce provisoirement.

La canicule battait son plein, et la sueur perlait dans son dos lorsqu'il pénétra dans la maison. Il posa le volumineux demi-listing de Hammerstead sur la table basse, puis s'immobilisa une bonne minute pour respirer la délicieuse fraîcheur de la pièce. Une fois ses poumons à l'abri des risques de surchauffe, il tomba la veste d'un mouvement d'épaules et se dirigea vers les bruits en provenance de la cuisine.

Jaine remplissait quatre verres de thé glacé, ce qui signifiait qu'elle l'avait vu se garer dans l'allée.

– Tu arrives au bon moment, dit-elle.

Il plaqua son arme et son badge sur le comptoir, à côté de la cafetière.

– Pour quoi faire ? demanda-t-il.

Il choisit un verre de thé et but à grandes gorgées.

– Nous préparons une veillée pour Marci. Cheryl, sa sœur, sera des nôtres.

– Où et quand ? demanda-t-il.

– Demain soir, chez moi, répondit Luna.

– C'est bon. Je serai là.

– Allons, que veux-tu qu'il nous arrive si on est toutes les quatre ? demanda Jaine.

– Justement. C'est une chance inespérée pour le tueur de faire d'une pierre trois coups. Je ne m'incrusterai pas dans vos discussions, mais je serai là.

– Avant de commencer, j'ai quelque chose à vous dire, dit T.J. en lançant à Sam un regard appuyé.

– Moi aussi, répliqua Jaine.

– Moi de même, renchérit Sam.

Chacun attendit que l'autre commence. Alors Luna intervint :

– Puisque je suis la seule qui n'ait rien à dire, je vais arbitrer le match. À toi de commencer, T.J. Tu m'as intriguée tout à l'heure au téléphone.

T.J. fixa de nouveau Sam d'un air hésitant. Il devina qu'elle demandait la permission de dévoiler ce qu'elle avait fait aujourd'hui. Sam donna son feu vert.

– J'ai copié l'ensemble des dossiers professionnels pour M. Strawn. Il m'a dit qu'un inspecteur de police souhaitait le consulter.

Trois paires d'yeux convergèrent sur Sam, qui grimaça.

– J'ai rapporté un énorme liasse de papier. Nous cherchons les employés possédant un casier ou faisant l'objet de poursuites.

– Ça prendra combien de temps ? demanda Jaine.

– Si nos ordinateurs ne révèlent aucun antécédent probant, il faudra éplucher tous les dossiers, individu par individu, à la recherche du petit détail qui nous mettra la puce à l'oreille.

– C'est l'affaire d'un ou deux jours, en somme ?

– Madame est bien optimiste, répondit-il avant de vider son verre.

Luna joignit ses mains en T pour clore le débat, puis pointa Sam du doigt :

– À ton tour.

– Le médecin légiste a retrouvé sur Marci un cheveu blond qui ne lui appartenait pas.

Les trois femmes restèrent figées comme des statues, tandis que leurs cerveaux passaient en revue les blondinets de Hammerstead.

– Ça ne fait pas tilt ? demanda Sam.

– Pas vraiment, dit Jaine. Et puis, il faudrait s'entendre sur la définition de blond : s'agit-il d'un cheveu blond-blond ou juste châtain clair ?

Elle se tourna vers les deux autres, qui haussèrent les épaules en signe d'impuissance.

– Ça laisse tellement de possibilités...

– Quoi qu'il en soit, restez vigilantes. Après tout, elle a peut-être glané ce cheveu ailleurs. Mais s'il correspond bien à l'ADN du type qu'on arrêtera, alors il pourra faire ses prières. En attendant, méfiez-vous des blonds.

– Eh bien, ça promet, soupira Luna. Je dois être la seule tête brune des ventes.

– Je vais compulser le listing service par service, en commençant par la compta, puisque Marci fut la première cible. Au fait, ajouta Sam, je te remercie, T.J., d'avoir fait ce découpage préalable.

– J'adore me rendre utile, répondit cette dernière.

Luna donna ensuite la parole à Jaine.

Elle prit sa respiration. Après trois tentatives infructueuses, il fallait du courage pour annoncer qu'on souhaitait – une fois de plus – se marier. Sam l'encouragea d'un clin d'œil.

– Sam-et-moi-allons-nous-marier, fit-elle d'une traite, comme si la vitesse pouvait alléger le poids des mots, les soustraire à la vigilance des dieux.

Sam se boucha les oreilles pour parer l'explosion de joie qui s'ensuivit. T.J. sauta au cou de Jaine. Luna à celui de Sam. Tous finirent plus ou moins au cou des uns des autres. Jaine trouva le cercle exigu sans Marci, mais il ne fallait pas laisser les larmes gâcher la fête. La vie continuait. Plus triste, plus vide, mais elle continuait.

– Comment ? Ou plutôt quand ? demanda T.J.

– Dans trois semaines, dès le retour de ses parents, expliqua Sam. J'avais pensé faire ça dans le bureau du maire, mais on ne pourra jamais y faire tenir toute ma famille, qui tiendra à venir au grand complet.

– Peut-être dans un parc, suggéra Jaine.

– Un parc ? Non, une maison fera très bien l'affaire. Mes vieux ont une grande baraque. Bien obligés, avec sept gosses...

Jaine se racla la gorge.

– C'est-à-dire qu'il y aura ma famille, la tienne, T.J. et Luna, tes amis flics, et j'ai... comment dire... invité toute la rue.

– Mmm, je vois. Alors il faut ajouter George et Sadie, Eleanor et... nom d'un chien ! Si je comprends bien, notre petit mariage dans l'intimité compte déjà une centaine d'invités...

– J'en ai bien peur, mon ami.

– Ça veut dire de la bouffe et ce genre de trucs.

– T'as tout compris.

– Mais qui va se taper toute cette merde ?

Sûrement pas lui, à l'évidence.

– Shelley, répondit Jaine. Elle adore ce genre de mer... veilles. Mais rien d'extravagant, surtout. Je suis plutôt à sec ces derniers temps, entre les traites de la maison, mon nouveau système d'alarme, le téléphone portable, sans compter que je dois racheter des fringues ainsi qu'un matelas et un sommier...

– Laisse tomber le matelas et le sommier, répliqua Sam.

Les deux copines pouffèrent de rire.

T.J. sortit de son sac un billet de cinq dollars, qu'elle plaqua dans la paume de Luna.

– Je te l'avais dit, claironna cette dernière.

Jaine les regarda d'un œil mauvais.

– On parie sur ma vie sentimentale, maintenant ?

– Oui, et je dois dire que tu m'as beaucoup déçue, répondit T.J. en feignant la froideur.

Mais elle fut trahie par son rire.

– J'espérais que tu tiendrais encore deux ou trois semaines.

– Elle n'a pas su me résister, plastronna Sam.

– Il faisait peine à voir, nuança Jaine. Ses pleurnicheries et ses supplications étaient si pathétiques que j'ai fini par céder.

Le sourire de Sam promit à Jaine un chien de sa chienne. Elle frissonna en songeant à ce qui l'attendait. Devrait-elle lui faire l'amour trois ou quatre fois d'affilée pour mériter son pardon ? Quel sacrifice !

Elle était ravie de le voir si à l'aise avec ses amies. Il prit une chaise et participa à la préparation de la veillée, bien que sa contribution se limite à :

– Bière, pop-corn. Que faut-il de plus ?

Comme quoi il n'avait rien compris au rapport des femmes à la nourriture.

Quand T.J. et Luna furent reparties, ils allèrent au garage pour procéder au transfert de la voiture de papa. Après avoir aidé Jaine à replier la bâche, Sam demanda :

– Tu as les clés sur toi ?

Elle les sortit de sa poche et les agita sous le nez de Sam.

– Tu veux conduire ?

– Tu me fais de la lèche ou quoi ? Tu essaies de te racheter après cette histoire de pleurnicheries ?

– Non, je prévoyais de te faire ce que tu dis plus tard.

Touché, il happa le porte-clés puis se déchaussa.

– Raaaah la vache ! souffla-t-il en enjambant délicatement la portière pour se glisser derrière le volant.

Le bolide gris métallisé lui allait comme un gant. Il se mit à caresser le volant.

– Comment se l'est-il procurée, déjà ?

– Il l'a achetée, en 1964, mais elle lui était prédestinée. Tu sais : « Construite par Shelby, motorisée par Ford. » Papa était dans l'équipe qui a conçu le moteur, et il en est tombé amoureux. Maman était furieuse qu'il dépense autant d'argent alors qu'ils venaient d'avoir un bébé – Shelley – et qu'ils avaient besoin de s'agrandir. Ils n'ont produit qu'un millier d'exemplaires. Mille onze, exactement. Voilà comment papa se retrouve avec une authentique Cobra, qui aujourd'hui vaut bien plus que leur maison.

Sam se retourna sur son siège et désigna la Viper dans l'allée.

– Il n'est pas le seul à claquer son fric dans les bagnoles.

– De ce côté-là, je suis bien la fille de mon père. Cela dit, j'ai acheté la Viper d'occasion. Tu penses bien que je n'avais pas 69 000 dollars à débourser. Et j'ai enduré trois années de thon en boîte et de hamburgers pour me l'offrir.

Ces mots le firent frémir.

– Rassure-moi : tu as fini de la payer ?

– Jusqu'au dernier sou. Je n'aurais pas pu acheter la maison sinon. De toute façon, c'est la faute à papa si j'ai acheté un tel engin.

– Comment cela ?

Elle indiqua la Cobra des yeux.

– Sur quoi crois-tu qu'il m'a appris à conduire ?

Sam blêmit.

– Il a confié ce truc à une novice ?

– Tous ses enfants ont débuté là-dessus. Quand on sait conduire une Cobra, on peut tout conduire, disait-il. Mais Shelley et David ne la sentaient pas trop. Ils préféraient la grosse Lincoln de maman. Il faut croire que certaines personnes préfèrent le confort à la vitesse.

– Dieu du ciel...

L'image du roadster entre les mains de trois ados glaçait Sam d'effroi.

– Papa déteste ma Viper, continua Jaine d'un sourire vicieux. Le fait que ce ne soit pas une Ford n'arrange rien, mais surtout il n'a jamais digéré que je le batte en vitesse de pointe. La Cobra monte plus vite en régime, mais une fois lancée je parviens toujours à la doubler.

– Vous avez fait la course ? s'indigna-t-il.

– Juste pour voir ce qu'on avait sous le capot. Et ce n'était pas sur la voie publique, mais sur un circuit.

Il ferma les yeux.

– Ton père et toi êtes vraiment les mêmes, hein ? dit-il comme s'il leur découvrait une tare congénitale.

– Ouais, tu vas l'adorer.

– Je meurs d'impatience.

Quand Luna regagna son immeuble, elle eut la surprise de retrouver Shamal King assis devant sa porte. Il se releva en l'apercevant, et elle se figea dans un soudain accès d'angoisse. Shamal était grand et baraqué. L'espace d'une terrible seconde elle se demanda si... Non, c'était impossible. Le tueur était un homme blond. Elle déglutit, assommée par cette transition éclair entre peur et soulagement.

– Que fais-tu ici ? demanda-t-elle d'un ton involontairement hostile.

Il parut décontenancé par la froideur de l'accueil.

– Ça fait un bail qu'on ne s'est pas vus, dit-il de cette voix suave qui faisait tomber les femmes, même si les millions de dollars qu'il amassait au football y aidaient sûrement un peu.

Il était sans cesse entouré d'un cercle de groupies ; il aimait son statut de vedette, et il l'exploitait à fond.

– Je viens de vivre les deux semaines les plus folles de ma vie. D'abord la Liste, puis Marci...

Elle se tut, la gorge serrée. Elle n'arrivait pas à croire que Marci était morte. Ou plutôt si, elle y croyait, mais elle ne l'acceptait pas.

– Je suis vraiment navré, tu sais. Vous étiez très proches ?

Décidément, il la connaissait bien mal. Leur relation avait toujours tourné autour de lui seul.

– C'était ma meilleure amie, lâcha-t-elle, gagnée par les larmes. Écoute, Shamal, je ne suis pas d'humeur à...

– Eh ! Je suis pas venu pour ça, dit-il en rangeant ses mains dans les poches de son pantalon de flanelle. Si je voulais du sexe, je pouvais très bien m'adresser à...

Il n'alla pas plus loin, conscient de son évident manque de tact.

– Tu m'as manqué, dit-il avec embarras.

Ce n'était pas le genre de choses que Shamal King disait aux femmes.

Luna passa devant lui pour déverrouiller la porte.

– Vraiment ?

Cela faisait pratiquement un an, depuis leur première rencontre, qu'elle rêvait d'entendre de telles paroles, des mots tout simples qui prouvent qu'elle occupait, de quelque manière que ce soit, une place particulière dans le cœur de Shamal... Ce jour était enfin arrivé, mais trop tard. Elle n'avait plus envie de jouer. Elle avait tant donné, trop donné.

Il se dandinait nerveusement d'un pied sur l'autre. Elle comprit qu'il ne savait plus quoi dire. Tellement beau, tellement doué, et désormais tellement riche, il avait toujours fait des ravages. Courtisé, encensé, idolâtré depuis le collège où s'étaient révélés ses talents d'athlète, Shamal King se retrouvait soudain en terrain inconnu.

– Tu veux entrer ? finit-elle par proposer.
– Bien sûr. Avec plaisir.
Il scruta le petit appartement, comme s'il n'y avait jamais mis les pieds. S'arrêta devant la bibliothèque pour examiner ses lectures et ses photos de famille.
– Ton père ? demanda-t-il en soulevant le portrait d'un commandant de marine austère et élégant.
– Oui, quelques jours avant sa retraite.
– Alors t'es une gosse de pilote ?
– Une gosse de marine, corrigea-t-elle, affligée par son incapacité à reconnaître l'uniforme.
– J'y connais rien en armée. Moi, tu sais, en dehors du football... Tu as dû faire le tour du monde, non ?
– Une partie seulement.
– J'ai toujours su que tu étais très raffinée.
Il reposa le cadre, en respectant au millimètre près son emplacement d'origine.
– Tu connais les vins, des trucs comme ça...
Il paraissait désarçonné. Qu'était devenu le Shamal suffisant et impétueux pour qui le centre du monde était une place acquise ? Lui qui vivait dans un palace serait intimidé parce que Luna avait voyagé et eut son lot de dîners mondains ?
– Tu veux boire quelque chose ? Je n'ai rien de plus corsé que de la bière. Après, ce sera un jus de fruits ou du lait.
– Une bière, dit-il d'un air soulagé.
Peut-être avait-il craint de devoir choisir un vin blanc.
Elle sortit deux bières du réfrigérateur, les décapsula, en tendit une à Shamal. Fasciné, il regarda Luna boire une grande rasade.
– C'est la première fois que je te vois une bière à la main.
Elle haussa les épaules.

– La bière, c'est comme l'eau courante dans une base militaire. J'y ai pris goût.

Il s'assit et fit rouler la bouteille glacée entre ses mains pendant un bon moment. Puis il se jeta à l'eau :

– Luna... La raison qui m'amène ici...

Il ne termina pas sa phrase. Reprit ses roulements de bouteille.

Elle s'installa en face de lui et croisa ses longues jambes. Il lorgna aussitôt leurs courbes gracieuses, ce qui était le but de la manœuvre.

– Tu disais ?

Il s'éclaircit la voix.

– Quand tu as cessé de me voir, j'ai... enfin, ça m'a surpris, quoi. Je pensais qu'on... comment dire...

– On faisait l'amour, dit-elle gentiment.

Il avait besoin d'un coup de main ; à ce rythme, ils y seraient encore demain matin.

– Ça ne représentait rien de plus pour toi, poursuivit-elle. Je rêvais d'autre chose, je voulais davantage, mais je présume qu'il y a tes autres copines pour ça.

Il commençait de se liquéfier.

– C'était pas que sexuel...

– Tiens donc. C'est pour ça que tu as une pépée pour chaque soir de la semaine, et que tu fais la bringue dans chaque ville où tu t'arrêtes ? Ne me prends pas pour une idiote, Shamal. J'ai fini par ouvrir les yeux. J'aurais aimé tenir une place privilégiée dans ton cœur, mais ce n'est pas le cas.

– Si, c'est le cas !

Il baissa les yeux sur sa bouteille, et ses joues s'empourprèrent.

– Et plus que tu ne le penses, marmonna-t-il. Je ne veux pas te perdre, Luna. Dis-moi ce que je dois faire.

– Oublie toutes les autres, répondit-elle sans ambages. Si tu ne peux pas être fidèle, ça ne m'intéresse pas.

– Ouais, je sais, dit-il en esquissant un sourire. J'ai lu la Liste. Mais je remplis pas tous les critères, tu sais.

Elle sourit aussi.

– Certains étaient juste pour rire. Mais pas les cinq premiers.

– Alors si je... laisse tomber toutes les autres, tu reviendras ?

Elle y réfléchit. Elle y réfléchit si longtemps qu'il sua à grosses gouttes, malgré la climatisation. Luna comprit qu'elle avait déjà tiré un trait sur lui, même si en son for intérieur elle n'était qu'à moitié convaincue. Renverser la vapeur ne se ferait pas en un clin d'œil.

– Je t'accorde un période d'essai, dit-elle enfin.

Il s'affaissa dans le canapé comme un ballon de football crevé. Il avait eu très peur.

– Mais, s'empressa-t-elle d'ajouter en levant l'index, au premier écart de conduite, à la première nana que tu pelotes sous mes yeux comme je t'ai souvent vu le faire, tu peux me dire adieu. Tu n'auras pas de dernière chance, parce tu as déjà épuisé toutes les autres.

– Je le jure, dit-il en levant sa main droite. Je garderai ma queue dans ma poche.

– Ton sexe, Shamal.

– Quoi ?

– Tu garderas ton sexe dans ta poche.

– C'est ce que viens de dire.

– Non. Tu devrais surveiller ton langage, Shamal.

Mais je suis footballeur, bébé ! Je parle comme un footballeur.

– Fais ce que tu veux sur le terrain. Mais pas chez moi.

– Bon sang ! bougonna-t-il avec humour, tu essaies déjà de me faire changer.

C'était à prendre où à laisser, semblait dire le visage de Luna.

– Mon père peut débiter les pires insanités quand il est

en colère, mais il évite de le faire en présence de maman parce qu'elle déteste ça. Et j'ai hérité d'elle sur ce plan-là.. Mon amie Jaine essaie d'arrêter les gros mots et elle obtient de bons résultats. Et crois-moi, si Jaine en est capable, tout le monde en est capable.

– D'accord, d'accord. Je vais faire un effort.

Le visage de Shamal s'illumina soudain.

– Dis, tu trouves pas que cette discussion fait très... conjugal ? Madame fait des reproches, Monsieur fait profil bas. Comme un vrai couple, en somme.

Luna éclata de rire, et vint se blottir dans ses bras.

– C'est vrai, dit-elle. Comme un vrai couple.

25

Les paupières lourdes, Sam bâilla et se redressa sur le canapé de Luna, dans l'aube du samedi matin. Vers minuit, ces demoiselles avaient estimé que sa surveillance pouvait aussi bien s'effectuer à l'intérieur de l'appartement, et insisté pour qu'il les y rejoigne. N'écoutant que sa fatigue, il s'était facilement laissé convaincre. Il avait peu dormi au cours des deux nuits précédentes – mais comment faire lorsqu'un bombe sexuelle s'éprend de votre bâton de dynamite ? – et il broyait du noir car le listing de Hammerstead n'avait rien révélé, sinon quelques dérisoires amendes impayées ou autres plaintes pour tapage nocturne.

Dopées à la bière et au chocolat, les quatre jeunes femmes pétaient encore le feu à minuit. Cheryl se révélait un sorte de Marci *light*, avec le même physique, les mêmes intonations, et le même humour décapant. Elles avaient jacassé à s'en claquer les cordes vocales, ri, pleuré, picolé et dévoré tout ce qui leur était passé sous la main. Un spectacle édifiant.

Elles avaient poursuivi leur veillée dans la cuisine pour laisser le divan à Sam. Il avait dormi, mais en gardant une oreille dressée. Et il n'avait rien remarqué d'étrange, sinon que Jaine chantait beaucoup quand elle était pompette.

En se réveillant, il remarqua d'abord que le volume avait baissé. En fait, il régnait un silence de plomb. Sam ouvrit doucement la porte de la cuisine et passa la tête à l'intérieur. Elles roupillaient toutes, la respiration alourdie par l'épuisement et l'alcool. T.J. ronflait légèrement, mais ce n'était rien en comparaison de certains mâles de la tribu Donovan.

Jaine était littéralement sous la table, recroquevillée sur le flanc avec ses mains jointes en guise d'oreiller. Elle avait l'air d'un ange. Elle devait faire ça depuis qu'elle était enfant, songea Sam, ému par une telle grâce.

Plus sobrement, Luna s'appuyait le front sur ses bras croisés. C'était une chouette gamine, songea Sam, et il lui fallait du cran pour se farcir les trois autres. Cheryl aussi était couchée sur la table, la joue collée contre une manique. Comme quoi la bière stimulait l'imagination...

Il trouva café et filtres, et mit la cafetière en route, sans hésiter à faire du bruit. Mais aucun œil ne s'ouvrit. Il fouilla les placards et rassembla cinq tasses. Il en remplit quatre à moitié, en prévision des risques de tremblote, et la dernière – la sienne – à ras bord. Puis il dit :

– Allez, mesdames, debout là-dedans !

Il se serait adressé au mur que le résultat eut été identique.

– Mesdames ! lança-t-il, cette fois plus fort.

Rien.

– Jaine ! Luna ! T.J. ! Cheryl !

Luna leva la tête d'un centimètre, le regarda d'un œil embrumé, et replongea aussitôt. Les trois autres n'avaient pas bougé.

Un sourire malicieux apparut sur le visage de Sam. Il pouvait toujours les secouer une à une, mais il y avait plus drôle : tambouriner une casserole avec un cuillère à soupe et les voir bondir comme des puces. Jaine se cogna la tête sous le plateau de la table et cria :

– Espèce d'enfoiré !

Sa mission accomplie, Sam distribua les tasses, se baissant pour servir Jaine. Assise sur le carrelage, elle se frottait le crâne en le fusillant du regard. Dieu qu'il aimait cette femme.

– Allez, faut s'activer, dit-il à la petite troupe. L'inhumation aura lieu dans cinq heures.

– Cinq heures ? grogna Luna. Tu es sûr ?

– Certain. Cc qui signifie qu'il vous en reste quatre pour atteindre la maison mortuaire.

– C'est pas réaliste, gémit T.J., qui parvint néanmoins à tremper les lèvres dans son café.

– Vous devez dessoûler...

– On n'est pas soûles, grogna une voix sourde.

– ... manger un morceau si vous y arrivez, puis vous doucher, vous laver les cheveux, et j'en passe. Vous n'avez pas le temps de grommeler sous la table.

– Je ne grommelle pas.

En effet, le verbe rugir était plus approprié pour qualifier les râles de Jaine. Un peu de sexe curatif lui ferait peut-être du bien, songea Sam, mais à condition que lui-même y survive. À cet instant, il devinait ce qu'éprouvait le mari de la mante religieuse en approchant son épouse : la galipette serait mortelle, dans tous les sens du terme.

Bah, certaines causes méritaient qu'on meure pour elles.

Cheryl se leva, avec force craquements. Les coutures de la manique étaient imprimées sur sa joue. Elle but une gorgée de café, se racla la gorge et dit :

– Il a raison. On va être en retard si on ne se remue pas.

Un bras gracile émergea de sous la table, prolongé par une tasse vide. Sam la remplit de café. Le bras se rétracta aussitôt.

Sam s'apprêtait à passer quarante ou cinquante années avec Jaine. C'était assez flippant. Mais le plus flippant, c'est que cette idée lui plaisait.

T.J. vida sa tasse et se leva pour se resservir.

– C'est bon, dit-elle, je vais y arriver. Je pisse un coup, je me rafraîchis le visage, et je file chez moi.

Elle disparut dans le couloir, laissant planer cette phrase derrière elle :

– Comment je parle devant Sam !

Quinze minutes plus tard, elles s'alignaient toutes face à lui, avec des mines renfrognées.

– J'arrive pas à croire que tu nous fasses ce coup-là, vitupéra Jaine avant de souffler dans l'alcootest.

– Je suis pas flic pour rien. Ne prendront le volant que celles qui sont en état.

Il lut la pipette graduée et hocha la tête en souriant.

– Tu as de la chance que je sois là, bébé, parce que tu n'iras nulle part sans moi. Tu es légèrement au-dessus de la barre.

– Je te crois pas !

– Si je te le dis. Allez, calme-toi et reprends du café pendant que j'examine les autres.

Cheryl passa le test avec succès. T.J. aussi. Et Luna, de justesse.

– Tu triches ! s'emporta Jaine.

– Comment veux-tu que je triche ? C'est toi qui as soufflé, bécasse !

– Alors ton truc déconne ! Je vois pas pourquoi je serais la seule à dépasser le taux alors qu'on a toutes bu le même volume.

– C'est parce que vous ne faites pas le même poids, expliqua-t-il patiemment. Luna frôle la limite légale, mais toi tu l'exploses. Alors c'est moi qui te reconduis.

Elle ressemblait à présent à un enfant qui boude.

– On laisse quel véhicule ici ? demanda-t-elle. Le pick-up ou la Viper ?

– La Viper. Laissons croire que Luna a de la visite, au cas où quelqu'un surveillerait le parking.

L'argument était imparable.

– D'accord, dit-elle quand elle parvint à desserrer les dents.

Sans trop d'histoires, elle se laissa traîner jusqu'au pick-up, où elle retomba aussitôt dans les bras de Morphée.

De retour dans leur rue, elle trouva la force de marcher comme un grande jusqu'à la porte de Sam, puis jusqu'à la salle de bains où, dans un état végétatif, elle le regarda tourner le robinet de la douche, se déshabiller puis la déshabiller elle.

– Tu comptais te laver les cheveux ? demanda-t-il.

– Oui.

– Très bien. Dans ce cas, tu ne m'en voudras pas si je fais ça.

Et de la soulever d'un coup pour la précipiter sous le jet d'eau. Elle cracha et toussa, mais sans se débattre. Elle relâcha les poumons et expira longuement, comme si l'eau lui faisait du bien.

Après s'être shampouinée et rincée, elle avoua :

– Je suis mal lunée ce matin.

– Sans blague.

– Je suis toujours à cran quand j'ai pas mon compte de sommeil.

– T'expliques ça comme ça, toi ?

– Oui, j'explique ça comme ça. Je suis généralement d'humeur joviale après quelque bières.

– Tu étais jouasse hier soir. Mais tu devrais te voir ce matin.

– Tu crois que j'ai la gueule de bois. Mais c'est faux. J'ai un peu mal au crâne, c'est tout. Au moins, tu sais à quoi t'en tenir si tu m'empêches encore de dormir ce soir.

– Moi, je t'empêche de dormir ? Moi ? Je t'empêche, moi, de dormir, toi ? !

Il en bafouillait, le pauvre.

– Je délire, où c'est toi qui m'as secoué comme un prunier à 2 heures du mat alors que j'écrasais comme un bienheureux ?

– Je ne t'ai pas secoué. J'ai peut-être fait quelques bonds sur toi, mais je ne t'ai pas secoué.

– Quelques bonds...

– Tu bandais. J'allais quand même pas gâcher ça !

– Tu aurais pu me réveiller *avant* de commencer à ne pas gâcher ça.

– Écoute, dit-elle agacée, si tu ne comptes pas t'en servir, ne te couche pas sur le dos avec popaul dressé. Si c'est pas une invitation, c'est que j'y connais rien...

– Je dormais. Il a fait ça tout seul.

Et d'ailleurs il le faisait tout seul en ce moment même, en se dressant contre le ventre de Jaine.

Elle baissa les yeux... et sourit.

Relevant le menton d'un air dédaigneux, elle lui tourna le dos et termina sa toilette en l'ignorant soigneusement.

– Eh ! héla-t-il d'une voix alarmée. Tu ne vas quand même pas gâcher celle-là, dis ?

Ils rallièrent la maison mortuaire à temps, mais ce fut juste. Sam avait ramené Jaine devant l'immeuble de Luna pour qu'elle récupère sa voiture, afin d'éviter que le tueur, s'il se pointait à la cérémonie, ne devine en la voyant descendre du pick-up qu'elle s'était réfugiée chez Sam.

Il se sentait détendu, et Jaine avait retrouvé toute sa bonhomie. Le sexe curatif était un remède miracle. Elle avait réussi à lui tenir tête cinq minutes entières, attendant qu'il soit vraiment à bout pour braquer sur lui ses yeux bleus étincelants et lui susurrer à l'oreille :

– Je me sens stressée. Je crois que j'ai besoin de me détendre.

Elle était resplendissante, se dit-il en l'observant à travers la pièce. Elle portait un ravissant ensemble bleu marine qui tombait au niveau du genou, et des escarpins tout à fait sexy. Elle l'avait laissé assister à la confection de son

« masque d'obsèques », comme elle disait. L'occasion pour Sam de constater que les femmes avaient plus d'un tour dans leur trousse de maquillage. Eye-liner et rimmel waterproof en prévision des larmes ; ni blush ni fond de teint, mais de la poudre pour éviter de tâcher les épaulettes des gens qu'elle embrasserait ; et un rouge à lèvres discret qu'elle disait « églantine ». Lui voyait juste un machin « rose », mais les femmes ne plaisantaient pas avec ces choses-là.

Vêtue de noire, Cheryl se tenait droite, très digne, la main dans celle de son mari, qui l'avait rejointe. En tailleur vert bouteille, T.J. était également accompagnée de son époux. M. Yother avait l'allure du cadre américain type. Ventre plat, cheveux bruns impeccables, traits réguliers. Il ne tenait pas la main de T.J., et elle se tournait rarement vers lui. Ce couple battait de l'aile, songea Sam.

Luna portait une robe moulante rouge vif qui lui arrivait à mi-cuisse. Elle était tout simplement splendide. Elle vint au-devant de Jaine, et Sam se rapprocha pour entendre ce qu'elles se disaient.

– Marci adorait le rouge ! fit Jaine en prenant la main de Luna. Je regrette de ne pas avoir eu la même idée.

La bouche de Luna tremblait.

– Je voulais lui dire au revoir avec classe. J'espère que je ne commets pas une faute de goût.

– Tu plaisantes ? C'est superbe. Tous ceux qui connaissaient Marci comprendront, et les autres s'en ficheront.

Roger Bernsen était là aussi, qui tentait de se fondre dans la masse, quoique sans grand succès. Il n'adressa la parole à personne, mais lui et Sam n'étaient pas venus pour ça. Arpentant la pièce, ils étudièrent la foule et écoutèrent les conversations.

Plusieurs hommes blonds étaient présents, mais aucun ne semblait s'intéresser à Jaine ou à ses copines. La plupart étaient flanqués de leur épouse. Certes, rien n'empêchait l'assassin d'être marié et de mener une existence en apparence des plus normale, mais seul un tueur aguerri resterait impassible au milieu de ses victimes passées et futures. Or, l'assassin qu'ils recherchaient opérait sur un mode personnel et rageur, comme un type lâché par ses nerfs.

Sam continua d'ouvrir l'œil jusqu'à la fin de l'office qui, Dieu merci, fut bref. L'air devenait irrespirable, bien que Cheryl ait volontairement choisi un horaire matinal en prévision de la canicule.

Il interrogea Bernsen du regard, qui secoua lentement la tête. Lui non plus n'avait rien remarqué. La cérémonie étant filmée d'un bout à l'autre, ils vérifieraient ultérieurement si un détail ne leur avait pas échappé. Mais Sam en doutait fort. Il aurait pourtant parié que le tueur se pointerait.

Cheryl pleurait un peu, mais de manière contenue. Jaine se tamponnait les yeux avec un coin de mouchoir ; encore une astuce pour préserver son maquillage, se dit Sam en se demandant si ses sœurs étaient aussi expertes.

Une femme élancée vêtue d'une robe noire vint présenter ses condoléances à Cheryl, puis s'effondra tout à coup dans ses bras.

– Je n'arrive pas y croire ! brailla-t-elle. Ce n'est plus pareil au bureau sans elle.

T.J. et Luna se rapprochèrent de Jaine en observant la scène avec des mines ahuries. Sam la rejoignit également, et en toute discrétion, puisque autour d'eux les gens se rassemblaient aussi par petits groupes, feignant d'ignorer le tumulte.

– J'aurais dû me douter que Leah allait en faire des tonnes, confia T.J. à l'oreille de Sam. C'est la reine de la tragédie. On travaille dans le même service, et elle nous fait le coup régulièrement. Au moindre problème, elle te pond un mélodrame.

Jaine regardait ce triste spectacle d'un œil navré. Elle secoua la tête et dit :

– La roue tourne encore, mais le hamster est mort.

Un rire fusa de la bouche de T.J., qu'elle tenta de camoufler en quinte de toux. Elle rentra la tête dans ses épaules, rouge comme un tomate. Luna se mordait la lèvre inférieure, mais elle aussi fut gagnée par l'hilarité et dut détourner les yeux. Sam se couvrit la bouche, mais ses épaules remuaient compulsivement. D'aucuns penseraient peut-être qu'il pleurait.

Une robe rouge ! La garce portait une robe rouge. Corin n'en croyait pas ses yeux. Quelle honte, quelle vulgarité ! Jamais il n'aurait cru ça d'elle, et il devait lutter pour ne pas lui sauter à la gorge. Mère serait atterrée.

Les femmes de son espèce ne méritaient pas de vivre. Aucune d'elles. C'étaient des sales, perverses catins, et il rendrait un fier service à l'humanité en se débarrassant d'elles.

Luna fit ouf ! quand elle put enfin ôter ses talons hauts, de retour à son appartement. Ses pieds étaient bardés d'ampoules, mais Marci valait bien ce sacrifice.

Elle se sentait à la fois épuisée et apaisée. La veillée en l'honneur de Marci et l'effet cathartique des rires et des larmes lui avaient permis d'aborder avec une relative sérénité la deuxième phase : celle de la cérémonie en tant que telle, du rite. Son père disait que les funérailles militaires, avec leur rigueur solennelle, protocolaire, et leur gestuelle millimétrée, étaient source de réconfort pour la famille du défunt. Le rite était une façon de dire : cette personne comptait. Cette personne était respectée. Et l'office représentait un moment charnière, où l'on pouvait à la fois rendre hommage au disparu et reprendre soi-même le chemin de la vie.

Luna était surprise de voir comment elles avaient immédiatement accroché avec Cheryl. C'était un peu comme de retrouver une part de Marci, bien que Cheryl ait sa propre personnalité. Ce serait sympa de garder contact.

Elle plia les bras dans son dos pour attraper la fermeture éclair de sa robe, et l'avait à moitié ouverte quand la sonnette retentit.

Elle se figea, glacée par la panique. Mon Dieu. Il était là, elle le sentait. Il l'avait suivie jusqu'ici. Il savait qu'elle était seule.

Elle s'approcha lentement du téléphone, comme s'il pouvait la voir de l'extérieur. Il s'était introduit chez Jaine en brisant un carreau, mais aurait-il la force d'enfoncer une porte ? Elle ne savait même pas si celle-ci était blindée.

– Luna ? appela une petite voix depuis le couloir. C'est Leah. Leah Street. Tu vas bien ?

– Leah ? souffla-t-elle, assommée par le soulagement.

Elle courba le dos, les bras ballants, pour reprendre son souffle et dissiper ses tremblements.

– J'ai essayé de te rattraper, mais tu allais trop vite pour moi, ajouta Leah.

Et pour cause. Elle s'était dépêchée de rentrer pour retirer ces satanées chaussures.

– Je te demande une petite minute. J'étais sur le point de me changer.

Que faisait Leah ici ? se demanda Luna en détachant la chaînette de la porte. Avant d'ouvrir, elle jeta tout de même un œil à travers le judas pour s'assurer que c'était bien elle.

C'était bien Leah, l'air triste et fatigué, et soudain Luna se sentit prise de remords pour la façon dont elles s'étaient moquées d'elle lors de la cérémonie. Les deux collègues n'avaient jamais échangé que quelques mots en coup de vent, alors pourquoi Leah voulait-elle lui parler aujourd'hui ? Elle ouvrit quand même.

– Entre donc, Leah. Il faisait une chaleur atroce à l'enterrement, pas vrai ? Je t'offre une boisson fraîche ?

– Avec plaisir.

Elle portait un grand cabas, qu'elle décrocha de son épaule et serra contre sa poitrine comme un bébé.

Comme elle s'éloignait vers la cuisine, Luna songea tout à coup à la blondeur éclatante de Leah. Elle s'immobilisa, fronça un sourcil, et commença de se retourner.

Trop tard.

26

Jaine se réveilla à 10 h 30 le dimanche matin, pour la seule raison que le téléphone sonnait. Elle chercha l'appareil à tâtons, puis se souvint qu'elle était chez Sam, et se recroquevilla sur l'oreiller. Le téléphone était situé de son côté du lit, et alors ? Que Sam se débrouille avec ses affaires.

Elle le sentit remuer, tout de chaleur, de vigueur et de virilité ambrée.

– Décroche, s'il te plaît, dit-il d'une voix dormante.

– C'est pour toi, murmura-t-elle.

– Comment tu le sais ?

– C'est ton téléphone.

Elle détestait devoir professer des évidences.

Marmonnant pour lui-même, il se redressa sur un coude et s'étendit sur Jaine pour saisir l'appareil. Elle se sentit couler dans le matelas.

– Ouais. Donovan.

Un bref silence.

– Ouais. Ne quittez pas.

D'un air narquois, il laissa tomber le combiné sous le nez de Jaine.

– C'est Shelley.

De bons jurons lui vinrent à l'esprit, mais elle les garda pour elle. Sam n'avait toujours rien dit pour l'« enfoiré » de la veille – lorsqu'elle s'était cognée sous la table –, et elle ne tenait guère à lui rafraîchir la mémoire.

– Allô ? dit-elle pendant que Sam se rallongeait.

– La nuit fut longue ? demanda Shelley d'une voix sarcastique.

– Douze, treize heures. La routine, quoi.

Un corps ferme et chaud se pressa contre son dos, et une main ferme et chaude se posa sur son ventre pour remonter doucement vers ses seins. Une troisième chose ferme et chaude se dressa contre ses fesses.

– Très drôle, répondit Shelley. Écoute, il faut que tu reprennes le chat.

À l'entendre, ce n'était pas négociable.

– BooBoo ? Pourquoi ?

Comme si elle l'ignorait. Elle bloqua la main que Sam promenait sur ses seins. Elle devait se concentrer si elle ne voulait pas récupérer BooBoo.

– Il bousille mes meubles ! Je l'avais toujours pris pour un gentil minou, mais c'est un démon destructeur !

– Il est juste perturbé de se retrouver en territoire inconnu.

Privé de seins, Sam s'intéressa à un autre point stratégique. Jaine serra les cuisses pour stopper sa progression.

– En attendant c'est moi la plus perturbée ! cria Shelley. Écoute, je ne peux pas m'occuper de ton mariage si je dois surveiller ce monstre vingt-quatre heures sur vingt-quatre.

– Tu préfères le savoir en danger de mort ? Tu préfères annoncer à maman que tu as laissé un psychopathe mutiler son chat parce que tes meubles comptent plus à tes yeux que les sentiments de ta mère ?

Ça, c'était de la répartie, se félicita Jaine. Du grand art.

– T'exagères, protesta Shelley.

Sam libéra sa main des cuisses de Jaine et choisit un nouvel angle d'attaque : par-derrière. Elle sentit la main dissipatrice s'immiscer entre ses fesses, puis s'avancer jusqu'à trouver l'objet de sa quête, où s'introduisirent progressivement deux doigts tendus. Elle gémit et faillit lâcher le téléphone.

Shelley aussi changea d'angle d'attaque :

– Tu n'es même pas chez toi, puisque tu as élu domicile chez Sam. BooBoo sera en sécurité avec vous.

Bon sang. Elle ne pouvait pas se concentrer. Les doigts de Sam, longs et rugueux, lui faisaient tourner la tête. Il se vengeait d'avoir dû répondre au téléphone, mais à ce jeu-là il allait retrouver sa maison saccagée par un chat furieux.

– Chouchoute-le, et il se calmera.

Ouais, d'ici deux semaines... Elle ajouta :

– Il aime notamment qu'on lui gratte les oreilles.

– Viens le reprendre, Jaine.

– Enfin, Shel ! Je ne peux pas imposer un chat dans une maison qui n'est pas la mienne.

– Bien sûr que si. Sam accepterait une meute entière de chats sauvages s'il fallait ça pour te toucher. Use de ton pouvoir tant qu'il est temps ! Dans quelques mois il ne prendra même plus la peine de se raser avant de te rejoindre sous les draps.

Génial. Voilà que Shelley en faisait un enjeu de domination. La partie émergée de la main de Sam frottait son clitoris, et elle faillit miauler.

– Je ne peux pas ! geignit-elle, sans trop savoir elle-même à qui elle s'adressait.

– Si, tu peux, répondit Sam d'une voix langoureuse.

Shelley s'écria :

– Seigneur, vous êtes en train de faire ce que je pense ! Je viens d'entendre Sam. Tu me parles au téléphone pendant qu'il te culbute !

– Non, non, bredouilla Jaine, ce que Sam transforma aussitôt en mensonge en remplaçant promptement ses doigts par un engin en pleine forme. Elle se mordit la lèvre, mais un cri étranglé s'échappa malgré tout.

– Je vois que j'ai mal choisi mon moment. Je rappellerai quand tu ne seras plus *prise*. Il lui faut combien de temps, en général ? Cinq minutes ? Dix ?

Elle voulait un rendez-vous, à présent ! Se mordre les lèvres n'ayant pas suffi, Jaine essaya l'oreiller. Puis, luttant de toutes ses forces pour se maîtriser, elle articula :

– Deux heures.

– Deux heures ? ! glapit Shelley.

Elle se tut un instant.

– Et il a des frères ? reprit-elle.

– Qu... quatre.

– La vache !

Shelley observa un nouveau silence, sûrement pour considérer l'éventualité de plaquer Al pour un Donovan. Ses cogitations se conclurent par un grand soupir.

– Je vais devoir changer de stratégie, dit-elle. Si j'ai bien compris, BooBoo aura démoli ma maison jusqu'à la dernière brique avant que tu n'oses contrarier ton étalon.

– Exact, confirma Jaine, tandis que sombraient ses paupières.

Sam se mit à califourchon sur sa cuisse droite, hissant la cheville gauche sur son épaule. Dans cette position, il gagnait en profondeur, et sa cuisse gauche à lui brossait la zone la plus sensible de Jaine, laquelle reprit l'oreiller à pleine bouche.

– Allez, je te laisse vaquer à tes occupations, prononça Shelley d'une voix morne. Tant pis, j'aurais essayé.

– Ciao, fit Jaine.

Elle agita le bras pour raccrocher le combiné, mais le socle était trop éloigné. Alors Sam se pencha en avant pour s'en charger, et ce faisant s'enfonça si profondément qu'elle tressaillit et jouit.

Quand elle recouvra la parole, elle se déblaya le visage et dit :

– Tu es ignoble.

Faible et haletante, elle pouvait à peine remuer le petit doigt.

– Non, mon poussin, je suis bon.

Et il le prouva sur-le-champ.

Retombant sur le côté, en nage et vidé, il murmura :

– Si j'ai bien suivi, on a failli récupérer BooBoo.

– Ouais, et tu n'as rien fait pour l'empêcher. Elle savait ce que tu étais en train de faire. Et elle ne l'oubliera pas de sitôt.

Le téléphone sonna à nouveau.

– Si c'est Shelley, je ne suis pas là.

– Comme si elle allait gober ça, dit Sam pendant qu'il cherchait l'appareil à tâtons.

– Qu'elle gobe ce qu'elle veut, du moment que je n'ai pas à lui parler.

– Allô ? Ne quittez pas.

Il lui tendit le téléphone en articulant un « Cheryl » muet. Elle fut soulagée.

– Salut, Cheryl.

– Salut. Voilà, je cherche à joindre Luna. Je lui ai fait retirer quelques photos de Marci, et je voudrais son adresse pour les lui envoyer. J'y étais hier, mais qui fait attention aux numéros de rue et de maison ? Vu qu'elle ne répond pas au téléphone, je me tourne vers toi.

Jaine se redressa, parcourue d'un frisson.

– Elle ne répond pas ? Ça fait longtemps que tu essaies de la joindre ?

– À peu près trois heures. Depuis 8 heures du matin.

Cheryl comprit soudain.

– Mon Dieu, fit-elle.

Sam était déjà debout, en train de boutonner son pantalon.

– Qui ? demanda-t-il en allumant son portable.

– Luna, répondit Jaine fébrilement. Écoute, Cheryl, ne nous affolons pas. Elle est peut-être partie à la messe, ou prendre un brunch avec Shamal. Oui, ils doivent être ensemble. Je m'occupe de la trouver et je lui dis de t'appeler, d'accord ?

Sam pianota sur son portable tout en sortant une chemise de la penderie, qu'il enfila rapidement. Il quitta la chambre avec chaussettes et chaussures à la main, en chuchotant dans l'appareil.

– Sam est en train de passer des coups de fil, dit Jaine à Cheryl. On va la trouver.

Elle raccrocha sans dire au revoir, puis sauta du lit et rassembla ses vêtements. Elle tremblait, et chaque seconde un peu plus. Quelques minutes plus tôt elle était au septième ciel, et la voilà de nouveau dévorée d'angoisse. Le contraste était quasi paralysant.

Elle fit irruption dans le salon, le jean déboutonné, au moment où Sam quittait la maison. Il portait son flingue et son badge.

– Attends ! cria-t-elle.

– Non, dit-il, la main posée sur la poignée de la porte. Je ne peux pas t'emmener.

– Si, dit-elle en cherchant des yeux ses chaussures, qui par malchance étaient restées dans la chambre. Attends-moi.

– Jaine ! gronda-t-il en prenant sa voix de flic. S'il est arrivé quelque chose, ta présence ne servira à rien. On ne te laissera pas entrer, et il fait trop chaud pour poireauter dans le pick-up. Va m'attendre chez T.J. Je t'appelle dès que j'ai du nouveau.

Ses tremblements continuaient, auxquels s'ajoutèrent des larmes. Pas étonnant qu'il ne veuille pas l'emmener. Elle s'essuya le visage.

– Promis ? gémit-elle.

– Promis, dit-il gentiment. Sois prudente sur la route. Et surtout, ne laissez entrer personne. D'accord, bébé ?

Elle acquiesça.

– D'accord.

– Je t'appelle, répéta-t-il avant de disparaître.

Jaine s'effondra sur le canapé, s'étranglant d'une série de hoquets bruts et âpres. Elle n'aurait pas la force de revivre ça. Pas ça. Pas Luna. Si jeune, si belle, ce salopard ne pouvait pas s'en prendre à elle. Elle était forcément avec Shamal. Le brusque revirement de son homme l'avait comblée de joie ; elle aurait choisi de lui consacrer tout son temps libre. Sam la trouverait. Shamal était sur liste rouge, mais les flics avaient accès à tous les numéros. Luna serait avec Shamal, et Jaine se sentirait ridicule d'avoir paniquée ainsi.

Les larmes cessèrent enfin et elle se moucha. Elle devait se rendre chez T.J., pour attendre l'appel de Sam. Elle reprit le chemin de la chambre, puis fit demi-tour pour verrouiller la porte d'entrée.

Elle arriva chez son amie vingt minutes plus tard, après s'être seulement coiffée et brossé les dents. Elle s'appuya de tout son poids sur la sonnette.

– C'est Jaine ! Dépêche-toi, T.J. !

Elle entendit des pas précipités, les aboiements du cocker, puis la porte s'ouvrit d'un coup sur le visage alarmé de T.J.

– Qu'est-ce qui ne va pas ? demanda-t-elle en la tirant à l'intérieur.

Mais Jaine ne pouvait lui répondre ; les mots refusaient de sortir. Surexcité, Trilby continuait d'aboyer en bondissant entre leurs jambes.

– Couchée, Trilby ! commanda T.J.

Son menton tremblait. Elle déglutit.

– C'est Luna ?

Jaine fit oui de la tête. T.J. se couvrit la bouche pour étouffer les cris qui lui déchirèrent la gorge, et elle se laissa retomber contre le mur.

– Non ! Non ! parvint à dire Jaine en prenant T.J. dans

ses bras. Excuse-moi, excuse-moi, il ne s'agit pas de... On ne sait rien encore. Sam est parti chez elle, et il nous appellera dès qu'il saura...

– Que se passe-t-il ? demanda Galan en faisant irruption dans l'entrée, l'air affolé.

Il tenait à la main quelques feuilles du journal dominical. Trilby fondit sur lui, agitant frénétiquement son moignon de queue.

– Luna est introuvable, expliqua Jaine. Cheryl n'arrive pas à la joindre au téléphone.

– Elle sera partie faire les courses, répondit Galan en haussant les épaules.

T.J. le fusilla du regard.

– Il pense qu'on est une bande d'hystériques et que Marci a été tuée par un toxico, dit-elle.

– C'est toujours plus plausible que vos histoires de serial killer, rétorqua-t-il. Arrêtez de tout dramatiser.

– Dans ce cas, la police aussi dramatise, répliqua Jaine.

Mais elle en resta là, refusant de prendre part à leurs querelles de couple. T.J. et Galan avaient suffisamment de problèmes à régler sans qu'elle ne vienne en rajouter.

Galan haussa les épaules à nouveau.

– T.J. m'a dit que tu allais épouser un flic, alors j'imagine qu'il te fait marcher. Allez, viens mon toutou.

Il s'en alla retrouver son bureau et son journal, collé aux talons par Trilby.

– Ne fais pas attention à lui, dit T.J. Dis-moi plutôt ce qui se passe.

Jaine précisa le contenu et les indications horaires du coup de fil de Cheryl. T.J. se tourna vers la pendule ; il était un peu plus de midi.

– Ça fait au moins quatre heures. Elle n'est pas au supermarché. Personne n'a joint Shamal ?

– Il est sur liste rouge, mais Sam s'occupe de tout.

Elles se rendirent dans la cuisine. Le coup de sonnette avait arraché T.J. à son livre, qui reposait ouvert sur la table de la véranda. T.J. prépara du café.

Elles en étaient à leur deuxième tasse, le téléphone sans fil rivé à la main de T.J., quand celui-ci sonna enfin.

– Sam ? demanda T.J. fébrilement.

Elle l'écouta en silence, et Jaine comprit à son visage qu'il n'y avait plus d'espoir. Elle était sonnée, livide. Elle remua les lèvres, mais il n'en sortit aucun son.

Jaine lui arracha le téléphone des mains.

– Sam ? Je veux savoir.

Il répondit d'une voix lourde :

– Je suis désolé. Il semble que ce soit arrivé hier soir, voire dès son retour de l'enterrement.

T.J. coucha son front sur la table, en pleurs. Jaine posa la main sur son épaule, pour tenter de la réconforter, mais elle-même se sentait flancher.

– Restez où vous êtes, dit Sam. J'arrive dès que j'ai fini. Ce n'est pas mon secteur, mais on essaie d'unir nos réflexions. Ça peut me prendre plusieurs heures, mais ne bougez pas quoi qu'il arrive.

– D'accord, chuchota Jaine avant de raccrocher.

Galan apparut dans l'embrasure de la porte. Il fixa son épouse d'un air perplexe, dubitatif, comme s'il voulait encore croire à la thèse de l'exagération.

– Que se passe-t-il ?

– C'était Sam, dit Jaine. Luna est morte.

Ses dernières forces la quittèrent, et elle vécut les heures suivantes en larmes dans les bras de son amie.

Le soleil se couchait quand Sam arriva, les traits tirés par la fatigue et la contrariété. Il se présenta spontanément à Galan, puisque ni Jaine ni T.J. ne pensèrent à le faire.

– Vous étiez aux obsèques, dit Galan en ajustant son regard.

Sam hocha la tête.

– Ainsi qu'un inspecteur de Sterling Heights. On espérait repérer le type, mais soit il est très malin, soit il n'était pas là.

Galan posa les yeux sur sa femme. Assise, muette, absente, T.J. caressait machinalement la chienne. Hier encore le regard de Galan était froid et distant, mais plus maintenant.

– Alors y'a vraiment un type à leurs trousses, hein ? C'est à peine croyable...

– Croyez-le, répondit Sam.

Il avait la rage au ventre en songeant au sort de Luna. Elle avait subi la même attaque, personnelle et perverse. Le visage en miettes, les multiples coups de couteau, l'agression sexuelle. Au contraire de Marci, elle était encore vivante lorsqu'il s'était mis à la poignarder ; le sol de l'appartement était une mare de sang. Et ses vêtements avaient été lacérés, comme ceux de Jaine. Quand il pensait que Jaine avait frôlé la mort, qu'elle aurait connu le même sort si elle était rentrée chez elle ce mercredi-là, c'est tout juste s'il pouvait contenir sa colère.

– Vous avez contacté ses parents ? demanda Jaine d'une voix enrouée.

Ils n'habitaient pas loin, à Toledo dans l'Ohio.

– Oui, ils sont déjà là.

Il s'assit et la prit dans ses bras, couvant sa tête sur son épaule.

Son biper sonna. Il porta la main à sa ceinture pour le faire taire, consulta l'écran et se frotta le visage en pestant.

– Je dois y aller.

– Jaine peut rester ici, dit T.J. avant que Sam n'ait à le lui demander.

– Je n'ai pas pris de vêtements, dit Jaine.

Ce n'était pas une objection, juste un constat.

– On va faire un saut chez toi, offrit Galan. T.J. viendra

avec nous. Tu prendras le nécessaire, et tu resteras ici aussi longtemps qu'il te plaira.

Sam approuva d'un hochement de tête.

– Je vous appelle, dit-il avant de s'éclipser.

Corin se balançait d'avant en arrière. Il ne dormait pas, ne dormait pas, ne dormait pas. Alors il fredonnait un air, comme lorsqu'il était enfant, mais la magie n'opérait plus. Il se demanda depuis quand. Mais il ne se rappelait pas.

La garce en rouge était morte. Mère était si contente. Plus qu'à deux points du match.

Il se sentait bien. Pour la première fois de sa vie, il satisfaisait Mère. Jusqu'à ce jour, rien de ce qu'il avait fait n'était assez bien pour elle, parce qu'elle n'avait jamais réussi à le transformer en être parfait. Mais aujourd'hui il excellait, et elle était comblée. Il débarrassait le monde de ces satanées garces, une à une à une. Non. Ça faisait « une » de trop. Il n'avait pas encore eu la troisième. Il avait essayé, mais elle n'était pas chez elle.

Il se souvenait toutefois l'avoir vue à l'enterrement. Elle avait ri. Ou était-ce l'autre ? Il se sentait perdu, car les visages se confondaient dans sa mémoire.

On ne doit pas rire à des funérailles. C'est très blessant pour les défunts.

Mais laquelle des deux avait ri ? Pourquoi ne pouvait-il s'en souvenir ?

Peu importe, se dit-il, et déjà il se sentait mieux. Les deux restantes devaient mourir, alors peu importe qui avait ri ou qui était « Mlle C ». Aucune importance, car Mère serait enfin, enfin heureuse et plus jamais elle ne lui ferait mal.

27

Le lundi suivant, assis à son bureau du commissariat de Warren, la tête entre les mains, Sam relisait indéfiniment les dossiers de Hammerstead. Les ordinateurs du fichier national n'avaient offert aucune piste, si bien que Bernsen et lui étaient condamnés à s'embourber dans leur pile de paperasse dans l'espoir qu'un détail fasse tilt et les mette sur la voie.

C'était là, sous leurs yeux. Sam en était persuadé. En son for intérieur, il pensait même avoir déjà trouvé la faille. Il ne pouvait dire laquelle, et c'était bien là le problème, mais il y parviendrait tôt ou tard. Tôt, de préférence. Dans la minute, par exemple.

Le type haïssait les femmes. A priori, il ne s'entendait pas avec elles et détestait les avoir pour collègues. Son dossier professionnel mentionnerait peut-être quelques récriminations émises par des tiers, voire une plainte pour harcèlement. Une telle chose aurait dû leur sauter aux yeux dès le premier examen, mais les reproches étaient peut-être édulcorés par une formulation évasive.

Ni Jaine ni T.J. ne travaillaient aujourd'hui. Shelley les avait recueillies toutes les deux, ainsi que le cocker qui aboyait à la moindre visite, fût-ce celle d'un moineau sur la terrasse. Sam avait craint que Jaine ne veuille rentrer chez elle, puisqu'on avait installé son alarme – sous l'étroite surveillance de Mme Kulavich, qui prenait son rôle très au sérieux – pendant l'enterrement de samedi. C'était certes un équipement utile, mais il en faudrait davantage pour arrêter un tueur déterminé.

Par chance, Jaine n'avait pas voulu rester seule. T.J. et elle étaient restées ensemble, choquées et abattues par le carnage infligé à leur petit cercle d'amies. Plus personne ne doutait que la Liste était à l'origine de ce déchaînement de violence, et les services de police avaient constitué une unité spéciale pour coordonner les enquêtes sur les deux meurtres.

Tous les réseaux d'information nationaux couvraient l'histoire. « Qui veut la peau des Listeuses ? s'interrogeait tel présentateur. La région de Detroit est sous le choc après le double meurtre de deux rédactrices de la Liste, ce brûlot sur l'homme parfait qui mit l'Amérique en émoi il y a deux semaines de ça. »

Les journalistes avaient repris leur campement devant les grilles de Hammerstead, prêts à interviewer toute personne ayant eu un lien quelconque avec les victimes. L'unité spéciale faisait en sorte d'obtenir la cassette de toutes les interviews, au cas où le tueur pousse le vice jusqu'à pleurer ses deux « amies » à la télévision nationale.

Les reporters avaient aussi frappé à la porte de Jaine, pour repartir bredouilles. Présumant qu'ils allaient également sonner chez T.J., Sam avait appelé Shelley pour lui demander d'inviter les deux amies pour la journée, service que Shelley se fit un plaisir de rendre. Les fouineurs échoueraient tôt ou tard sur le perron de Shelley, mais d'ici là Jaine et T.J. auraient un minimum de tranquillité.

Il se frotta les yeux. En tout et pour tout, il avait dû dormir deux heures. La veille, son biper l'avait convoqué sur le lieu d'un autre homicide, celui d'un adolescent. L'affaire s'était vite conclue par l'arrestation de l'ex de la petite amie, qui n'avait pas encaissé que son nouveau jules lui dise d'aller au diable. Mais rapide ou non, toute mission entraînait son lot de paperasse, et il n'y avait pas moyen d'y échapper.

Où en était donc l'expertise de l'empreinte retrouvée dans la salle de bains de Jaine ? Les résultats d'analyse étaient d'ordinaire plus rapides. Il fouilla rapidement sur son bureau, mais non, personne n'avait déposé cela en son absence. Peut-être le document avait-il été expédié à Bernsen, puisqu'ils avaient cosigné toutes leurs requêtes. Avant la mort de Luna, beaucoup avaient refusé d'établir un lien entre le meurtre de Marci et le saccage du pavillon de Jaine, mais lui et Bernsen n'en avaient jamais douté, comme plus personne n'en doutait aujourd'hui.

Il appela Roger.

– Aurais-tu reçu le rapport sur l'empreinte de semelle ?

– Pas encore. Tu veux dire que toi non plus ?

– Toujours pas. Le labo a dû égarer ma demande. Je vais les relancer sur-le-champ.

Putain, se dit-il en raccrochant. S'il y avait une chose à éviter, c'était bien le retard. Cette empreinte pouvait s'avérer anodine ou décisive.

Il se replongea dans ses dossiers, exaspéré par cette impression de piétiner. C'était là, sous ses yeux. Il le savait. Il suffisait de mettre le doigt dessus.

Galan quitta l'usine de bonne heure. Ébranlé par les évènements de la veille, il ne pouvait se concentrer sur son travail. Il aspirait à une seule chose : récupérer T.J. chez la sœur de Jaine, la ramener à la maison et veiller sur elle lui-même.

Comment avaient-ils pu s'éloigner l'un de l'autre ? se demandait-il. Mais il connaissait la réponse : son flirt innocent avec sa collègue Xandrea Conaway avait pris une trop grande ampleur, qui d'ailleurs n'avait peut-être jamais rien eu d'innocent. Galan s'était mis à comparer T.J. à Xandrea dans ses moindres faits et gestes, et s'était laissé piéger par un verdict en trompe-l'œil : laquelle des deux se montrait la plus élégante et la plus conciliante ?

Il s'était fourvoyé. Forcément, T.J. ne se mettait pas sur son trente et un à la maison. Lui non plus, du reste. C'était tout l'intérêt du chez-soi : un endroit où l'on peut se mettre à l'aise. T.J. râlait quand il oubliait de sortir la poubelle ? La belle affaire. Lui-même sortait de ses gonds chaque fois qu'il retrouvait ses produits de beauté dispersés sur la tablette du lavabo. Les gens vivant en couple se tapaient toujours sur les nerfs de temps à autre. Ça faisait partie du mariage.

Il aimait T.J. depuis qu'il avait quatorze ans. Comment avait-il pu l'oublier, et tout ce qu'ils avaient vécu ensemble ? Pourquoi fallait-il que sa femme soit en danger de mort pour comprendre qu'il mourrait de la perdre ?

Il ne savait comment rattraper le coup. Il ignorait même si elle lui laisserait une chance. Ces derniers jours, depuis qu'elle avait deviné son attirance pour Xandrea, elle lui avait tourné le dos. Elle croyait peut-être qu'il l'avait trompée, alors qu'il n'avait jamais laissé l'idylle atteindre une telle extrémité. Ils s'étaient embrassés, d'accord, mais rien de plus.

Il tenta d'imaginer sa propre réaction s'il apprenait que T.J. avait embrassé un autre homme. Il eut envie de vomir. Tout compte fait, un bisou n'était peut-être pas si bénin.

La sœur de Jaine habitait une bâtisse du style XVIIIe siècle à St. Clair Shores. Les portes du garage trois places étaient baissées, et le bahut tape-à-l'œil de Sam Donovan était stationné dans l'allée. Il se gara à côté et remonta le chemin sinueux jusqu'aux deux vantaux de la porte d'entrée. Il sonna et attendit.

C'est Donovan qui ouvrit. Galan remarqua le pistolet à sa ceinture, et songea que lui-même porterait le sien s'il en possédait un, que ce soit légal ou non.

– Comment vont-elles ? demanda-t-il en pénétrant à l'intérieur.

– Fatiguées. Encore sous le choc. Shelley dit qu'elles ont dormi une bonne partie de la journée. J'imagine qu'elles ont peu fermé l'œil la nuit dernière.

Galan hocha la tête.

– Elles ont discuté jusqu'au petit matin. Curieusement, elles ont très peu parlé de ce connard, ou de ce qui aurait pu arriver à Jaine la nuit où il s'est introduit chez elle. Non, elles ont surtout évoqué Luna et Marci.

– C'est comme si elles venaient de perdre deux parents proches coup sur coup. Elles mettront du temps à s'en remettre.

Sam côtoyait le deuil au quotidien ; il savait que Jaine se relèverait, parce qu'elle avait une trempe de cogneuse et qu'elle ne s'avouait jamais vaincue, mais il savait aussi qu'il faudrait des semaines voire des mois entiers pour que l'ombre du chagrin ne quitte son regard.

Pour l'essentiel, la villa baignait dans une atmosphère ordinaire. Al, le mari de Shelley, était assis devant la télé, leur fille Stefanie suspendue au téléphone du premier étage et Nicholas, le fiston de onze ans, jouait sur l'ordinateur familial. Les femmes étaient réunies dans la cuisine – pourquoi toujours la cuisine ? – autour de sodas allégés et d'en-cas en tous genres.

La douleur avait laissé Jaine et T.J. blafardes, mais leurs paupières étaient sèches. T.J. parut surprise de voir son mari.

– Qu'est-ce que tu fais ici ?

Il ne décela aucun enthousiasme dans ces mots.

– Je voulais être auprès de toi, répondit-il. Je sais que tu es épuisée, et je ne voulais pas t'obliger à attendre minuit pour rentrer. Sans compter que Shelley et sa famille n'ont sûrement pas l'habitude de veiller si tard.

– Ne vous en faites pas pour ça, dit Shelley d'un battement de main. On ne surveille jamais l'heure quand les enfants sont en vacances.

– Tu as pensé aux journalistes ? demanda T.J. à Galan. Ce sera l'enfer s'ils continuent à nous guetter.

– Je doute qu'ils s'éternisent, objecta Sam. Ils rêvent d'une interview, c'est sûr, mais ils peuvent recueillir d'autres déclarations. Et puis, ayant trouvé porte close aujourd'hui, ils préféreront sûrement rappeler que de prendre racine sur le trottoir.

– Dans ce cas, j'aimerais rentrer, déclara T.J. en se levant.

Elle embrassa la maîtresse de maison.

– Je te remercie du fond du cœur, Shelley. Je ne sais pas ce qu'on serait devenues sans toi.

– Reviens quand tu veux. Demain, par exemple, si tu ne vas pas travailler. En tout cas, évite de rester seule chez toi !

– Merci beaucoup. J'apprécie ton offre, mais je prévois d'aller bosser demain. La reprise du train-train me changera un peu les idées.

– Je crois que Sam et moi allons également rentrer, dit Jaine. Il a l'air aussi naze que moi.

– Je te verrai au boulot ? demanda T.J.

– J'en sais rien. Possible. Je t'appellerai pour te dire.

– Trilby ! lança T.J.

La chienne accourut, tout excitée et l'œil pétillant.

– Allez, fifille, on rentre à la maison.

Trilby aboya et se frotta aux jambes de T.J. Galan se pencha pour la caresser, et elle lui lécha la main.

Galan au volant, T.J. regardait défiler le paysage à travers la vitre.

– Rien ne t'obligeait à quitter l'usine plus tôt, tu sais. Je vais bien.

– Je voulais être auprès de toi, dit-il à nouveau.

Il prit une longue inspiration. Il aurait préféré que cette discussion attende leur retour à la maison, où il pourrait prendre T.J. dans ses bras, mais tout compte fait le moment n'était pas forcément le pire. Au moins elle ne pourrait pas se défiler.

– Je suis désolé, souffla-t-il.

– De quoi ? demanda-t-elle sans le regarder.

– D'être un pauv'con. D'être le roi des pauv'cons. Tu es la personne que j'aime le plus au monde, et je ne supporte pas l'idée de te perdre.

– Et que devient ta copine ?

Elle avait prononcé ce mot d'une voix de gamine, comme pour fustiger son comportement d'ado en rut.

Il grimaça.

– Je sais que tu ne me crois pas, mais je te jure que je n'ai pas été stupide à ce point !

– Et à quel point précis s'est arrêtée ta stupidité ?

Elle ne laissait jamais rien passer, songea-t-il. Déjà au lycée, elle le collait au mur quand il essayait de lui cacher quelque chose.

Sans quitter un seul instant la route des yeux, de peur d'affronter le regard de sa femme, il répondit :

– Au flirt. Et aux baisers. Mais rien de plus. Jamais.

– Tu ne l'as même pas pelotée ? demanda T.J. d'un ton incrédule.

– Pas une seule fois, affirma-t-il. Mais je te jure, T.J., que je trouvais ça nul. Je ne dis pas ça au sens physique du terme. C'était nul parce que ce n'était pas toi. Je ne sais pas ce qui m'a pris ; le besoin de séduire, le frisson de l'aventure... Mais c'était mal et je le savais.

– Qui est-elle au juste ?

Il se fit violence pour prononcer le nom, car cela revenait à poser un visage sur sa trahison, à la rendre concrète.

– Xandrea Conaway.

– Je l'ai rencontrée ?

Galan secoua la tête, avant de constater que T.J. détournait toujours les yeux.

– Non, je ne crois pas.

– Xandrea ? dit-elle. On dirait le nom d'une boisson énergétique.

Galan évita le moindre commentaire positif sur l'intéressée.

– Je t'aime, T.J. Hier, quand on a appris pour Luna et que j'ai compris que...

Sa voix se grippait. Il déglutit avant de reprendre :

– Quand j'ai compris que tu étais en danger, ça m'a fait l'effet d'une gifle.

– Être la cible d'un psychopathe est un bon moyen d'attirer l'attention, dit-elle d'un ton cassant.

Il se jeta à l'eau :

– Me laisseras-tu une seconde chance ?

– Je ne sais pas.

Il se sentit gagné par le découragement.

– J'ai dit que je ne prendrais aucune décision hâtive, et je m'y tiendrai. J'avoue que j'ai la tête ailleurs en ce moment, aussi je propose qu'on remette cette discussion à plus tard.

D'accord, pensa-t-il. C'était un essai manqué, mais la partie demeurait ouverte.

– Je pourrai dormir avec toi ? demanda-t-il d'une petite voix.

– Tu veux dire, faire l'amour ?

– Non. Je veux dire partager le même lit. Le nôtre. J'avoue que j'aimerais aussi faire l'amour, mais si tu n'en as pas envie, me laisseras-tu au moins dormir avec toi ?

T.J. mit si longtemps à répondre que Galan commençait à croire que les jeux étaient faits.

– D'accord, répondit-elle.

Il respirait de nouveau. Elle ne débordait pas d'enthousiasme, mais au moins elle ne lui claquait pas la porte au nez. Elle lui laissait bel et bien une seconde chance. Leurs nombreuses années de vie commune avaient dû faire la différence, qui les maintenaient unis là où un couple plus jeune aurait déjà volé en éclats. Pour autant, il n'allait pas réparer en une nuit deux ans de dégâts accumulés.

Il allait s'accrocher, faire l'impossible pour se racheter et prouver à T.J. qu'il l'aimait encore. Mais l'essentiel, pour l'heure, était de la protéger, même si au bout du compte elle devait le quitter. Supporterait-il de la perdre ? Il l'ignorait. Mais il savait, en revanche, qu'il ne supporterait pas de l'enterrer.

– Je suis lessivée, dit Jaine. Alors je n'ose imaginer comment tu te sens.

– Je carbure au café depuis ce matin, répondit Sam. Mais la caféine a ses limites. On se couche de bonne heure ce soir ?

Elle bâilla.

– Ai-je vraiment le choix ? Je ne pourrais rester éveillée même si je le voulais. Et j'ai une terrible migraine depuis ce matin.

– Merde, dit-il avec nonchalance. On n'est pas encore mariés que tu me fais déjà le coup de la migraine.

Elle le gratifia d'un petit sourire.

– J'imagine que Shelley vous a sorti un concombre géant aujourd'hui ?

Le petit sourire s'accentua, quoique teinté de tristesse.

– Ouais. Chaque fois qu'on fermait les yeux, elle nous

collait ses rondelles. Je ne sais pas si ça marche, mais en tout cas ça fait du bien.

Elle marqua une pause.

– À part ça, l'enquête avance ?

Il grogna son désarroi.

– On pédale dans la semoule. L'ordinateur central n'a rien révélé, alors Bernsen et moi avons repris une énième fois les dossiers professionnels pour voir si un détail ne nous avait pas échappé. À tout hasard, tu n'aurais pas souvenir d'une plainte pour harcèlement, ou d'un conflit quelconque entre deux employés ?

– Je me rappelle bien le jour où Sada Whited a surpris son mari dans les bras d'Emily Hearst. Ça c'est terminé en baston sur le parking, mais je doute que ça puisse éclairer ta lanterne.

Elle bâilla de nouveau.

– Une plainte pour harcèlement, dis-tu ? Non, pas à ma connaissance. Bennett Trotter mériterait d'être poursuivi pour harcèlement sexuel tous les jours, mais personne n'est encore passé à l'acte. Il est brun, de toute façon.

– On ne cherche pas seulement du côté des blonds, tu sais. En l'état actuel des choses, on n'exclut personne. Marci a très bien pu ramasser ce cheveu blond en frôlant quelqu'un au supermarché. Parle-moi un peu de Bennett Trotter.

– C'est un porc libidineux qui passe son temps à faire des blagues salaces. Il se croit irrésistible, mais il est bien le seul. Tu vois le genre.

Sam voyait très bien. Il se demanda si Bennett Trotter aurait un alibi pour les soirs des deux meurtres.

– Ils sont plusieurs à être détestés de tous, poursuivit Jaine. À commencer par mon supérieur direct, Ashford deWynter. La Liste l'a vraiment rendu furax, jusqu'à ce que la direction dise banco pour cette publicité gratuite. Alors il s'est calmé.

Sam ajouta Ashford deWynter à sa liste mentale.

– Personne d'autre ?

– Je ne connais pas tout le monde. Voyons voir... Personne n'apprécie Leah Street, mais je présume qu'on s'en moque.

Ce nom était familier aux oreilles de Sam.

– La reine de la tragédie, c'est ça ?

– C'est une vraie plaie. Dieu merci, elle ne bosse pas dans mon service. Mais T.J. doit se la colleter tous les jours.

– Personne d'autre hormis Trotter et deWynter ?

– À première vue, non. Il y a bien un type, Cary ou un nom de ce style, qui tirait vraiment la tronche quand la Liste est sortie. Il se faisait charrier par un groupe de nanas, mais il n'était pas agressif.

– Tu saurais retrouver son nom exact ?

– Bien sûr. Dominica Flores faisait partie de ses persécutrices. Je l'appellerai demain matin.

Les choses avaient drôlement changé, songea T.J. en retrouvant le bureau le lendemain. Marci et Luna étaient absentes. Elles le seraient à jamais. S'il était difficile d'accepter la mort de Marci, dans le cas de Luna c'était carrément impossible. Comment pouvait-on assassiner une gosse aussi brillante et adorable pour une histoire de liste idiote ?

Elle se souvint que le tueur était ici, dans l'enceinte même de cet immeuble. Elle était susceptible de le croiser à tout moment. Revenir ce matin n'était peut-être pas une riche idée, mais d'une certaine manière elle tenait à être là précisément parce que lui s'y trouvait aussi. Peut-être se trahirait-il en lui adressant la parole, ou à travers quelque expression, mouvement, geste, n'importe quoi... Elle n'était pas la fille de Sherlock Holmes, mais elle ouvrirait l'œil.

Jaine était sans conteste la plus intrépide du groupe, mais T.J. se sentait elle aussi capable de bravoure, et Dieu sait s'il en fallait pour venir bosser aujourd'hui. Jaine préférait prolonger son congé ; frappée d'une migraine persistante, elle était retournée se faire dorloter chez sa sœur.

T.J. appréciait non moins de savoir Galan inquiet pour elle. Il fallait être sotte, tout de même, sinon cruelle pour reprendre le travail quand son mari mourait d'angoisse à cette idée. Mais il l'avait négligée pendant tellement longtemps que ce brusque regain d'attention était merveilleux. Elle demeurait surprise par ce qu'il lui avait dit la veille. Il n'était pas impossible, en définitive, que leur mariage connaisse un second souffle. Elle n'allait pas s'empresser de lui donner l'absolution, de même qu'elle ne s'était pas précipitée chez un avocat lorsque étaient apparues les premières fissures. Mais elle aimait Galan et, pour la première fois en deux ans, elle concevait que Galan puisse l'aimer.

Luna et Shamal étaient eux aussi parvenus à surmonter leurs différends, juste avant qu'elle ne disparaisse. Ils avaient connu deux jours de bonheur. Deux jours, quand ils méritaient une vie.

T.J. se glaça. Elle-même n'avait-elle plus que deux jours pour profiter de sa fragile trêve avec Galan ?

Non. Le tueur n'allait pas l'attraper comme il avait attrapé les deux autres. D'ailleurs, elle ne comprenait toujours pas pourquoi Luna l'avait laissé entrer chez elle, comme le prétendait la police. L'attendait-il à l'intérieur de l'appartement ? D'après Sam, on n'avait relevé aucune trace d'effraction, mais peut-être avait-il crocheté la serrure. À moins qu'il ne se soit procuré un double des clés. Il y avait forcément une explication.

Si Galan était encore au travail lorsqu'elle rentrerait en fin d'après-midi, elle ne pénétrerait pas seule dans la maison. Elle demanderait à un voisin de l'accompagner. Et la présence de Trilby constituait une défense supplémentaire ; la petite chienne ne laissait rien passer. Les cockers étaient une race très protectrice. Leurs aboiements étaient parfois pénibles, mais leur fidélité précieuse.

Leah Street ouvrit de grands yeux lorsque T.J. entra dans le bureau.

– Je ne pensais pas te voir aujourd'hui, dit-elle.

T.J. cacha sa propre surprise. Leah n'avait jamais su s'habiller, mais c'était d'ordinaire une personne très soignée. Or, son accoutrement d'aujourd'hui semblait provenir d'une décharge. Sa jupe était fendue sur le côté, révélant l'ourlet de sa combinaison. T.J. n'aurait pas cru qu'on puisse porter une combinaison quand ce n'était pas nécessaire, a fortiori en période de canicule. Quant à son chemisier, il était complètement fripé, et tâché au niveau du buste. Même sa chevelure, d'ordinaire lisse et brillante, était sens dessus dessous.

T.J. sortit de ses songes en voyant que Leah attendait une réponse.

– Oui, je me suis dit que le travail me ferait du bien. Tu sais, la routine, tout ça...

– La routine, répéta Leah en hochant la tête d'un air songeur.

Étrange. Mais après tout, Leah avait toujours été comme une nouille dans un bol de riz. Rien de terrible, juste un peu... ailleurs.

Et à ce que T.J. en vit, Leah était vraiment ailleurs ce matin. Dans son monde. Elle chantonnait, se limait les ongles, répondait au téléphone. Et, à défaut de l'être tout à fait, elle paraissait lucide.

Elle se volatilisa peu après 9 heures, et réapparut au bout de dix minutes avec de nouvelles taches sur son chemisier. Elle se pencha sur T.J. pour lui dire à l'oreille :

– Je n'arrive pas atteindre certains dossiers. Pourrais-tu m'aider à déplacer des boîtes ?

Quels dossiers ? Quelles boîtes ? L'essentiel des archives était informatisé. Comme T.J. commençait de lui demander de quoi il retournait, Leah roula des yeux d'un air gêné, comme si elle éprouvait une difficulté sans rapport avec les dossiers et qu'elle ne souhaitait pas divulguer aux autres.

« Pourquoi moi ? » soupira T.J. intérieurement.

– OK, dit-elle cependant.

Elle suivit Leah jusqu'à l'ascenseur.

– Ces dossiers se trouvent où ? demanda T.J.

– En bas. Au magasin.

– On va faire du shopping ? plaisanta T.J.

Mais visiblement l'astuce échappa à Leah.

Elles étaient seules dans l'ascenseur, et ne croisèrent personne dans le couloir du rez-de-chaussée, ce qui, à cette heure de la matinée, n'était guère étonnant. Tout le monde avait regagné son bureau, les fêlés devaient se livrer une bataille de crachats, et ce n'était pas encore la pause-café.

Elle traversèrent l'étroit couloir vert immonde, et Leah ouvrit la porte estampillée « Magasin », s'écartant pour laisser passer sa collègue. Une terrible odeur de renfermé piqua les narines de T.J. À croire que personne n'avait mis les pieds là-dedans depuis des lustres. Et il y faisait noir comme dans un four.

– Où est l'interrupteur ? demanda-t-elle.

Une masse dure s'abattit dans son dos, qui la projeta à l'intérieur de la salle sombre et puante. Elle tomba de tout son long sur le sol en béton, s'éraflant paumes et genoux. Elle parvint à rouler sur le côté et se remit sur ses jambes avant qu'un long tube métallique s'écrase au sol en sifflant à ses oreilles.

Elle cria, ou du moins crut le faire. Elle n'en était pas sûre, car elle n'entendait rien d'autre que les tambours de son cœur. Elle agrippa le tube et lutta pour s'en emparer. Mais Leah était forte, très forte, et un deuxième coup renvoya T.J. à terre.

Elle entendit un nouveau sifflement ; puis trente-six chandelles jaillirent dans son crâne et ce fut le silence.

28

Une porte s'ouvrit dans le couloir. Pétrifié, Corin écouta les pas lourds se rapprocher, puis s'éloigner, jusqu'à un deuxième bruit de porte. Il comprit qu'il s'agissait d'un employé de la maintenance. Un simple coup d'œil en direction du magasin, et le type aurait pu découvrir le pot aux roses.

Corin se liquéfia. Comment avait-il omis cette éventualité ? Grave erreur. Il avait manqué de prudence, et Mère serait furieuse.

Il regarda la femme allongée sur le béton crasseux. On distinguait à peine sa silhouette dans la faible lueur du couloir. Respirait-elle ? Il ne pouvait le dire, et n'osait le vérifier de peur d'être repéré.

C'était du travail bâclé, mal préparé, et Mère exigeait la perfection. Il fallait trouver autre chose, vite, pour rectifier le tir.

L'autre. La quatrième. Celle avec la langue bien pendue. Il l'avait ratée une première fois car elle n'était pas chez elle. Mère comprendrait-elle que ce n'était pas sa faute ?

Non. Mère n'acceptait aucune excuse.

Il n'avait plus qu'à y retourner, et cette fois-ci pour réussir.

Mais que faire s'il retrouvait une maison déserte ? Elle n'était pas entre ces murs ; il avait vérifié. Où pouvait-elle se cacher ?

Il la trouverait. Il connaissait l'identité et l'adresse de ses parents, comme celles de son frère et de sa sœur. Il en savait long sur elle. Il en savait long sur tous ceux qui travaillaient ici, car il adorait feuilleter les dossiers professionnels. Grâce à leur numéro de Sécurité sociale et à leur date de naissance, il accédait même à une mine de renseignements confidentiels depuis son ordinateur personnel.

Elle était la dernière. Il ne pouvait plus attendre. Il devait la trouver. Immédiatement. Il devait finir la mission que Mère lui avait assignée.

Sans faire de bruit, il reposa le tube métallique à côté de la femme inerte, ressortit du magasin, referma tout doucement la porte et s'éloigna sur la pointe des pieds.

L'inspecteur Wayne Satran s'arrêta devant le bureau de Sam en brandissant un fax.

– Voici le rapport que vous attendiez concernant l'empreinte de semelle.

Il le posa dans la corbeille à courrier et poursuivit son chemin jusqu'à son propre bureau.

Sam prit le rapport et lut la première ligne : « L'empreinte ne correspond à aucun modèle répertorié... »

Putain, c'était pas croyable. Tous les labos de criminologie disposaient de catalogues ou de bases de données régulièrement mises à jour, qui permettaient d'identifier n'importe quel modèle de chaussure ayant été commercialisé à un moment ou à un autre. Et lorsqu'un fabricant refusait, pour une raison quelconque, de signaler un nouveau produit, les experts n'hésitaient pas à l'acheter avec les deniers publics.

Le tueur s'était peut-être procuré ses baskets à l'étranger, ou alors elles provenaient d'une sous-marque quelconque. Ou bien le type était assez rusé pour en modifier lui-même le motif à l'aide d'un canif. Cette dernière hypothèse était néanmoins peu probable. Il ne s'agissait pas d'un tueur méthodique, mais d'un type fragile et impulsif.

Sam commença à chiffonner le rapport, avant de se dire que c'était tout de même assez verbeux pour un simple *niet.* Il ne fallait laisser passer aucun détail, ne pas céder à l'impatience. Alors il défroissa le document et lut la suite.

« ... dans la catégorie chaussure de sport homme. En revanche, elle correspond à un modèle identifié dans la catégorie femme. L'empreinte partielle s'avère insuffisante pour déterminer la taille précise de la chaussure, mais celle-ci est vraisemblablement comprise entre 39 et 41. »

Une chaussure de femme ? Le type portait des pompes de femme ?

À moins que... nom de Dieu !

Il se jeta sur le téléphone et composa le numéro de Bernsen.

– J'ai reçu le rapport. C'est une chaussure de femme.

Il y eut un silence de mort.

– Tu te fous de ma gueule !

Roger semblait aussi ahuri que Sam.

– On a fait la connerie d'exclure les femmes de nos recherches. On aurait dû étudier *tous* les dossiers.

– Tu veux dire que c'est une femme qui...

Bernsen ne conclut pas sa phrase. Sam devina qu'il pensait aux coups infligés à Marci et Luna.

– Seigneur...

– Voilà pourquoi Luna a ouvert la porte. Rien ne l'incitait à se méfier d'une femme.

C'était donc ça, cette impression permanente d'avoir loupé le coche. Une femme. Une femme blonde. Il revit aussitôt les obsèques de Marci, et la grande perche qui s'était effondrée dans les bras de Cheryl. La reine de la tragédie, comme l'avait surnommée T.J. Et Jaine avait ajouté : *La roue tourne encore, mais le hamster est mort.* Elle pensait que cette femme avait un grain, que ça ne tournait pas rond dans sa caboche. Et d'ailleurs, ça lui revenait maintenant, Jaine l'avait citée hier soir au chapitre de ses collègues asociaux.

Qu'avait-elle ajouté à son sujet ? Ah oui, qu'elle travaillait dans le même service que T.J., les ressources humaines. Autrement dit, elle pouvait tout connaître sur tout le monde, y compris les numéros de téléphones personnels et les coordonnées des proches à contacter en cas d'urgence.

Tout s'expliquait. À commencer par l'autre petit détail qui le turlupinait depuis le début : Laurence Strawn lui avait bien dit que les dossiers du personnel figuraient sur un système indépendant du réseau de l'entreprise. Ce qui signifiait qu'aucun pirate ne pouvait y accéder à distance. La personne qui s'était procurée le numéro de portable de T.J. l'avait donc trouvé dans son dossier, lequel n'était accessible, sauf autorisation spéciale, qu'aux employés des ressources humaines.

Mais quel était son nom, déjà ? *Quel était ce putain de nom ?*

Il s'apprêtait à appeler Jaine quand le nom lui revint en mémoire. Street. Leah Street. Alors il effaça les premiers chiffres du numéro de Shelley et enfonça la touche « bis ».

– Leah Street, annonça-t-il dès que Roger eut décroché. Tu sais, celle qui chialait dans les bras de la sœur de Marci.

– La grande blonde ? s'écria Roger. Merde ! C'est vrai qu'elle avait le profil parfait.

Au millimètre près, songea Sam. Nerveuse, excessive, incapable de rester en retrait...

– J'ai son dossier sous les yeux, dit Roger. Je vois plusieurs plaintes pour des problèmes de comportement. Elle ne s'entendait pas avec ses collègues. Schéma classique. On va l'amener ici pour voir ce qu'elle nous raconte de beau.

– Elle doit être au boulot, dit Sam avant d'être frappé d'un terrible pressentiment. Attends, Roger : T.J. a repris le travail aujourd'hui. Elle et Street sont dans le même service, les ressources humaines...

Roger comprit le message.

– Appelle T.J., dit-il. Moi, je fonce là-bas.

Sam fit le numéro de Hammerstead, qu'il avait noté sur un Post-it. Il serra les dents lorsqu'un répondeur s'enclencha à la première sonnerie. Il attendit que la machine daigne lui dicter le numéro de poste des ressources humaines. Bon sang, ces foutues entreprises ne pouvaient pas employer de vraies gens pour répondre au téléphone ? C'était bien beau, les économies, mais cela pouvait être fatal en cas d'urgence.

Il obtint enfin le numéro qu'il souhaitait, et le composa aussitôt. Une voix hostile répondit à la quatrième sonnerie.

– Ressources humaines. Fallon à l'appareil.

– Passez-moi T.J., s'il vous plaît.

– Désolée, mais Mlle Yother s'est absentée du bureau.

– Depuis combien de temps ? demanda-t-il sèchement.

Fallon n'était pas du genre loquace.

– Qui la demande ? fit-elle tout aussi sèchement.

– L'inspecteur Donovan. Je dois la joindre au plus vite. Dites-moi, est-ce que Leah Street est ici ?

– Non plus, monsieur.

Fallon se montrait soudain beaucoup plus coopérative.

– T.J. et elle sont parties ensemble il y a une bonne demi-heure. Le téléphone n'arrête pas de sonner et sans elles la situation devient intenable.

– Si vous revoyez T.J., dites-lui de rappeler immédiatement l'inspecteur Sam Donovan.

Il lui dicta son numéro. Il envisagea un instant de mettre Fallon au parfum, puis y renonça, de peur que Leah ne comprenne qu'elle était démasquée.

– Vous est-il possible de transférer mon appel vers le bureau de M. Strawn ?

Seul Laurence Strawn était habilité à prendre les mesures qui s'imposaient.

– Oui, bien sûr, répondit-elle.

Il y eut un silence.

– Vous voulez que je le fasse ?

Sam se retint de l'incendier.

– S'il vous plaît, Fallon.

– D'accord. Ne quittez pas.

Il entendit une série de bips électroniques, puis la voix suave d'une secrétaire de direction. Sam lui épargna son laïus de bienvenue.

– Inspecteur Donovan à l'appareil. M. Strawn est-il disponible ? C'est un cas de force majeure.

Les mots « inspecteur » et « force majeure » le menèrent à Strawn tel un sésame magique. Sam lui fit un bref topo, puis donna ses instructions :

– Dites à la loge de ne laisser sortir personne, et faites chercher T.J. Vérifiez tous les placards à balais et les cabines de W.-C. N'appréhendez pas Mlle Street, mais empêchez-la de partir. L'inspecteur Bernsen est en route.

– Un instant, dit Strawn. J'interroge la loge tout de suite.

Il reprit la ligne au bout de trente secondes.

– On me signale que Mlle Street a quitté les lieux, il y a une vingtaine de minutes.

– T.J. était avec elle ?

– Non, le gardien dit qu'elle était seule.

– Alors trouvez T.J. ! commanda Sam.

Il rédigea une note tout en convoquant Wayne Satran de l'autre main. Wayne lut le billet et s'activa.

– Elle est quelque part dans le bâtiment, dit Sam à Strawn, et peut-être vivante.

Peut-être seulement... Un seul coup de marteau avait suffi à tuer Marci. Luna avait connu une mort plus lente, mais c'étaient bien ses blessures à la tête qui l'avaient achevée, et non le début d'hémorragie consécutif aux plaies laissées par le couteau. Le médecin légiste estimait, à vue d'œil, qu'elle avait dû survivre une ou deux minutes après le début de l'attaque. Street ne faisait pas dans la demi-mesure.

– Devons-nous procéder de manière discrète ? demanda Strawn.

– La seule chose qui compte, c'est de retrouver T.J. le plus vite possible. Leah Street s'est déjà échappée. Alors mobilisez l'ensemble du personnel. Quand vous l'aurez trouvée, faites votre possible pour l'aider si elle est vivante. Si elle est morte, que personne ne s'approche du lieu du crime. Une ambulance est déjà en route.

Telle était la mission de Wayne : mettre la machine en branle. Des agents de police de différents secteurs convergeaient sur Hammerstead, ainsi que des secouristes et des experts du labo.

– On va la trouver, dit Laurence Strawn à mi-voix.

Son instinct de flic dictait à Sam de se rendre sur place lui aussi. Mais il se savait plus utile ici.

Le dossier de Leah Street était sur le bureau de Roger. Sam appela le commissariat de Sterling Heights, et tomba sur un policier à qui il demanda de trouver l'adresse ainsi que les numéros de téléphone et de Sécurité sociale de l'intéressée. Mais quand son interlocuteur reprit le combiné, au bout d'une minute, ce fut pour déclarer :

– Je n'ai rien au nom de Leah Street. Il y a bien un Corin Lee Street, mais aucune Leah.

Corin Lee ? Seigneur. Sam se frotta le visage, déboussolé. Leah était-elle une femme ou un homme ? Les noms étaient trop proches pour laisser croire à une coïncidence.

– Quel est le sexe de Corin Street ? demanda-t-il.

– Je vérifie... C'est une femme.

Du moins sur le papier, se dit Sam.

– OK. C'est le bon dossier.

Le policier lui dicta les renseignements demandés. Sam les nota sur son bloc, puis joignit le département des immatriculations qui lui fournit le numéro des plaques et une description du véhicule de Street.

Il lança dans la foulée un avis de recherche à toutes les unités. Il ignorait si elle était armée ; jusqu'ici elle n'avait pas utilisé d'arme à feu, mais elle pouvait en porter une, ainsi qu'un poignard. Elle était imprévisible, aussi instable que la nitroglycérine. Il fallait l'approcher avec la plus grande prudence.

Où avait-elle filé ? Chez elle ? Seul un personnage de dessin animé serait aussi stupide. Mais Leah Street en était un. Alors il dépêcha une voiture à son domicile.

Pendant tout ce temps, il s'efforçait de ne pas songer à T.J. L'avait-on retrouvée ? Vivante ?

Il consulta sa montre. Dix minutes s'étaient écoulées depuis son échange avec Strawn, ce qui faisait une demi-heure depuis la fuite de Leah. Elle pouvait se trouver n'importe où dans la région de Detroit, mais aussi à Windsor, au Canada. Ce serait le bouquet ; ils avaient déjà mis quatre juridictions sur le coup, alors pourquoi pas Interpol ?

Il voulait appeler Jaine, mais décida d'attendre. Il ignorait où en était T.J., et il ne pouvait infliger à Jaine une nouvelle crise d'angoisse. La mort de Luna était trop proche.

Dieu merci, elle était chez Shelley. Elle n'était pas seule, et elle était en sécurité là-bas, car Leah ne connaissait pas Shelley et ignorait où elle habitait...

À moins que Jaine l'ait mentionné dans la rubrique « personnes à joindre en cas d'urgence ».

Les dossiers étaient classés par ordre alphabétique. Si Roger avait celui de Street, Sam avait forcément celui de Jaine Bright. Les B étaient légions chez Hammerstead, et il parcourut frénétiquement le listing jusqu'à ce qu'il tombe sur les bonnes pages. Il les sortit de la pile et se reporta à la rubrique ad hoc.

Shelley y figurait.

Il sentit la terre se dérober sous ses pieds. Il dégaina son portable, composa le numéro de Shelley et quitta le commissariat comme une fusée.

Ayant eux aussi fait leur petite enquête, les journalistes s'intéressaient également à Shelley, pour savoir où se trouvait Jaine. Insupportées pas les sonneries du téléphone, les deux sœurs avaient éteint les appareils avant de s'installer dans le patio du jardin, au bord de la piscine. Puisque Sam insistait pour qu'elle conserve son portable sous la main, Jaine l'avait posé à côté d'elle sur le coussin de la chaise longue.

À l'ombre d'un parasol, elle somnolait tandis que Shelley bouquinait. Il régnait un calme absolu. Shelley avait envoyé Nicholas chez un copain, et Stefanie flânait au centre commercial avec ses amies. Bercée par un fond sonore de sonates pour piano, Jaine sentait sa migraine se dissiper doucement, comme le reflux des vagues.

Elle évitait de penser à Marci et à Luna, pour préserver ses nerfs à fleur de peau. Dans son demi-sommeil, elle songeait à Sam, admirative devant sa force de caractère. Était-ce bien vrai que trois semaines plus tôt elle le prenait encore pour la plaie du voisinage ? Elle avait l'impression de le connaître depuis des mois.

Ils étaient amants depuis quelques jours, et ils seraient sous peu mari et femme. Elle peinait à croire qu'elle avait pris une décision aussi hâtive, mais celle-ci allait de soi. Cette fois-ci elle irait jusqu'au bout. Finis les atermoiements ; elle allait épouser Sam Donovan.

Il y avait tant de choses à faire, tellement de détails à régler. Dieu bénisse Shelley, qui se chargeait de toute la logistique : location d'un site, buffet, musique, fleurs, invitations, grands auvents pour abriter les convives... Pas timide pour un sou, elle avait déjà appelé la mère de Sam et sa sœur Doro, pour les associer aux préparatifs. Jaine regrettait de ne pas avoir pu rencontrer sa future belle-famille, mais les événements de ces derniers jours l'en avaient empêchée. Elle était néanmoins soulagée que Sam ait pensé à prévenir ses parents avant le coup de fil de Shelley, sans quoi le choc eût été encore plus grand pour eux.

La sonnette retentit au loin, qui l'arracha à ses doux rêves. Elle soupira et se tourna vers Shelley, qui n'avait pas bougé d'un cil.

– Tu ne vas pas voir qui c'est ?

– Sûrement pas. Ce doit être un reporter.

– C'est peut-être Sam.

– Il aurait appelé. Zut, j'oubliais que j'avais éteint les téléphones. Merde, tiens.

Elle reposa son livre sur la table, entre les deux chaises longues.

– J'étais dans un passage captivant, grogna-t-elle. Quand est-ce que je pourrai lire sans être dérangée, bon sang ? Quand c'est pas les enfants, c'est le téléphone. Et quand c'est pas le téléphone, c'est la sonnette. Tu verras, quand Sam et toi aurez des mômes.

Elle fit coulisser la porte-fenêtre et pénétra dans la maison.

Gyrophare sur le toit, Sam alternait invectives et prières en slalomant entre les voitures. Personne ne décrochait chez Shelley. Il avait laissé un message sur le répondeur. Où étaient-elles, bordel ? Jaine ne serait allée nulle part sans le prévenir. Il n'avait jamais eu aussi peur de sa vie. Il avait envoyé des unités chez Shelley, mais Dieu du ciel, faites qu'il ne soit pas trop tard...

Il se souvint tout à coup que Jaine avait acheté un portable. Une main sur le volant, pied au plancher, il enfonça la touche « répertoire » et sélectionna le bon numéro. Puis il attendit que la connexion s'établisse, en reprenant ses prières.

La grille en fer forgé du patio se mit à bringuebaler. Cachée par le treillage entourant la piscine, Jaine se redressa pour voir de quoi il retournait.

– Jaine !

Incroyable mais vrai, c'était Leah Street. Elle semblait hystérique, à secouer la grille d'une main comme pour la renverser.

– Leah ? Qu'est-ce qui ne vas pas ? C'est T.J. ? s'affola Jaine en sautant de la chaise longue.

Son cœur bondissait dans sa poitrine.

Leah cilla, visiblement surprise par la question de Jaine. Elle la dévisageait avec une rare intensité.

– Oui, c'est T.J., dit-elle en secouant les barreaux de plus belle. Ouvre !

– Qu'est-il arrivé ? Elle va bien ?

Arrivée à la grille, Jaine vit que le portail était cadenassé.

– Ouvre ! insistait Leah.

– Je n'ai pas la clé ! Je vais chercher Shelley.

Jaine commençait de s'éloigner, le cœur serré d'angoisse, quand Leah lui agrippa le bras à travers la grille.

– Mais qu'est-ce que... ?

Les mots se bloquèrent dans sa gorge. La main de Leah était maculée de sang, et elle avait deux ongles cassés. La jeune femme se pressa contre la grille, et Jaine aperçut d'autres taches d'hémoglobine sur la jupe bouffante.

Jaine eut le réflexe de reculer d'un pas.

– Ouvre cette foutue grille ! grinça Leah en secouant les barreaux comme un chimpanzé en cage.

Ses cheveux soyeux volaient devant son visage.

Jaine observa le sang, puis la chevelure blonde. Elle nota

l'inhabituelle flamme dans les yeux, les traits distordus, et se glaça.

– Espèce de monstre... articula-t-elle.

Leah était rapide comme un serpent. Elle lança son bras droit entre les barreaux et frappa Jaine à la tête avec un objet contondant. Déséquilibrée, Jaine tituba avant de tomber sur le flanc. Fouettée par l'adrénaline, elle se releva avant que l'impact ne se diffuse dans son corps.

Leah tenta un nouveau swing. Elle tenait une manivelle de cric. Jaine s'éloigna de la grille en hurlant :

– Shelley ! Appelle les flics ! Vite !

Le portable sonna. Sans réfléchir, Jaine se tourna vers la chaise longue, au moment où Leah se mettait à marteler le cadenas dans un vacarme assourdissant, jusqu'à le faire céder.

Elle enfonça le portail, et s'avança dans le jardin.

– Tu es une catin ! rugit-elle en levant la manivelle au-dessus de son épaule. Tu es une sale catin lubrique, et tu ne mérites pas de vivre.

Sans quitter Leah des yeux, Jaine obliqua lentement à reculons, cherchant à intercaler ne serait-ce qu'un siège entre elles. Elle savait ce que signifiait le sang sur les mains et le chemisier de Leah. T.J. aussi était morte. Elles étaient toutes parties. Toutes ses amies. Cette détraquée les avait tuées.

Jaine avait trop reculé ; ses talons frôlaient le rebord de la piscine.

Shelley surgit de la maison, livide, les yeux exorbités. Elle tenait la canne de hockey de son fils.

– J'ai appelé les flics, dit-elle d'une voix tremblante en fixant Leah comme une mangouste devant un cobra.

Et, tel un cobra, Leah virevolta vers Shelley.

Un « non » diffus résonna dans le crâne de Jaine. Non, pas Shelley.

– Non !

Elle expulsa ce cri comme pour cracher une flamme qui la consumait de l'intérieur. Un voile rouge tomba sur ses yeux, qui isola Leah au centre de son champ de vision. Sans s'en apercevoir, elle avançait déjà sur l'ennemie, qui soudain se retourna en brandissant son outil.

Shelley en profita pour abattre sa canne sur l'épaule de Leah. Celle-ci poussa un cri, et répliqua d'un revers de manivelle dans le thorax. Gémissante, Shelley se plia en deux. Leah leva son arme métallique pour lui fendre le crâne, mais Jaine lui tomba dessus.

Leah était plus grande, plus lourde. Ployant sous le poids de Jaine, elle se mit à lui marteler le dos, et leur corps à corps réduisait la force de frappe de Jaine. Leah se cambra, retrouva ses appuis, et projeta Jaine en arrière. Elle releva à nouveau la manivelle et avança de deux pas.

Shelley se redressa, les bras croisés sur sa poitrine, le visage rouge de colère. Elle fonça dans le tas tête baissée, et toutes trois furent emportées dans son élan.

Le pied gauche de Jaine glissa sur le carrelage humide et, comme des dominos, elles plongèrent dans la piscine.

Leurs corps enchevêtrés coulèrent à pic. Leah tenait toujours la manivelle, mais l'eau ralentissait ses mouvements. Elle se débattait pour se libérer.

Jaine n'avait pas eu le temps de prendre son souffle avant la chute. Ses poumons brûlants se convulsaient, et elle dut lutter pour ne pas ouvrir ses bronches d'un coup. Elle parvint in extremis à se dégager et à regagner le surface, où elle refit le plein d'oxygène, crachant et hoquetant tout en cherchant les autres du regard.

Ni Shelley ni Leah n'avaient émergé.

Elle gonfla ses poumons et replongea.

Le combat les avait déportées dans la partie la plus profonde du bassin. Dans un nuage de bulles, elle distingua des cheveux en suspension, et la longue jupe de Leah gonflée comme l'ombrelle d'une méduse. Elle les rejoignit en battant des jambes.

Leah enserrait le cou de Shelley. Jaine délivra sa sœur en tirant de toutes ses forces sur la chevelure blonde. Aussitôt, Shelley fusa vers la surface comme un ballon.

Leah se retourna et planta ses griffes dans la gorge de Jaine, qui ouvrit la bouche de douleur.

Jaine replia les jambes et enfonça les pieds dans le ventre de Leah. La main de Leah lâcha prise et ses ongles écorchèrent le cou de Jaine, qui vit un filet rose colorer l'eau.

Soudain Shelley réapparut, qui repoussa Leah vers le fond. Jaine se joignit à elle, cognant sans relâche, incapable de s'arrêter, bien qu'au bord de l'asphyxie.

Les mains de Leah s'accrochèrent à son chemisier, mais ses forces s'amenuisaient. Ses yeux globuleux fixèrent les deux sœurs à travers l'eau cristalline, puis se révulsèrent.

Deux bombes fendirent l'eau dans leur dos. Se retournant péniblement, Jaine aperçut une forme sombre, puis une deuxième, qui fonçaient sur elles dans un bouillonnement blanchâtre. Deux mains épaisses la délivrèrent des phalanges rigidifiées de Leah. Deux autres agrippèrent Shelley et la tirèrent vers la surface. Jaine voulut imiter le battement des jambes nues de sa sœur, mais son apnée prolongée avait anémié ses muscles. Elle eut l'impression de s'enfoncer davantage, avant qu'un des deux flics en uniforme l'empoigne et propulse leurs deux corps à l'air libre.

À demi-consciente, elle comprit vaguement qu'on l'avait extraite de la piscine et allongée sur le ciment. Elle crachait, toussait, se tortillait pour rouvrir sa gorge enflée. Les cris rauques de Shelley se mêlaient aux paroles nébuleuses des flics. Les gens s'agitaient dans tous les sens ; une troisième personne plongea dans la piscine, soulevant un arc-en-ciel de gouttelettes qui éclaboussa Jaine.

Sam apparut, livide. Il la redressa et la serra dans ses bras tremblants.

– Ne t'affole pas, dit-il d'une voix calme. Tu peux respirer, alors ne force pas. Aspire lentement, doucement. Voilà. Continue comme ça, bébé. Lentement, doucement...

Les spasmes s'atténuèrent, sa gorge se desserra, et l'oxygène s'engouffra dans sa trachée. Épuisée, elle resta calée contre le torse de Sam, mais parvint à lui toucher l'avant-bras pour lui montrer qu'elle l'entendait.

– Je n'ai pas pu arriver à temps, dit-il avec effroi. Seigneur, je n'ai pas pu arriver à temps ! J'ai essayé de te joindre, mais tu n'as pas décroché. Pourquoi tu n'as pas décroché ce putain de téléphone ?

– Les journalistes n'arrêtaient pas d'appeler, gémit Shelley. J'ai coupé les sonneries.

Pâle comme un linge, elle grimaçait et se tenait les côtes.

Un concert de sirènes s'éleva crescendo, jusqu'à l'assourdissement, puis stoppa net. Quelques secondes plus tard – ou étaient-ce des minutes ? –, des hommes en blanc se penchaient sur Shelley et Jaine, arrachant cette dernière à l'étreinte de son homme.

– Non, attendez !

Son cri se réduisait à un faible croassement. Sam fit signe aux ambulanciers de s'écarter un instant, et la reprit dans ses bras.

– T.J ? demanda-t-elle, les yeux brûlés par les larmes.

– Elle est vivante, répondit Sam, lui-même ému. J'ai appris la nouvelle sur la route. Ils l'ont retrouvée dans la réserve du bâtiment.

D'un regard, Jaine posa la question fatidique.

Sam hésita.

– Elle est blessée, chérie. J'ignore si c'est grave, mais l'essentiel c'est qu'elle soit en vie.

Sam n'assista pas au repêchage du cadavre de Leah-Corin Lee. Il y avait assez de personnel sur place, ce n'était pas sa juridiction, et il avait bien mieux à faire. Rester auprès de Jaine, en l'occurrence. Il monta dans son pick-up et suivit les ambulances jusqu'à l'hôpital.

Elles furent immédiatement prises en charge par l'équipe d'urgentistes. Après s'être assuré que l'hôpital se chargeait de prévenir Al, Sam s'adossa au mur pour souffler. Il se sentait malade. À quoi bon prêter serment – ce fameux « servir et protéger » – quand on est infoutu de protéger la femme qu'on aime ? Il n'oublierait pas cet effroyable sentiment d'impuissance pendant qu'il fonçait dans les rues en comprenant qu'il n'arriverait jamais à temps pour sauver Jaine.

Il avait reconstitué le puzzle, mais trop tard pour mettre Jaine et T.J. à l'abri.

T.J. se trouvait dans un état critique. D'après Bernsen, elle avait dû rouler dans sa chute, si bien que sa tête s'était retrouvée partiellement protégée par le socle d'un vieux fauteuil de bureau. Quelque chose avait dû effrayer Leah avant qu'elle ait pu finir le travail, l'incitant à partir pour s'occuper de Jaine.

Sam était avachi dans un siège en plastique de la salle d'attente, quand Bernsen le rejoignit.

– Seigneur, quel cauchemar, souffla-t-il en se laissant tomber sur le siège voisin. J'ai entendu dire que les blessures étaient mineures. Alors pourquoi c'est si long ?

– Je présume que rien ne presse, répondit Sam. Shelley, la sœur de Jaine, passe une radio du thorax. Et ils examinent la gorge de Jaine. C'est tout ce que je sais.

Il se frotta les joues.

– J'ai complètement merdé, Roger. Il était presque trop tard quand j'ai trouvé la solution, et je n'ai pas pu me rendre sur place à temps.

– Mais les hommes que tu as dispatchés sont arrivés à temps, eux. T.J. est vivante, ce qui ne serait pas le cas si tu n'avais pas agi aussi vite. Quant aux deux sœurs, les agents qui les ont sorties de la flotte disent qu'elles ont frôlé la noyade. Autrement dit, si tu n'avais pas envoyé les mecs sur place... Personnellement, j'estime que t'as vachement assuré, mais je suis qu'un inspecteur, alors j'en sais foutre rien, pas vrai ?

Le médecin de Jaine apparut enfin.

– On va la garder en observation jusqu'à demain matin. Sa gorge est commotionnée, mais le larynx et l'os hyoïde sont intacts. Il n'y aura aucune séquelle. Nous la gardons par simple acquit de conscience.

– Je peux la voir ? demanda Sam en se levant.

– Bien sûr. À part ça, la sœur s'en tire avec deux côtes fêlées.

Après un silence, le médecin ajouta :

– Une sacrée bagarre, hein ?

– Je vous le fais pas dire, répondit Sam en pénétrant dans la salle de consultation.

Jaine était assise sur une table d'examen en skaï. Son visage s'éclaira à la vue de Sam, et son expression en disait aussi long que les mots qu'elle ne pouvait prononcer. Elle lui offrit sa main, qu'il pressa tendrement avant de prendre Jaine dans ses bras.

Vingt-deux heures plus tard, T.J. parvenait à ouvrir une paupière gonflée, et à refermer ses doigts sur ceux de Galan.

29

– J'arrive pas à croire que tu n'aies rien dit à tes parents, dit T.J.

Son élocution demeurait approximative, mais le ton réprobateur était net.

– En fait si, corrigea-t-elle. Je conçois que tu n'aies rien voulu leur dire, mais que Shelley et David se soient tus eux aussi, ça me dépasse. Comment peut-on cacher à ses parents qu'une tarée a failli tuer leurs deux filles ?

Jaine se frotta le nez.

– J'imagine que lorsque tu étais gamine, tu aurais fait n'importe quoi pour cacher à tes parents que tu courais un danger. Ben là, c'est un peu pareil.

Elle haussa les épaules.

– C'était déjà de l'histoire ancienne. Tu étais vivante, Shelley et moi n'avions rien, alors je ne voulais pas les embêter avec ça. Et puis, entre les journaleux qui nous ont sauté dessus et l'enterrement de Luna, j'avais d'autres chats à fouetter.

Non sans difficulté, T.J. tourna sa tête bandée vers la fenêtre de sa chambre d'hôpital. Elle avait quitté les soins intensifs depuis six jours, mais la semaine précédente demeurerait un blanc dans sa mémoire. Elle n'avait aucun souvenir de son agression, si bien que nul n'en connaissait le déroulement précis. Sam et l'inspecteur Bernsen avaient bâti un scénario d'après les éléments dont ils disposaient, mais personne ne pourrait jamais le valider.

– Je regrette de n'avoir pu assister aux obsèques, dit-elle d'une voix triste.

Jaine fut parcourue d'un frisson. Elle-même aurait préféré ne jamais vivre ça.

Chaque nuit depuis deux semaines, elle se réveillait en sursaut, transpirante, le cœur palpitant, d'un cauchemar qu'elle oubliait aussitôt. Cela dit, Sam étant son remède attitré contre les troubles du sommeil, l'expérience avait aussi du bon. Elle se réveillait peut-être terrorisée, mais se rendormait avec chaque muscle de son corps repu par une overdose de plaisir.

Sam aussi avait eu son lot de mauvaises nuits, surtout au début. Héros ou pas, il s'en voulait de ne pas avoir secouru Jaine lui-même. Jusqu'à cette nuit où elle s'était glissée en douce sous la douche, pour planter sa tête sous le jet d'eau en hurlant :

– Au secours ! Au secours ! Je me noie !

Du moins essayait-elle de hurler, de sa voix convalescente et enrouée. Sam écarta le rideau et se planta devant elle, laissant l'eau se répandre dans la salle de bains.

– Te moquerais-tu de mes remords ?

– Ouais, dit-elle avant de poursuivre son petit numéro.

Il coupa le robinet, lui colla une fessée suffisamment forte pour qu'elle proteste, puis la souleva et la sortit de la baignoire.

– Tu vas me le payer, gronda-t-il en la laissant retomber sur le lit, avant de se redresser pour ôter ses sous-vêtements trempés.

– Vraiment ?

Nue et mouillée, elle s'étira langoureusement en cambrant les reins.

– Que me réserves-tu ? demanda-t-elle en le caressant au point le plus sensible.

Puis elle se coucha sur le ventre et le captura pour de bon. Il devint sage comme une image.

– Je mérite une grosse, grosse punition, susurra-t-elle. Je crois même que tu devrais m'obliger à... avaler.

Et de le prendre à pleine bouche pour joindre le geste à la parole.

Depuis, il ne se passait pas un jour sans que Sam ne déclare d'un air penaud :

– Je m'en veux terriblement, tu sais.

Ha, ha.

Si Jaine reprenait du poil de la bête, c'était avant tout grâce à Sam. Il s'était abstenu de tout paternalisme, se contentant de l'aimer, de la consoler, et de lui faire l'amour jusqu'à l'épuisement. Et cela avait suffi. Elle était de nouveau capable de rire.

Elle rendait quotidiennement visite à T.J. Celle-ci avait commencé la rééducation pour recouvrer ses facultés motrices. Elle mangeait encore les mots, malgré des progrès quotidiens, et peinait à contrôler ses membres droits, mais là aussi les médecins étaient optimistes. Galan restait constamment à son chevet et, à en juger par l'abnégation qu'affichait son regard, leurs problèmes conjugaux étaient derrière eux.

– Revenons un peu à tes parents, dit T.J. J'imagine que tu vas leur en parler aujourd'hui, dès qu'ils descendront de l'avion.

– Non, pas tout de suite. Je dois d'abord leur présenter Sam, et discuter du mariage. Et puis je préfère que Shelley soit avec moi pour évoquer le reste.

– N'attends pas qu'ils rentrent chez eux, car tu peux être sûre que leurs voisins vont s'empresser de tout leur raconter.

– D'accord, d'accord. Je leur dirai.

T.J. sourit.

– Et qu'ils pensent à me remercier d'avoir fait repousser

le mariage d'une semaine. Ça leur permettra de souffler un peu.

Jaine fit la moue. Certes, le report du mariage permettrait à T.J. d'être présente, fût-ce en fauteuil roulant, mais elle doutait que son père lui en soit reconnaissant. À tout prendre, un mariage le lendemain de son retour lui aurait évité de se biler jusqu'au week-end suivant.

Elle regarda sa montre.

– Je dois te laisser. J'ai rendez-vous avec Sam dans une heure.

Elle se pencha pour embrasser T.J.

– Je passerai te voir demain.

Galan entra au même moment, caché derrière un énorme bouquet de lis qui embauma la chambre.

– Quelle synchronisation ! lui dit-elle d'un clin d'œil avant de s'éclipser.

– Oui, dit la voix ténue du vieux J. Clarence Cosgrove, je me souviens très bien de Corin Street. C'était une situation très étrange, mais hélas ! inextricable. Nous ignorions même que Corin était une fille avant qu'elle n'atteigne la puberté. Bien sûr, son acte de naissance mentionnait son sexe, mais qui aurait pensé à le vérifier ? Sa mère disait que Corin était son fils, et pourquoi en aurions-nous douté ?

– Elle fut élevée comme un garçon ? demanda Sam, les pieds sur son bureau, le téléphone calé sur son épaule.

– À ma connaissance, sa mère n'a jamais admis, que ce soit en parole ou en actes, la féminité de Corin. Corin était une enfant gravement perturbée. Oui, gravement perturbée. Réfractaire à toute discipline. Elle a tué un animal domestique en pleine classe, mais Mme Street n'a jamais voulu le reconnaître ; elle répétait à qui voulait l'entendre qu'elle avait un fils parfait.

CQFD, se dit Sam. L'homme parfait. Voilà ce qui avait déclenché l'ire de Corin Lee Street. Le détonateur d'une bombe jamais désamorcée. Ce n'était pas tant le contenu de la Liste que son intitulé qui avait mis le feu aux poudres.

– Elle a retiré Corin de mon établissement, enchaîna M. Cosgrove. Mais j'ai décidé de suivre, en secret, le parcours de cet enfant. Ses problèmes comportementaux se sont accrus au fil des ans, comme nous le redoutions. À l'âge de quinze ans, Corin a tué sa mère. J'ai souvenance d'un crime particulièrement violent, bien que j'en aie oublié les détails. Corin fut internée en hôpital psychiatrique pour plusieurs années, et ne fut jamais poursuivie pénalement.

– Ce meurtre a eu lieu dans la région de Denver ?

– Tout à fait.

– Je vous remercie, monsieur Cosgrove. J'y vois plus clair.

Après avoir raccroché, Sam tapota le bout de son stylo sur son bloc, en faisant le point sur les renseignements recueillis au sujet de Corin Lee Street. Encore Corin au moment de son internement en H.P., c'était une Leah à sa sortie – de toute évidence une déclinaison de son second prénom, Lee. Le portrait qui se dégageait d'elle était celui d'une femme très instable et dangereuse, ayant été maltraitée par sa mère, tant sur le plan physique que psychique, jusqu'à ce que cette violence accumulée s'empare de tout son être. Les psychiatres pouvaient bien gloser pour savoir ce qui, de la maltraitance ou du tempérament violent, avait prévalu sur l'autre ; Sam n'avait pas à se prononcer là-dessus. Il voulait seulement saisir la personnalité de celle qui avait causé tant de malheur.

Il appela ensuite le commissariat central de Denver et parvint à joindre l'inspecteur qui avait enquêté sur le sinistre meurtre de Mme Street. Corin avait battu sa mère à mort à l'aide d'un lampadaire de salon, avant de lui asperger le visage d'alcool à brûler et d'y mettre le feu. Quand le corps fut découvert, on diagnostiqua chez Corin une personnalité complètement déstructurée, qui lui valut d'être enfermée pour une durée de sept ans.

De fil en aiguille, Sam parvint jusqu'à la psychiatre qui s'était occupée de Corin. En apprenant le décès de sa patiente et ses circonstances, elle poussa un long soupir empreint d'amertume.

– Elle fut libérée contre mon avis, dit-elle. Mais elle s'en est mieux sortie que je ne le prévoyais, si vous me dites qu'elle a tenu autant d'années sans succomber à sa folie destructrice. Quand elle suivait son traitement, elle se montrait cohérente, mais elle n'en demeurait pas moins – bien que je déteste les étiquettes – une authentique psychotique. J'étais convaincue que, tôt ou tard, elle commettrait un meurtre. Tous les symptômes avant-coureurs étaient réunis.

– Comment est-elle passée de Corin à Leah ?

– Corin était le prénom de son grand-père maternel. Sa mère n'acceptait pas d'avoir mis au monde une fille. À ses yeux, les filles étaient... « indignes », « sales » pour reprendre les mots de Corin. Alors Mme Street a rebaptisé son enfant, l'a élevé comme un garçon, l'a habillé comme un garçon, et fait croire à tout le monde que Corin était son fils. Dès son plus jeune âge, à la moindre bêtise, elle se faisait punir de diverses façons. Sa mère la battait, lui plantait des aiguilles dans la peau, la séquestrait dans des placards sans lumière. Quand elle atteignit la puberté, ce fut pire que tout. Mme Street ne supportait pas les changements physiques de Corin, en particulier l'apparition de ses règles.

– J'imagine, dit Sam, qui avait la nausée à l'évocation de ces châtiments.

– À partir de ce moment, dès que Corin commettait une faute, elle subissait des sévices sexuels. Je vous épargne les détails...

– Merci.

– Corin détestait son corps et la sexualité féminine. La

thérapie et les médicaments lui permirent malgré tout de développer un début de personnalité féminine. C'est là qu'elle choisit de s'appeler Leah. Elle ne ménagea pas sa peine pour devenir une vraie femme. Pour autant, je n'ai jamais pensé qu'elle puisse un jour développer une sexualité normale, ni d'ailleurs aucune forme de relation affective. Elle acquit certaines manières de femme, et son traitement permettait d'endiguer sa violence, mais sa perception des réalités demeurait des plus fragiles. Je suis franchement surprise qu'elle ait su conserver son emploi pendant plusieurs années. Y a-t-il autre chose que vous aimeriez savoir ?

– Non, docteur. Vous m'avez dit l'essentiel.

Sam pouvait ranger ses notes dans son tiroir. Elles seraient prêtes à servir quand Jaine voudrait connaître le fin mot de l'histoire. Mais à ce jour elle n'avait posé aucune question sur Leah Street.

C'était peut-être mieux ainsi. Bien qu'il ait toujours su que Jaine était une battante, il était impressionné par sa force de caractère. Pour elle, le malheur était un adversaire à terrasser dès le premier round. Jamais elle ne concèderait un seul point à Leah Street au score final.

Il vit à sa montre qu'il allait être en retard.

– Bordel de merde... maugréa-t-il.

Jaine ne lui pardonnerait pas de faire poireauter ses vieux à l'aéroport. Sans compter qu'il avait une importante nouvelle à lui annoncer, pour laquelle il valait mieux qu'elle soit de bonne humeur.

Il fonça jusqu'au domicile des parents Bright. Étant donné que ni le pick-up ni la Viper n'avaient la place d'accueillir quatre personnes et six semaines de bagages, ils se rendraient à l'aéroport dans la Lincoln maternelle. Jaine y avait déjà pris place, le moteur en marche, quand il dérapa dans l'allée et sauta du pick-up.

– Tu es en retard, dit-elle, faisant crisser les pneus dès qu'il eut posé les fesses sur son siège.

Il boucla sa ceinture.

– On va y arriver, dit-il d'un air confiant.

Avec Jaine au volant, on pouvait en être sûr. Peut-être fallait-il lui rappeler les limitations de vitesse, songea-t-il avant de se raviser.

– Tu te souviens de cet entretien que j'ai passé il y a quelques semaines ? lança-t-il.

– Tu as obtenu le poste.

– Comment le sais-tu ?

– Pourquoi en parlerais-tu, sinon ?

– J'ai déjà suivi les cours de l'Académie de police de l'État, alors je serai immédiatement opérationnel. Le seul problème, c'est qu'il va falloir que je déménage.

– Et alors ? dit-elle en roulant des yeux.

– Regarde la route !

– C'est ce que je fais !

– Alors ça ne t'embête pas de devoir partir ? Tu viens d'acheter la maison.

– Ce qui m'embêterait, ce serait de vivre séparée de toi. À peine mariés, ce serait dur à avaler.

Avaler, quel joli mot...

Ils atteignirent l'aéroport en un temps record. Tandis qu'ils se pressaient jusqu'au bon terminal, Jaine dit :

– N'oublie pas que papa est atteint de Parkinson, alors attends-toi à le trouver remuant.

– Compris, dit-il en marchant à la même vitesse qu'elle trottait.

Ils venaient d'atteindre la porte quand apparurent les premiers passagers. Ses parents étaient dans le peloton de tête. Jaine glapit et courut dans les bras de sa mère, qu'elle câlina avec ardeur, puis recommença avec son père.

– Voici Sam ! dit-elle en le tirant par la manche.

Les parents avaient été prévenus du mariage imminent, si bien que Sam eut également droit à un gros câlin de maman.

– On a plein de choses à vous raconter, dit Jaine en ouvrant la marche au bras de sa mère. Mais promettez d'abord de ne pas vous fâcher.

Comme si ça allait suffire, songea Sam.

– Tant que ma voiture n'a rien... dit Lyle Bright.